★ **상위권** 실력 완성 ★

최고수준 수학

동영상 강의 무료 제공

교재 홈페이지
(book.chunjae.co.kr)

동영상 강의는 QR 또는 교재 홈페이지에서 무료로 제공합니다.

5-2

5~6학년군

이 책의 구성과 특징

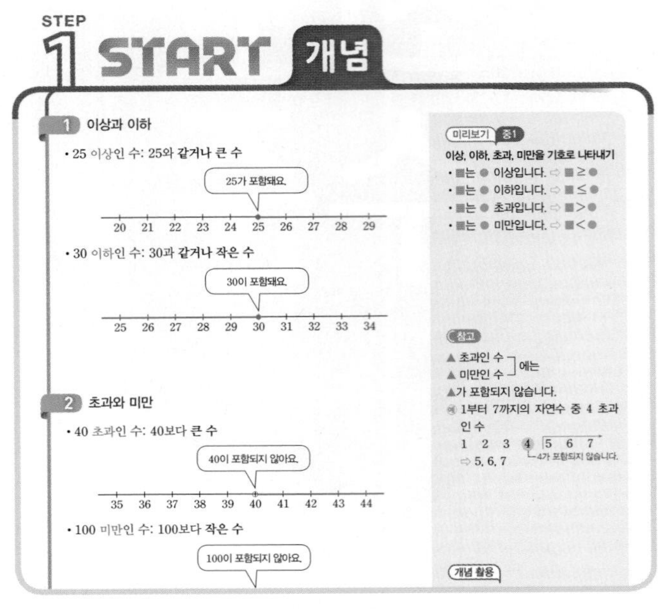
STEP 1 START 개념

1 이상과 이하

• 25 이상인 수: 25와 **같거나 큰 수**

25가 포함돼요.

20 21 22 23 24 25 26 27 28 29

• 30 이하인 수: 30과 **같거나 작은 수**

30이 포함돼요.

25 26 27 28 29 30 31 32 33 34

2 초과와 미만

• 40 초과인 수: 40보다 **큰 수**

40이 포함되지 않아요.

35 36 37 38 39 40 41 42 43 44

• 100 미만인 수: 100보다 **작은 수**

100이 포함되지 않아요.

미리보기 중1

이상, 이하, 초과, 미만을 기호로 나타내기

• ■는 ● 이상입니다. ⇨ ■≥●
• ■는 ● 이하입니다. ⇨ ■≤●
• ■는 ● 초과입니다. ⇨ ■>●
• ■는 ● 미만입니다. ⇨ ■<●

참고

▲ 초과인 수, ▲ 미만인 수에는 ▲가 포함되지 않습니다.

예 1부터 7까지의 자연수 중 4 초과인 수

1 2 3 4 5 6 7 (4가 포함되지 않습니다.)

⇨ 5, 6, 7

개념 활용

• 핵심 개념, 심화 학습에 필요한 개념을 정리하고 확인할 수 있어요.
• 상위 연계 개념을 미리 볼 수 있어요.

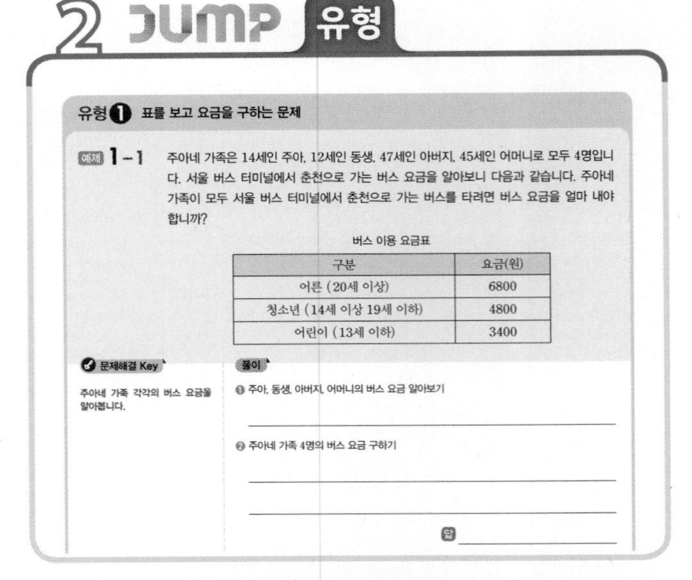
STEP 2 JUMP 유형

유형 ❶ 표를 보고 요금을 구하는 문제

예제 1-1 주아네 가족은 14세인 주아, 12세인 동생, 47세인 아버지, 45세인 어머니로 모두 4명입니다. 서울 버스 터미널에서 춘천으로 가는 버스 요금을 알아보니 다음과 같습니다. 주아네 가족이 모두 서울 버스 터미널에서 춘천으로 가는 버스를 타려면 버스 요금을 얼마 내야 합니까?

버스 이용 요금표

구분	요금(원)
어른 (20세 이상)	6800
청소년 (14세 이상 19세 이하)	4800
어린이 (13세 이하)	3400

문제해결 Key

주아네 가족 각각의 버스 요금을 알아봅니다.

풀이

❶ 주아, 동생, 아버지, 어머니의 버스 요금 알아보기

❷ 주아네 가족 4명의 버스 요금 구하기

답

• 시험에 자주 출제되는 문제 유형을 뽑아 풀어 본 후 유사문제로 다질 수 있어요.
• 창의·융합 문제도 학습할 수 있어요.

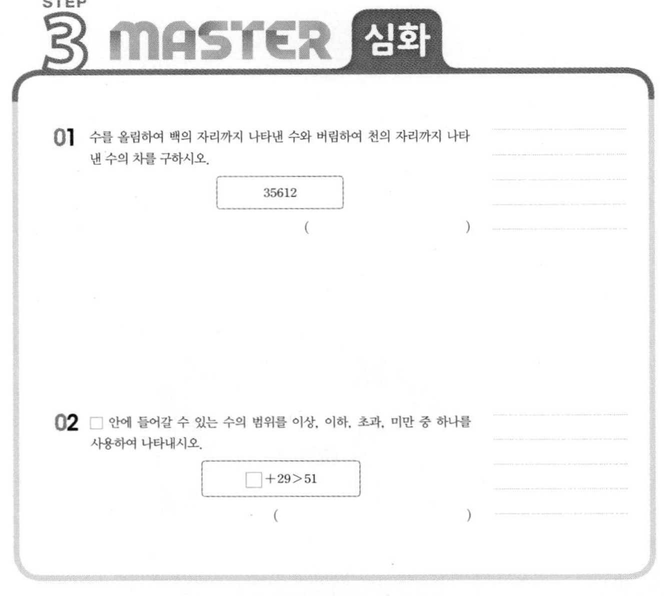
STEP 3 MASTER 심화

01 수를 올림하여 백의 자리까지 나타낸 수와 버림하여 천의 자리까지 나타낸 수의 차를 구하시오.

35612

(　　　　　)

02 □ 안에 들어갈 수 있는 수의 범위를 이상, 이하, 초과, 미만 중 하나를 사용하여 나타내시오.

□+29>51

(　　　　　)

• 심화 유형의 문제, 경시대회 기출문제, 창의·융합 문제를 풀어 보며 실력을 키울 수 있어요.

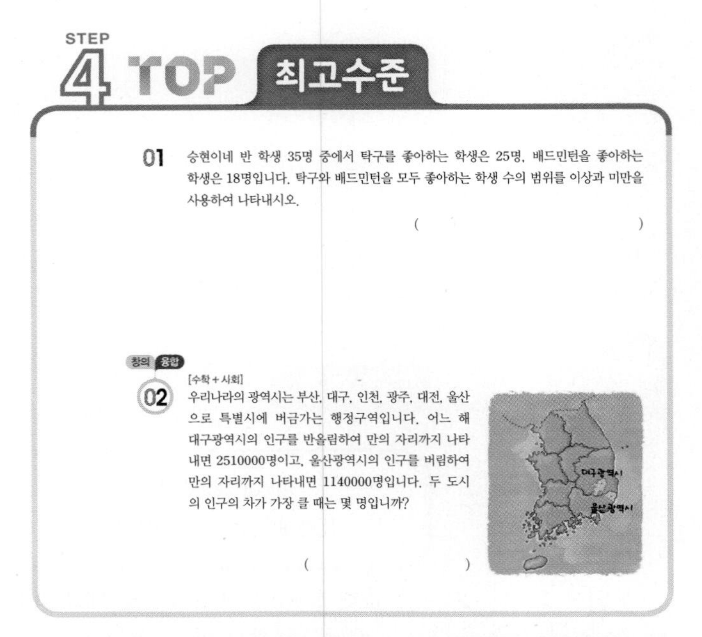
STEP 4 TOP 최고수준

01 승현이네 반 학생 35명 중에서 탁구를 좋아하는 학생은 25명, 배드민턴을 좋아하는 학생은 18명입니다. 탁구와 배드민턴을 모두 좋아하는 학생 수의 범위를 이상과 미만을 사용하여 나타내시오.

(　　　　　)

창의 융합

02 [수학 + 사회] 우리나라의 광역시는 부산, 대구, 인천, 광주, 대전, 울산으로 특별시에 버금가는 행정구역입니다. 어느 해 대구광역시의 인구를 반올림하여 만의 자리까지 나타내면 2510000명이고, 울산광역시의 인구를 버림하여 만의 자리까지 나타내면 1140000명입니다. 두 도시의 인구의 차가 가장 클 때는 몇 명입니까?

(　　　　　)

• 교내외 경시대회에 출제되는 높은 수준의 문제들을 선별하여 수록하였어요.

수학 교과 역량을 기르는 창의·융합 문제

창의·융합 문제를 통해 수학과 타 교과의 실생활 지식, 기능, 경험을 수학과 연결·융합하여 **새로운 지식, 기능, 경험**을 생성하고 문제를 해결하는 능력을 기를 수 있어요.

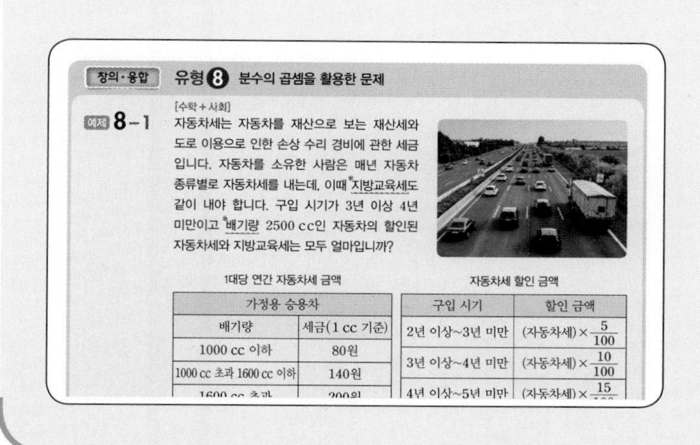

가정용 승용차	
배기량	세금(1 cc 기준)
1000 cc 이하	80원
1000 cc 초과 1600 cc 이하	140원

구입 시기	할인 금액
2년 이상~3년 미만	(자동차세) × $\frac{5}{100}$
3년 이상~4년 미만	(자동차세) × $\frac{10}{100}$

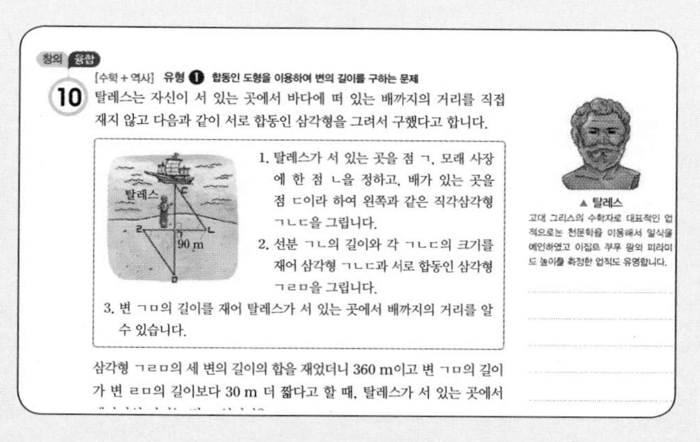

실전에 더욱 강해질 수 있는 각종 경시 유형 문제

각종 경시 유형 문제를 도전해 보며 **실전 경시대회를 대비**할 수 있고 수학 실력을 한층 높일 수 있어요.

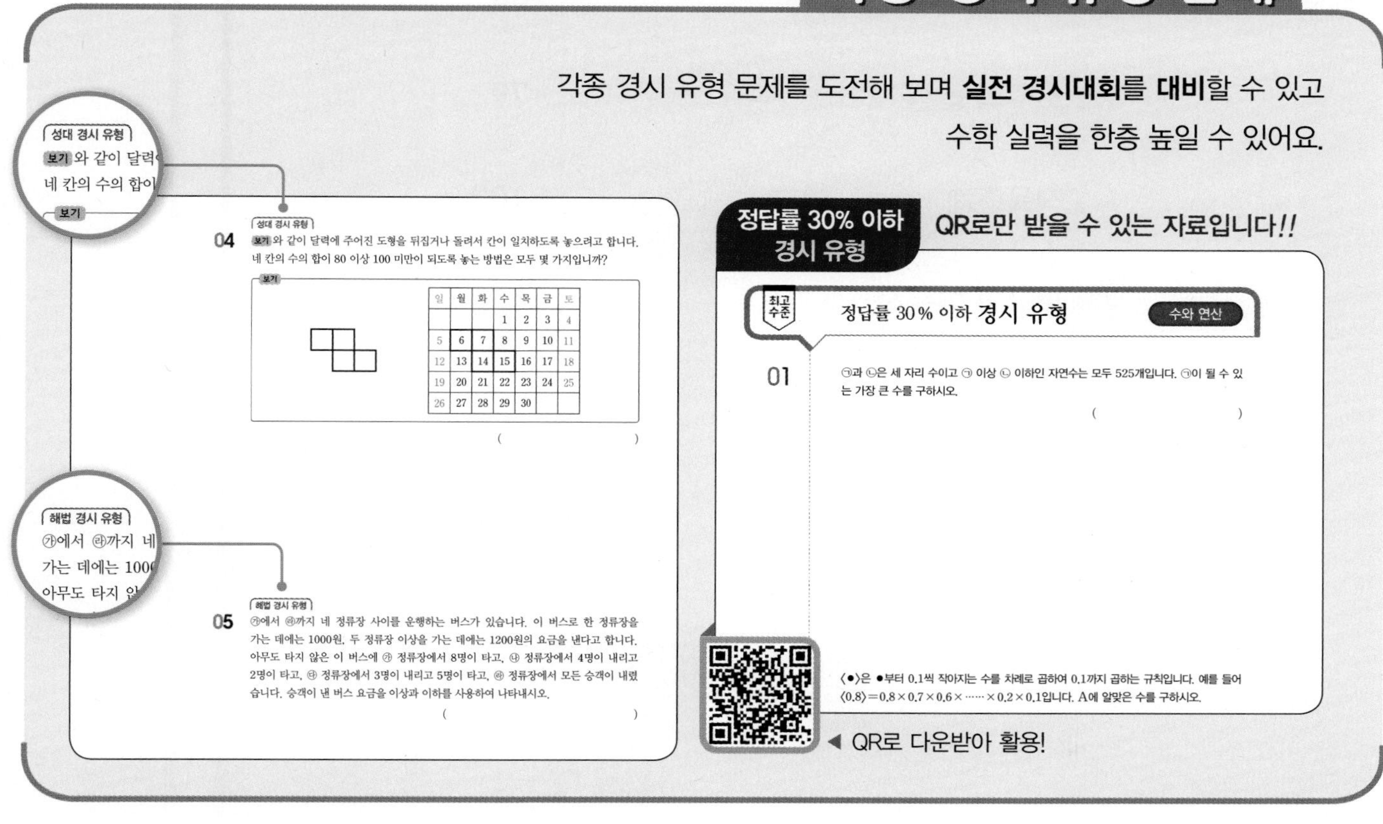

이 책의 **차례**

최 고 수 준

1 수의 범위와 어림하기

꼭! 알아야 할 대표 유형

- 유형 ❶ 표를 보고 요금을 구하는 문제
- 유형 ❷ 수의 범위에 속하는 자연수의 개수로 경곗값을 구하는 문제
- 유형 ❸ 수의 범위를 구하는 문제
- 유형 ❹ 공통 범위에 속하는 자연수를 구하는 문제
- 유형 ❺ 지폐의 수를 구하는 문제
- 유형 ❻ 물건값을 구하는 문제
- 유형 ❼ 수 카드를 사용하여 조건을 만족하는 수를 만드는 문제
- 유형 ❽ [창의·융합] 어림하여 그래프로 나타내는 문제
- 유형 ❾ 어림하기 전의 수의 범위를 구하는 문제
- 유형 ❿ [창의·융합] 조건을 만족하는 범위를 찾는 문제

단계	쪽수	공부한 날	점수
1단계 START 개념	6~9	월 일	O X
2단계 JUMP 유형	10~19	월 일	O X
3단계 MASTER 심화	20~25	월 일	O X
4단계 TOP 최고수준	26~27	월 일	O X

※ O에는 맞힌 개수, X에는 틀린 개수를 써넣으세요.

STEP 1 START 개념

1. 수의 범위

1 이상과 이하

• 25 이상인 수: 25와 **같거나 큰 수**

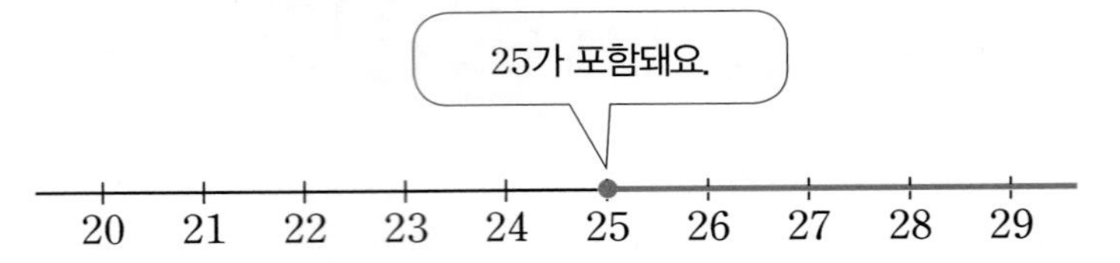

• 30 이하인 수: 30과 **같거나 작은 수**

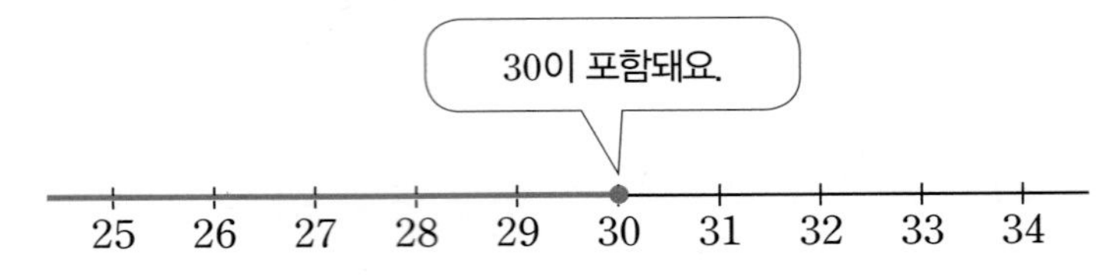

2 초과와 미만

• 40 초과인 수: 40보다 **큰 수**

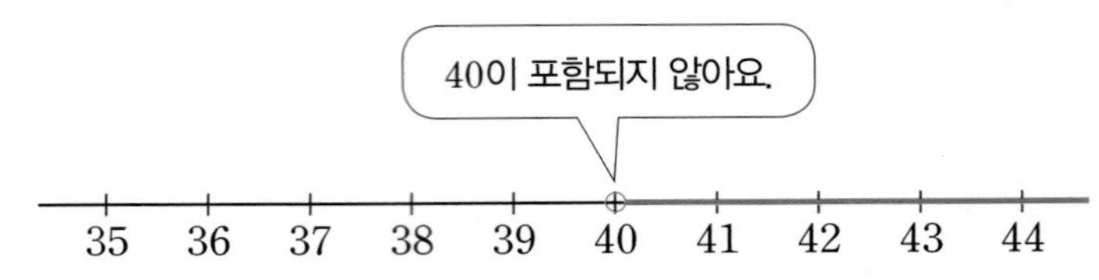

• 100 미만인 수: 100보다 **작은 수**

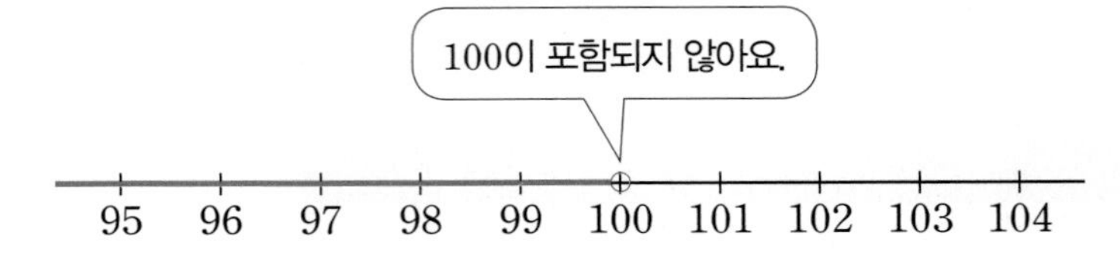

3 수의 범위

• 3 이상 6 이하인 수

2 3 4 5 6 7

• 6 이상 9 미만인 수

5 6 7 8 9 10

• 4 초과 7 이하인 수

3 4 5 6 7 8

• 11 초과 14 미만인 수

10 11 12 13 14 15

참고 수의 범위를 수직선에 나타낼 때
이상, 이하: 점 ●, 초과, 미만: 점 ○을 사용하여 나타냅니다.

미리보기 중1

이상, 이하, 초과, 미만을 기호로 나타내기

• ■는 ● 이상입니다. ⇨ ■ $\geq$ ●
• ■는 ● 이하입니다. ⇨ ■ $\leq$ ●
• ■는 ● 초과입니다. ⇨ ■ $>$ ●
• ■는 ● 미만입니다. ⇨ ■ $<$ ●

참고

▲ 초과인 수, ▲ 미만인 수에는 ▲가 포함되지 않습니다.

예 1부터 7까지의 자연수 중 4 초과인 수

1 2 3 4 5 6 7 (4가 포함되지 않습니다.)

⇨ 5, 6, 7

개념 활용

• ■ 이상 ● 이하인 자연수의 개수: (● − ■ + 1)개
• ■ 초과 ● 이하인 자연수의 개수: (● − ■)개
• ■ 이상 ● 미만인 자연수의 개수: (● − ■)개
• ■ 초과 ● 미만인 자연수의 개수: (● − ■ − 1)개

예 11 초과 14 미만인 자연수의 개수:
$14-11-1=2$(개) → 12, 13으로 2개

1 수직선에 나타낸 수의 범위에 포함되지 않는 수를 모두 고르시오. …………………( )

25 26 27 28 29 30 31

① 28 ② 28.1 ③ 20
④ 25 ⑤ 32

2 바르게 설명한 사람을 찾아 이름을 쓰시오.

( )

3 태권도 선수들의 체급별 몸무게를 나타낸 표입니다. 강현이의 몸무게가 37.4 kg일 때 강현이가 속한 체급의 몸무게 범위를 수직선에 나타내시오.

체급별 몸무게(초등학생용)

체급	몸무게(kg)
밴텀급	34 초과 36 이하
페더급	36 초과 39 이하
라이트급	39 초과

35 36 37 38 39 40 41

4 15 이상 21 이하인 자연수는 모두 몇 개입니까?

( )

5 64를 포함하는 수의 범위를 모두 찾아 기호를 쓰시오.

㉠ 64 이상인 수 ㉡ 63 이하인 수
㉢ 63 초과인 수 ㉣ 64 미만인 수

( )

6 씨름 선수들의 몸무게를 나타낸 표입니다. 소장급이 40 kg 초과 45 kg 이하일 때 소장급에 속한 학생의 이름을 모두 찾아 쓰시오.

씨름 선수들의 몸무게

이름	몸무게(kg)	이름	몸무게(kg)
윤성	40.2	지호	48
강민	50	수연	49.2
동현	45	성수	47.6

( )

STEP 1 START 개념

2. 어림 알아보기

1 올림

• 올림: 구하려는 자리 아래 수를 올려서 나타내는 방법

㉠ 2483을 올림하여 나타내기

올림하여 십의 자리까지 (십의 자리 아래 수를 올림)	2483 → 2490
올림하여 백의 자리까지 (백의 자리 아래 수를 올림)	2483 → 2500
올림하여 천의 자리까지 (천의 자리 아래 수를 올림)	2483 → 3000

2 버림

• 버림: 구하려는 자리 아래 수를 버려서 나타내는 방법

예 4527을 버림하여 나타내기

버림하여 십의 자리까지 (십의 자리 아래 수를 버림)	4527 → 4520
버림하여 백의 자리까지 (백의 자리 아래 수를 버림)	4527 → 4500
버림하여 천의 자리까지 (천의 자리 아래 수를 버림)	4527 → 4000

3 반올림

• 반올림: 구하려는 자리 바로 아래 자리의 숫자가 0, 1, 2, 3, 4이면 버리고, 5, 6, 7, 8, 9이면 올리는 방법

예 6794를 반올림하여 나타내기

반올림하여 십의 자리까지	6794 → 6790 4이므로 버립니다.
반올림하여 백의 자리까지	6794 → 6800 9이므로 올립니다.
반올림하여 천의 자리까지	6794 → 7000 7이므로 올립니다.

개념 활용

어림하여 십의 자리까지 나타낸 수가 ●가 되는 수의 범위

• 올림: (● -10) 초과 ● 이하인 수

예 올림하여 십의 자리까지 나타낸 수가 20이 되는 수의 범위

10 11 12 13 14 15 16 17 18 19 20

⇨ 10 초과 20 이하인 수

• 버림: ● 이상 (● $+10$) 미만인 수

예 버림하여 십의 자리까지 나타낸 수가 20이 되는 수의 범위

20 21 22 23 24 25 26 27 28 29 30

⇨ 20 이상 30 미만인 수

• 반올림: (● -5) 이상 (● $+5$) 미만인 수

예 반올림하여 십의 자리까지 나타낸 수가 20이 되는 수의 범위

15 16 17 18 19 20 21 22 23 24 25

⇨ 15 이상 25 미만인 수

참고

• **300을 올림하여 백의 자리까지 나타내기**

구하려는 자리의 아래 수가 모두 0인 경우 올릴 것이 없으므로 그대로 씁니다.

300 → 300 (같습니다.)

• **500을 버림하여 백의 자리까지 나타내기**

구하려는 자리의 아래 수가 모두 0인 경우 버릴 것이 없으므로 그대로 씁니다.

500 → 500 (같습니다.)

1 반올림하여 주어진 자리까지 나타내시오.

수	백의 자리	천의 자리
4751		
50483		

2 버림하여 천의 자리까지 나타내면 7000이 되는 수를 모두 고르시오. ··················(　　　　)

① 7200　② 8048　③ 6152
④ 8001　⑤ 7000

3 어림한 후, 어림한 수의 크기를 비교하여 ○ 안에 >, =, <를 알맞게 써넣으시오.

㉠ 2176을 반올림하여 백의 자리까지 나타낸 수
㉡ 2176을 반올림하여 천의 자리까지 나타낸 수

4 올림하여 백의 자리까지 나타낸 수가 나머지 셋과 다른 하나를 찾아 쓰시오.

3418　3400　3402　3478

(　　　　　　　　)

5 은우는 5450원짜리 필통을 한 개 사려고 합니다. 1000원짜리 지폐로만 필통값을 낸다면 최소 얼마를 내고, 얼마를 거슬러 받아야 합니까?

(　　　　　　), (　　　　　　)

6 어떤 자연수를 버림하여 십의 자리까지 나타내었더니 150이 되었습니다. 어떤 수가 될 수 있는 자연수는 모두 몇 개입니까?

(　　　　　　　　)

STEP 2 JUMP 유형

유형❶ 표를 보고 요금을 구하는 문제

예제 1-1 주아네 가족은 14세인 주아, 12세인 동생, 47세인 아버지, 45세인 어머니로 모두 4명입니다. 서울 버스 터미널에서 춘천으로 가는 버스 요금을 알아보니 다음과 같습니다. 주아네 가족이 모두 서울 버스 터미널에서 춘천으로 가는 버스를 타려면 버스 요금을 얼마 내야 합니까?

버스 이용 요금표

구분	요금(원)
어른 (20세 이상)	6800
청소년 (14세 이상 19세 이하)	4800
어린이 (13세 이하)	3400

문제해결 Key

주아네 가족 각각의 버스 요금을 알아봅니다.

풀이

❶ 주아, 동생, 아버지, 어머니의 버스 요금 알아보기

❷ 주아네 가족 4명의 버스 요금 구하기

답

응용 1-2 민준이네 가족은 11세인 민준, 15세인 형, 48세인 부모님, 65세인 할머니로 모두 5명입니다. 민준이네 가족이 모두 주간에 놀이공원에 입장하려면 자유이용권 요금을 얼마 내야 합니까?

놀이공원 자유이용권 이용 요금표

구분	주간 요금(원)	야간 요금(원)
어른	50000	41000
청소년	44000	37000
어린이 / 경로	41000	34000

• 어른: 20세 이상 64세 이하 • 청소년: 14세 이상 19세 이하
• 어린이: 4세 이상 13세 이하 • 경로: 65세 이상

( )

유형 2 수의 범위에 속하는 자연수의 개수로 경곗값을 구하는 문제

예제 2-1 수직선에 나타낸 수의 범위에 속하는 자연수는 모두 7개입니다. ㉠에 알맞은 자연수를 구하시오.

38 ㉠

문제해결 Key

경곗값이 수의 범위에 포함되는지 확인합니다.

풀이

❶ 38 이상인 자연수를 작은 수부터 차례로 7개 쓰기

❷ ㉠ 구하기

답

예제 2-2 수직선에 나타낸 수의 범위에 속하는 자연수는 모두 9개입니다. ㉠에 알맞은 자연수를 구하시오.

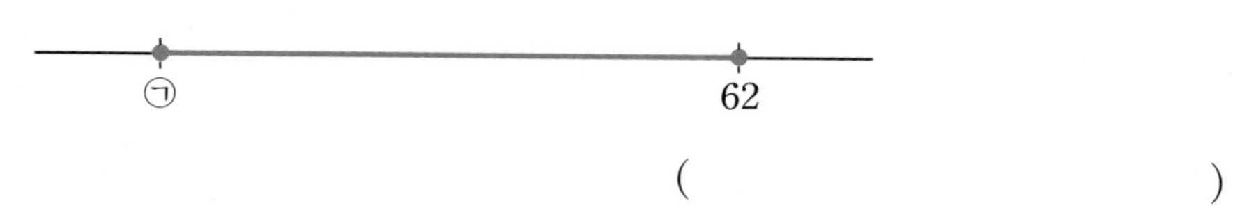

( )

응용 2-3 다음 조건을 만족하는 자연수 ㉠과 ㉡의 합을 구하시오.

- 30 초과 ㉠ 이하인 자연수는 모두 6개입니다.
- ㉡ 이상 20 미만인 자연수는 모두 10개입니다.

( )

유형 3 수의 범위를 구하는 문제

예제 3-1 둘레가 57 cm 초과 78 cm 이하인 정삼각형을 만들려고 합니다. 한 변의 길이의 범위를 초과와 이하를 사용하여 나타내시오.

문제해결 Key

정삼각형은 세 변의 길이가 같습니다.

풀이

❶ 둘레가 57 cm일 때 정삼각형의 한 변의 길이 구하기

❷ 둘레가 78 cm일 때 정삼각형의 한 변의 길이 구하기

❸ 정삼각형의 한 변의 길이의 범위를 초과와 이하를 사용하여 나타내기

답

예제 3-2 둘레가 60 cm 이상 95 cm 미만인 정오각형을 만들려고 합니다. 한 변의 길이의 범위를 이상과 미만을 사용하여 나타내시오.

( )

응용 3-3 가은이네 학교 5학년 학생들이 보트를 타려고 합니다. 한 척에 탈 수 있는 정원이 12명인 보트를 최소 15번 운행해야 모두 탈 수 있다면 가은이네 학교 5학년 학생은 몇 명 이상 몇 명 이하인지 구하시오.

( )

유형 4 공통 범위에 속하는 자연수를 구하는 문제

예제 4-1 두 수의 범위에 공통으로 속하는 자연수를 모두 구하시오.

문제해결 Key

수의 공통 범위
⇨ 하나의 수직선에 나타냈을 때 겹치는 부분

풀이

❶ 두 수의 공통 범위 알아보기

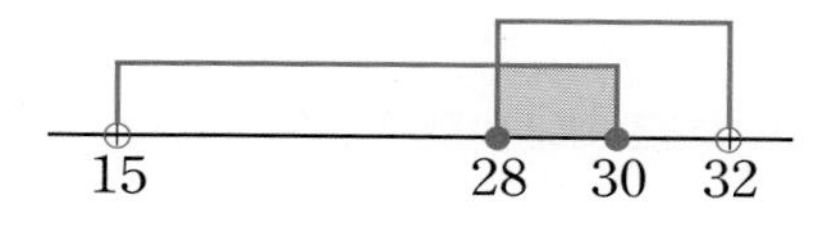

⇨ 두 수의 공통 범위: ☐이상 ☐이하인 수

❷ 두 수의 범위에 공통으로 속하는 자연수 구하기

답 ____________

예제 4-2 두 수의 범위에 공통으로 속하는 자연수를 모두 구하시오.

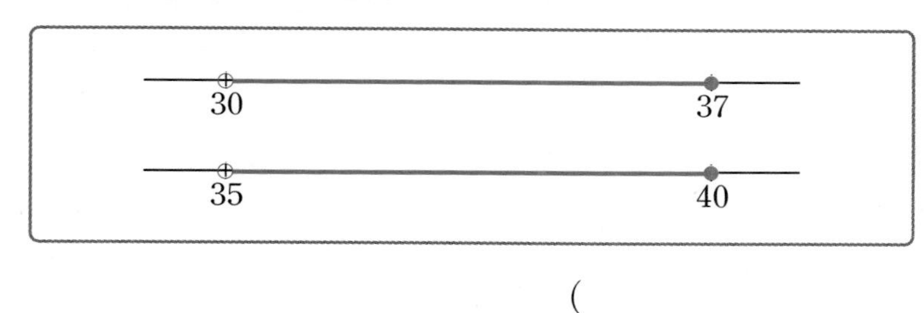

(   )

응용 4-3 선우네 반 학생 수를 다음과 같이 나타냈습니다. 선우네 반 학생 수는 몇 명이 될 수 있는지 모두 구하시오.

(   )

유형 5 지폐의 수를 구하는 문제

예제 5-1 승우가 동전을 모은 저금통을 열어서 세어 보니 500원짜리 동전이 20개, 100원짜리 동전이 35개, 10원짜리 동전이 17개였습니다. 이것을 1000원짜리 지폐로 바꾸면 최대 몇 장까지 바꿀 수 있습니까?

문제해결 Key

1000원이 안되는 돈은 1000원짜리 지폐로 바꿀 수 없습니다.

풀이

❶ 모은 동전의 금액 구하기

❷ 1000원짜리 지폐로 최대 바꿀 수 있는 지폐의 수 구하기

답 ______

예제 5-2 우재가 동전을 모은 저금통을 열어서 세어 보니 500원짜리 동전이 35개, 100원짜리 동전이 110개, 50원짜리 동전이 20개였습니다. 이것을 1000원짜리 지폐로 바꾸면 최대 몇 장까지 바꿀 수 있습니까?

(   )

응용 5-3 민규와 상미는 24500원짜리 책을 1권씩 사려고 합니다. 책값을 민규는 10000원짜리, 상미는 1000원짜리 지폐로만 내려고 합니다. 두 사람이 내야 할 최소 지폐 수의 차는 몇 장입니까?

(   )

유형 6 물건값을 구하는 문제

예제 6-1 밭에서 감자를 528 kg 캤습니다. 이 감자를 한 상자에 10 kg씩 담아서 15000원씩 받고 팔려고 합니다. 감자를 팔아서 받을 수 있는 돈은 최대 얼마입니까?

문제해결 Key

10 kg이 안되는 감자는 상자에 담아 팔 수 없습니다.

풀이

❶ 팔 수 있는 감자의 최대 상자 수 구하기

❷ 감자를 팔아서 받을 수 있는 돈은 최대 얼마인지 구하기

답

예제 6-2 은우네 학교 학생 423명에게 공책을 2권씩 나누어 주려고 합니다. 공책은 10권씩 묶음으로만 팔고 한 묶음에 5000원씩입니다. 공책을 사는 데 필요한 돈은 최소 얼마입니까?

( )

응용 6-3 김 100장을 한 톳이라고 합니다. 김 4782장을 한 톳씩 묶어 8000원씩 받고 묶은 김을 모두 팔았습니다. 남은 김은 10장씩 묶어 1000원씩 받고 묶은 김을 모두 팔았습니다. 김을 판 금액은 모두 얼마입니까?

( )

유형 7 수 카드를 사용하여 조건을 만족하는 수를 만드는 문제

예제 7-1 5장의 수 카드 중에서 3장을 뽑아 한 번씩 사용하여 세 자리 수를 만들려고 합니다. 350 초과 417 이하인 수는 모두 몇 개 만들 수 있습니까?

4 3 1 7 5

문제해결 Key

350 초과 417 이하인 수
⇨ 백의 자리 숫자가 3 또는 4인 수

풀이

❶ 만들 수 있는 350 초과 417 이하인 수 중 백의 자리 숫자가 3인 경우 알아보기

❷ 만들 수 있는 350 초과 417 이하인 수 중 백의 자리 숫자가 4인 경우 알아보기

❸ 만들 수 있는 350 초과 417 이하인 수는 모두 몇 개인지 구하기

답

예제 7-2 5장의 수 카드 중에서 3장을 뽑아 한 번씩 사용하여 세 자리 수를 만들려고 합니다. 270 이상 520 미만인 수는 모두 몇 개 만들 수 있습니까?

(　　　　　　　　)

응용 7-3 5장의 수 카드 중에서 3장을 뽑아 한 번씩 사용하여 세 자리 수를 만들려고 합니다. 만들 수 있는 수를 반올림하여 십의 자리까지 나타내면 460이 되는 수를 모두 쓰시오.

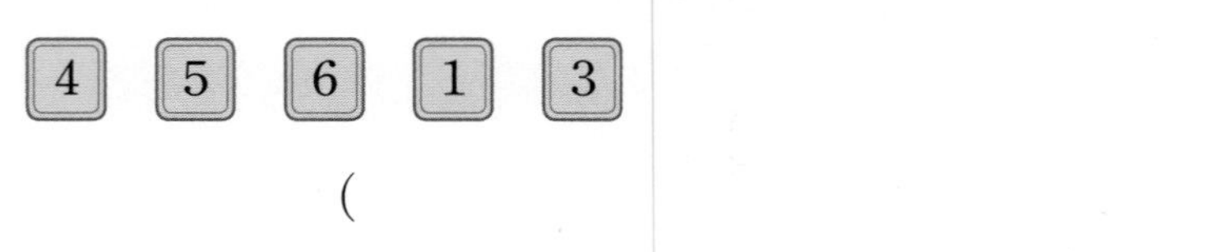

(　　　　　　　　)

창의·융합

유형 8 어림하여 그래프로 나타내는 문제

예제 8-1

[수학+사회]

환율은 외국 돈과 우리 돈의 교환 비율을 말합니다. '원 캐나다달러 환율'은 1캐나다달러의 가격을 우리 돈으로 표시한 것입니다. 어느 달의 원 캐나다달러 환율을 조사하여 나타낸 표입니다. 환율을 반올림하여 십의 자리까지 나타낸 후, 반올림한 수를 꺾은선그래프로 나타내시오.

▲ 캐나다달러

원 캐나다달러 환율

날짜(일)	환율(원)
1	848.10
2	835.64
3	830.38
4	831.19
5	844.94

원 캐나다달러 환율

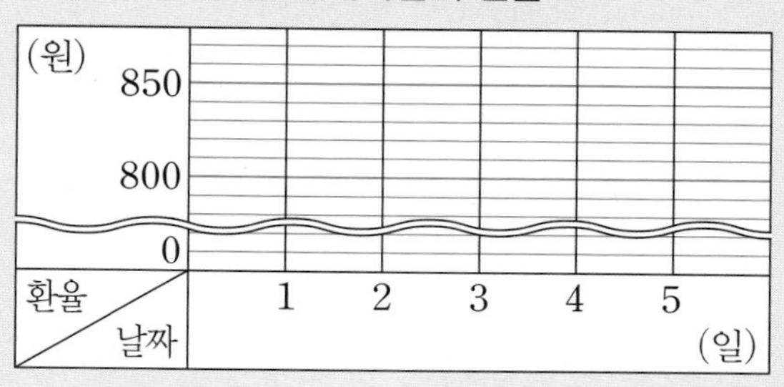

문제해결 Key

반올림하여 십의 자리까지 나타내기
⇨ 일의 자리 숫자가 5보다 작으면 버리고 5와 같거나 크면 올려서 나타내기

풀이

❶ 환율을 반올림하여 십의 자리까지 나타내기

원 캐나다달러 환율

날짜(일)	1	2	3	4	5
환율(원)					

❷ 꺾은선그래프로 나타내기

응용 8-2

[수학+사회]

1인 가구는 혼자서 살림하는 가구로 결혼 시기가 늦춰지고 이혼율 증가와 함께 사회가 고령화되면서 1인 가구 수의 비중이 높아지고 있습니다. 다음은 1인 가구 수를 조사하여 나타낸 표입니다. 1인 가구 수를 반올림하여 십만의 자리까지 나타낸 후, 반올림한 수를 꺾은선그래프로 나타내시오.

1인 가구 수

연도(년)	1인 가구 수(가구)
1995	1642406
2000	2224433
2005	3170675
2010	4042165
2015	5203440

1인 가구 수

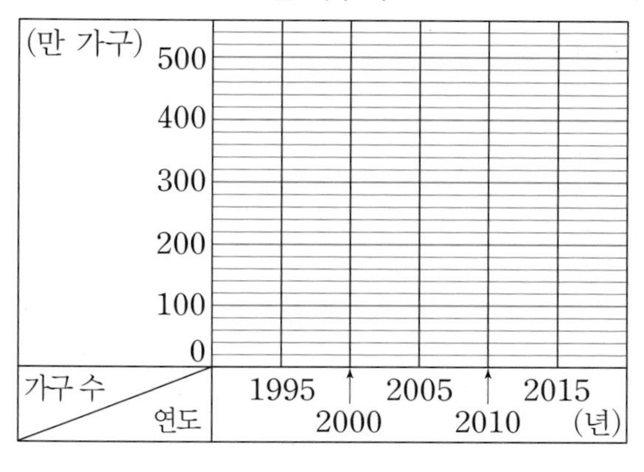

유형 9 어림하기 전의 수의 범위를 구하는 문제

예제 9-1 어떤 자연수를 올림하여 십의 자리까지 나타내었더니 3200이 되었습니다. 어떤 자연수가 될 수 있는 가장 큰 수와 가장 작은 수의 합을 구하시오.

문제해결 Key

수를 올림하여 십의 자리까지 나타낸 수가 ■가 되는 수의 범위
⇨ (■−10) 초과 ■ 이하인 수

풀이

❶ 어떤 자연수가 될 수 있는 수의 범위를 초과와 이하를 사용하여 나타내기

❷ 어떤 자연수가 될 수 있는 가장 큰 수와 가장 작은 수의 합 구하기

답

예제 9-2 어떤 자연수를 버림하여 백의 자리까지 나타내었더니 6700이 되었습니다. 어떤 자연수가 될 수 있는 가장 큰 수와 가장 작은 수의 차를 구하시오.

(　　　　　　)

예제 9-3 어떤 자연수를 반올림하여 십의 자리까지 나타내었더니 2450이 되었습니다. 어떤 자연수가 될 수 있는 수 중에서 2450 미만인 수를 모두 구하시오.

(　　　　　　)

응용 9-4 올림하여 백의 자리까지 나타낸 수와 버림하여 백의 자리까지 나타낸 수가 모두 5600이 되는 자연수를 구하시오.

(　　　　　　)

창의·융합

유형 10 조건을 만족하는 범위를 찾는 문제

예제 10-1

[수학 + 과학]

*오존은 성층권에 있을 때는 이롭지만 대류권, 즉 지구의 대기에서는 매우 해롭다고 합니다. 자동차 배기가스 등에 의해 만들어지는 대류권의 오존 농도가 높아지면 호흡기 질환 등의 질병이 발생합니다. 이에 기상청은 대기 중 오존 농도가 일정 수준보다 높을 때 다음 표와 같이 오존 주의보를 발령하고 있습니다.

*오존: 산소 원자 3개로 구성되어 있고 자극성이 있는 기체로 폭발성과 독성이 있습니다.

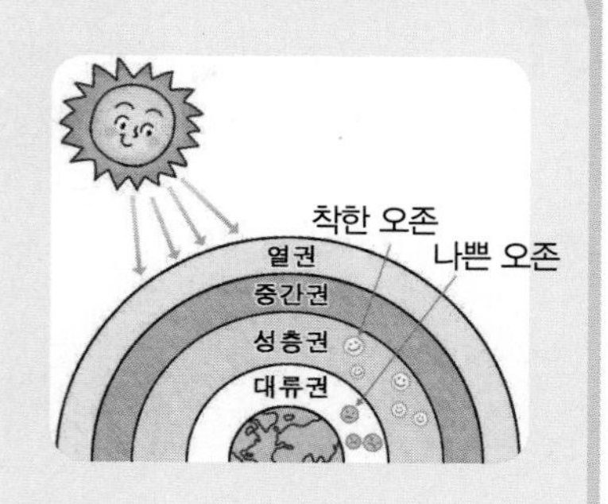

오존 경보 발령 기준

경보 단계	오존 주의보	오존 경보	오존 중대 경보
오존 농도(*ppm)	0.12 이상 0.3 미만	0.3 이상 0.5 미만	0.5 이상
활동 제한 사항	실외 활동 자제	실외 활동 제한	실외 활동 중지

어느 날 오존 농도가 다음 조건을 만족하는 자연수가 없는 소수 두 자리 수일 때 발령된 경보 단계를 쓰시오.

- 소수 첫째 자리 숫자는 2 초과 4 미만입니다.
- 소수 둘째 자리 숫자는 6 이상 7 미만입니다.

문제해결 Key

■ 초과 ● 미만인 수
⇨ ■와 ●는 포함되지 않습니다.

*ppm: 농도의 단위, 피피엠이라고 읽음.

풀이

❶ 오존 농도 구하기

❷ 발령된 경보 단계 찾기

답

응용 10-2

[수학 + 체육]

체질량지수는 키와 몸무게를 이용하여 지방의 양을 추정하는 비만 측정법입니다.

체질량지수별 평가

평가	저체중	정상체중	과체중	비만
체질량지수	20 미만	20 이상 25 미만	25 이상 30 미만	30 이상

선호의 체질량지수가 다음 조건을 만족하는 두 자리 수일 때 체질량지수별 평가표를 보고 선호는 저체중, 정상체중, 과체중, 비만 중 어느 것인지 쓰시오.

- 십의 자리 숫자는 2 이상 3 미만입니다.
- 일의 자리 숫자는 4 초과 6 미만입니다.

( )

문제 풀이 동영상

01 수를 올림하여 백의 자리까지 나타낸 수와 버림하여 천의 자리까지 나타낸 수의 차를 구하시오.

35612

( )

02 □ 안에 들어갈 수 있는 수의 범위를 이상, 이하, 초과, 미만 중 하나를 사용하여 나타내시오.

$\square + 29 > 51$

( )

유형 ⑩ 조건을 만족하는 수를 구하는 문제

03 자연수 부분이 5 이상 6 이하이고, 소수 첫째 자리 숫자는 3 초과 8 미만인 소수 한 자리 수는 모두 몇 개입니까?

( )

유형 ⑨ 어림하기 전의 수의 범위를 구하는 문제

04 어떤 수를 반올림하여 십의 자리까지 나타내었더니 2000이 되었습니다. 어떤 수가 될 수 있는 수의 범위를 이상과 미만을 사용하여 수직선에 나타내시오.

성대 경시 유형

05 다음 조건을 모두 만족하는 수를 찾아 기호를 쓰시오.

- 올림하여 십의 자리까지 나타낸 수와 반올림하여 십의 자리까지 나타낸 수가 다릅니다.
- 버림하여 백의 자리까지 나타낸 수와 반올림하여 백의 자리까지 나타낸 수가 다릅니다.

㉠ 2350　　㉡ 5742　　㉢ 6373　　㉣ 4827

(　　　　　　　　　　)

유형 ③ 수의 범위를 구하는 문제

06 재호의 성적은 다음과 같습니다. 4과목의 총점이 360점 이상 380점 미만이면 우수상을 받을 수 있습니다. 재호가 우수상을 받을 수 있는 수학 점수의 범위를 구하시오. (단, 한 과목당 100점 만점입니다.)

재호의 성적

과목	국어	수학	영어	과학
점수(점)	95		88	90

(　　　　　　　　　　)

07 다음 다섯 자리 수를 반올림하여 천의 자리까지 나타낸 수와 버림하여 천의 자리까지 나타낸 수는 같습니다. □ 안에 들어갈 수 있는 숫자를 모두 구하시오.

64□19

( )

유형 ❻ 물건값을 구하는 문제

08 어느 장난감 공장에서 장난감을 15분에 42개씩 만듭니다. 이 공장에서 8시간 동안 만든 장난감을 한 상자에 10개씩 담아서 팔려고 합니다. 팔 수 있는 장난감은 최대 몇 상자입니까?

( )

고대 경시 유형 유형 ❸ 수의 범위를 구하는 문제

09 어떤 수를 7로 나눈 후 몫을 반올림하여 십의 자리까지 나타내었더니 80이 되었습니다. 어떤 수의 범위를 이상과 미만을 사용하여 나타내시오.

( )

성대 경시 유형 유형 ❷ 수의 범위에 속하는 자연수의 개수로 경곗값을 구하는 문제

10 ㉠과 ㉡이 두 자리 수일 때, ㉠이 될 수 있는 가장 큰 수를 구하시오.

㉠ 초과 ㉡ 미만인 자연수는 모두 12개입니다.

( )

유형 ❾ 어림하기 전의 수의 범위를 구하는 문제

11 서영이네 반 학생 수를 버림하여 십의 자리까지 나타내면 30명입니다. 서영이네 반 학생들을 학생 수를 같게 하여 8모둠으로 나누려고 했더니 3명이 부족했습니다. 서영이네 반 학생은 몇 명입니까?

( )

창의 융합

[수학 + 사회] 유형 ❶ 표를 보고 요금을 구하는 문제

12 KTX는 우리나라의 고속 열차로 세계의 고속 열차는 일본의 신칸센, 프랑스의 테제베, 독일의 이체 등이 있습니다. KTX는 가장 빠를 때는 한 시간에 300 km를 가는 빠르기로 지역간 이동을 편리하게 해주어 생활에 많은 변화를 주었습니다. 다음은 서울에서 대전까지 기차 이용 요금표입니다. 선아네 가족 4명이 모두 기차를 타고 서울에서 대전으로 간다면 KTX를 탈 때와 무궁화호를 탈 때의 요금의 차는 얼마입니까?

▲ KTX

기차 이용 요금표

구분	KTX 요금(원)	무궁화호 요금(원)
어른 / 청소년 (14세 이상 64세 이하)	23700	10800
어린이 (6세 이상 13세 이하)	11800	5400
경로 (65세 이상)	16600	7600

선아네 가족의 나이

할아버지	65세
아버지	42세
어머니	40세
선아	12세

( )

유형 ❼ 수 카드를 사용하여 조건을 만족하는 수를 만드는 문제

13 수 카드 5장을 한 번씩만 사용하여 다섯 자리 수를 만들려고 합니다. 만들 수 있는 수 중에서 40000에 가장 가까운 수를 버림하여 십의 자리까지 나타내시오.

3 0 9 1 4

( )

유형 ❹ 공통 범위에 속하는 자연수를 구하는 문제

14 다음 조건을 모두 만족하는 세 자리 수는 몇 개입니까?

- 올림하여 십의 자리까지 나타내면 520입니다.
- 버림하여 십의 자리까지 나타내면 510입니다.
- 반올림하여 십의 자리까지 나타내면 510입니다.

( )

유형 ❽ 어림하여 그래프로 나타내는 문제

15 어느 영화관의 날짜별 입장객 수를 올림하여 십의 자리까지 나타낸 후, 올림한 수를 꺾은선그래프로 나타낸 것입니다. 입장객이 가장 많은 날과 가장 적은 날의 실제 입장객은 몇 명 이상 몇 명 이하인지 각각 구하시오.

영화관의 입장객 수

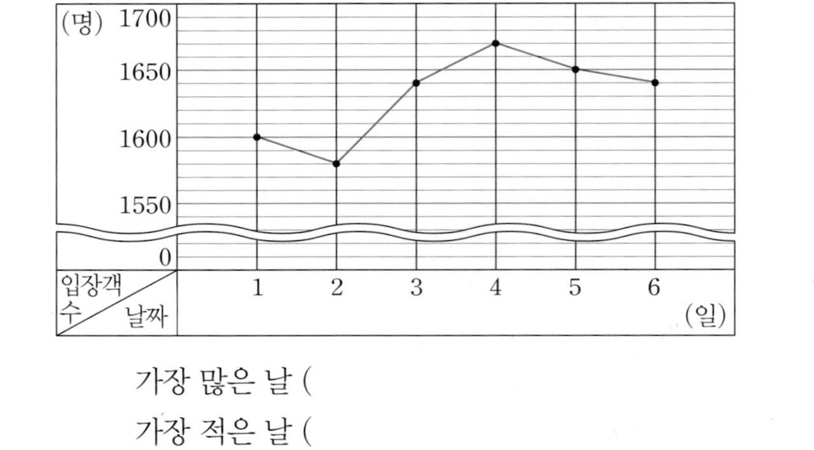

가장 많은 날 ( )

가장 적은 날 ( )

유형 ⑨ 어림하기 전의 수의 범위를 구하는 문제

16 음악회 입장객 수를 반올림하여 백의 자리까지 나타내면 1800명입니다. 기념품 3800개를 준비하여 입장객 한 사람에게 2개씩 나누어 주려고 합니다. 기념품이 가장 많이 남는다면 몇 개가 남겠습니까?

( )

유형 ⑨ 어림하기 전의 수의 범위를 구하는 문제

17 재우네 학교 5학년 학생 수를 올림하여 십의 자리까지 나타내면 330명이고, 반올림하여 십의 자리까지 나타내면 320명입니다. 재우네 학교 5학년 학생 수의 범위를 초과와 미만을 사용하여 나타내시오.

( )

해법 경시 유형

18 주미는 체육대회 때 사용할 풍선 375개를 사려고 합니다. ㉮ 문구점에서는 풍선을 10개씩 묶음으로 팔고 한 묶음에 700원입니다. ㉯ 문구점에서는 풍선을 100개씩 묶음으로 팔고 한 묶음에 6000원입니다. 풍선을 최소 묶음으로 살 때 어느 문구점에서 사는 것이 얼마나 돈이 적게 듭니까?

( ), ( )

01 승현이네 반 학생 35명 중에서 탁구를 좋아하는 학생은 25명, 배드민턴을 좋아하는 학생은 18명입니다. 탁구와 배드민턴을 모두 좋아하는 학생 수의 범위를 이상과 미만을 사용하여 나타내시오.

(　　　　　　　　　　)

창의 융합

[수학 + 사회]

02 우리나라의 광역시는 부산, 대구, 인천, 광주, 대전, 울산으로 특별시에 버금가는 행정구역입니다. 어느 해 대구광역시의 인구를 반올림하여 만의 자리까지 나타내면 2510000명이고, 울산광역시의 인구를 버림하여 만의 자리까지 나타내면 1140000명입니다. 두 도시의 인구의 차가 가장 클 때는 몇 명입니까?

(　　　　　　　　　　)

03 수 카드 5장을 한 번씩만 사용하여 다섯 자리 수를 만들려고 합니다. 만들 수 있는 수를 반올림하여 만의 자리까지 나타내면 60000이 되는 수는 모두 몇 개입니까?

6　2　3　5　8

(　　　　　　　　　　)

성대 경시 유형

04 보기 와 같이 달력에 주어진 도형을 뒤집거나 돌려서 칸이 일치하도록 놓으려고 합니다. 네 칸의 수의 합이 80 이상 100 미만이 되도록 놓는 방법은 모두 몇 가지입니까?

보기

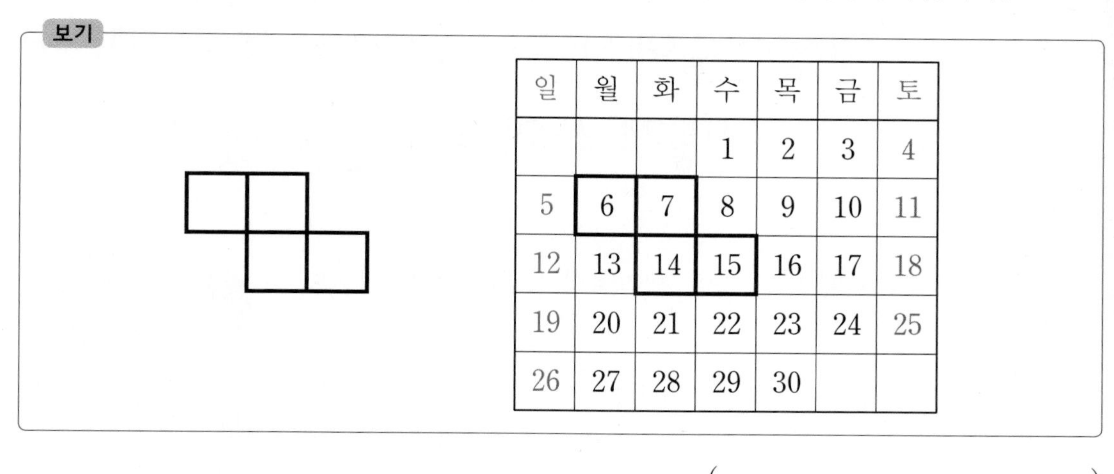

일	월	화	수	목	금	토
			1	2	3	4
5	6	7	8	9	10	11
12	13	14	15	16	17	18
19	20	21	22	23	24	25
26	27	28	29	30		

( )

해법 경시 유형

05 ㉮에서 ㉱까지 네 정류장 사이를 운행하는 버스가 있습니다. 이 버스로 한 정류장을 가는 데에는 1000원, 두 정류장 이상을 가는 데에는 1200원의 요금을 낸다고 합니다. 아무도 타지 않은 이 버스에 ㉮ 정류장에서 8명이 타고, ㉯ 정류장에서 4명이 내리고 2명이 타고, ㉰ 정류장에서 3명이 내리고 5명이 타고, ㉱ 정류장에서 모든 승객이 내렸습니다. 승객이 낸 버스 요금을 이상과 이하를 사용하여 나타내시오.

( )

생각하기

일상생활에서 이상, 이하, 초과, 미만이 어떻게 쓰이는지 알고 있나요?

이상, 이하, 초과, 미만 등은 생각보다 많은 곳에서 이용되고 있답니다.
모든 투기 스포츠, 예를 들면 권투, 유도, 레슬링, 씨름 등에는 체급이 있어요. 일정 범위의 체중을 설정하고 그 범위에 속하는 선수들을 경쟁시키죠. 스포츠라 일컬어지는 모든 투기 운동에서 체급이 나뉘는 이유는 체중 차에서 나오는 힘의 불리함을 없애고 경기력으로 승부를 가리자는 목표가 들어 있는 것이라 볼 수 있어요.

우리 생활에서 이상, 이하, 초과, 미만이 이용되는 예를 더 찾아보면 어떤 게 있을까요?
TV 프로그램이 시작할 때 '이 프로그램은 15세 미만의 청소년이 시청하기에 부적절하므로 보호자의 시청지도가 필요한 프로그램입니다.'라고 나오는 경우에 '미만'이 이용되죠.

또 엘리베이터 안에서도 '이 엘리베이터의 정원은 1000 kg 이하 또는 15명 이하입니다.'라고 적혀 있는 것을 볼 수 있고, 사람이 많이 탔을 때 '엘리베이터 인원 초과이므로 다음에 타 주십시오.'라고 말하는 경우에도 '이하'와 '초과'가 이용되고 있답니다.

이처럼 우리는 이상, 이하, 초과, 미만을 일상생활에서 많이 쓰고 있답니다.

최 | 고 | 수 | 준

2 분수의 곱셈

꼭! 알아야 할 대표 유형

유형 ❶ □ 안에 들어갈 수 있는 수를 구하는 문제

유형 ❷ 수직선에서 □ 안에 알맞은 수를 구하는 문제

유형 ❸ 시간을 분수로 나타내어 구하는 문제

유형 ❹ 튀어 오르는 공의 높이를 구하는 문제

유형 ❺ 수 카드로 곱셈식을 만드는 문제

유형 ❻ 남은 부분의 수를 구하는 문제

유형 ❼ 계산 결과가 자연수일 때 □ 안의 자연수를 구하는 문제

유형 ❽ [창의·융합] 분수의 곱셈을 활용한 문제

단계	쪽수	공부한 날	점수
1단계 START 개념	30~35	월 일	O X
2단계 JUMP 유형	36~43	월 일	O X
3단계 MASTER 심화	44~49	월 일	O X
4단계 TOP 최고수준	50~51	월 일	O X

※ O에는 맞힌 개수, X에는 틀린 개수를 써넣으세요.

1 (진분수)×(자연수), (자연수)×(진분수)

• $\frac{5}{6}\times 9$, $6\times\frac{2}{3}$의 계산

방법1 분자와 자연수를 곱한 후, 분자와 분모를 약분하여 계산하기

$$\frac{5}{6}\times 9=\frac{5\times 9}{6}=\frac{\overset{15}{\cancel{45}}}{\underset{2}{\cancel{6}}}=\frac{15}{2}=7\frac{1}{2}$$

$$6\times\frac{2}{3}=\frac{6\times 2}{3}=\frac{\overset{4}{\cancel{12}}}{\underset{1}{\cancel{3}}}=4$$

방법2 분자와 자연수를 곱하기 전, 분자와 분모를 약분하여 계산하기

$$\frac{5}{6}\times 9=\frac{5\times\overset{3}{\cancel{9}}}{\underset{2}{\cancel{6}}}=\frac{15}{2}=7\frac{1}{2}$$

$$6\times\frac{2}{3}=\frac{\overset{2}{\cancel{6}}\times 2}{\underset{1}{\cancel{3}}}=4$$

6은 $\frac{6}{1}$과 같아서 $6\times\frac{2}{3}=\frac{6}{1}\times\frac{2}{3}=\frac{6\times 2}{1\times 3}$로 나타낼 수 있어요.

방법3 주어진 곱셈식에서 분모와 자연수를 약분하여 계산하기

$$\frac{5}{\underset{2}{\cancel{6}}}\times\overset{3}{\cancel{9}}=\frac{15}{2}=7\frac{1}{2}\qquad \overset{2}{\cancel{6}}\times\frac{2}{\underset{1}{\cancel{3}}}=4$$

2 (대분수)×(자연수), (자연수)×(대분수)

• $1\frac{1}{3}\times 4$, $3\times 2\frac{1}{6}$의 계산

방법1 대분수를 가분수로 나타내어 계산하기

$$1\frac{1}{3}\times 4=\frac{4}{3}\times 4=\frac{16}{3}=5\frac{1}{3}$$

$$3\times 2\frac{1}{6}=\overset{1}{\cancel{3}}\times\frac{13}{\underset{2}{\cancel{6}}}=\frac{13}{2}=6\frac{1}{2}$$

방법2 대분수를 자연수와 진분수로 나누어 계산하기

$$1\frac{1}{3}\times 4=(1+1+1+1)+\left(\frac{1}{3}+\frac{1}{3}+\frac{1}{3}+\frac{1}{3}\right)$$
$$=(1\times 4)+\left(\frac{1}{3}\times 4\right)=4+\frac{4}{3}=5\frac{1}{3}$$

$$3\times 2\frac{1}{6}=(3\times 2)+\left(\overset{1}{\cancel{3}}\times\frac{1}{\underset{2}{\cancel{6}}}\right)=6+\frac{1}{2}=6\frac{1}{2}$$

미리보기 중1

곱셈의 교환법칙

곱셈에서 두 수의 순서를 바꾸어 곱해도 계산 결과는 같습니다.

예 $\frac{5}{6}\times 9=9\times\frac{5}{6}$

개념 활용

• ■에 1보다 작은 수를 곱하면 계산 결과는 ■보다 작습니다.

예 $12\times\frac{5}{6}(=10)<12$

• ■에 1보다 큰 수를 곱하면 계산 결과는 ■보다 큽니다.

예 $12\times 1\frac{2}{3}(=20)>12$

미리보기 중1

덧셈(뺄셈)과 곱셈의 분배법칙

(●+▲)×■=(●×■)+(▲×■)

●×(▲−■)=(●×▲)−(●×■)

예 방법2는 분배법칙을 이용한 것입니다.

$$1\frac{1}{3}\times 4=\left(1+\frac{1}{3}\right)\times 4=(1\times 4)+\left(\frac{1}{3}\times 4\right)$$

$$3\times 2\frac{1}{6}=3\times\left(2+\frac{1}{6}\right)=(3\times 2)+\left(3\times\frac{1}{6}\right)$$

1 계산 결과가 10보다 작은 것에 모두 ○표 하시오.

$10\times\frac{4}{5}$	$10\times1\frac{5}{8}$	$3\frac{1}{2}\times10$	$10\times\frac{3}{4}$

2 잘못 계산한 것을 찾아 기호를 쓰고, 바르게 계산한 값을 구하시오.

㉠: $2\frac{2}{9}\times3=6\frac{2}{3}$

㉡: $5\times1\frac{1}{10}=1\frac{1}{2}$

( ), ( )

3 정사각형의 둘레는 몇 cm입니까?

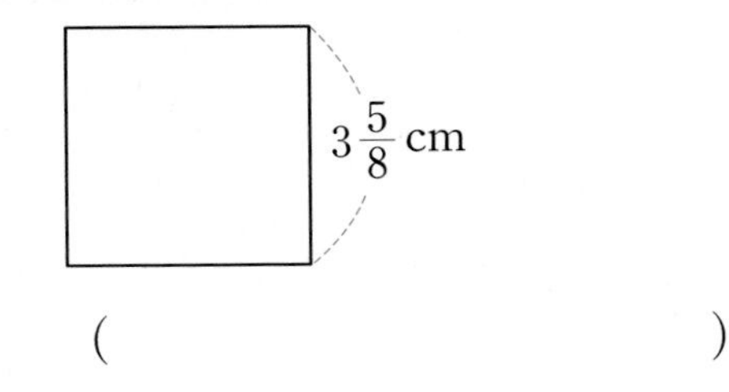

( )

4 계산 결과가 큰 것부터 차례로 기호를 쓰시오.

㉠ $16\times\frac{3}{8}$	㉡ $\frac{2}{9}\times18$	㉢ $15\times\frac{3}{10}$

( )

5 지후의 몸무게는 34 kg이고, 누나의 몸무게는 지후의 몸무게의 $1\frac{3}{8}$배입니다. 누나의 몸무게는 몇 kg입니까?

( )

6 바르게 말한 사람을 찾아 이름을 쓰시오.

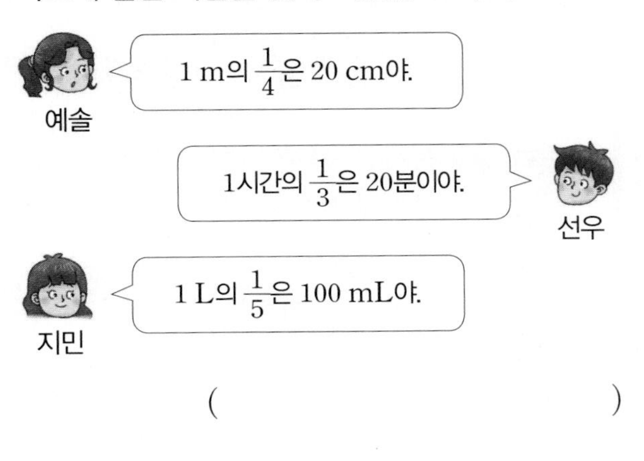

( )

STEP 1 START 개념

2. 진분수의 곱셈

1 (단위분수)×(단위분수)

• $\frac{1}{3}\times\frac{1}{5}$의 계산

$$\frac{1}{3}\times\frac{1}{5}=\frac{1}{3\times5}=\frac{1}{15}$$

단위분수의 곱셈은
분자는 그대로 두고
분모끼리 곱해요.

2 (진분수)×(진분수)

• $\frac{3}{5}\times\frac{4}{9}$의 계산

방법 1 분자는 분자끼리 곱하고 분모는 분모끼리 곱한 후, 분자와 분모를 약분하여 계산하기

$$\frac{3}{5}\times\frac{4}{9}=\frac{3\times4}{5\times9}=\frac{\overset{4}{\cancel{12}}}{\underset{15}{\cancel{45}}}=\frac{4}{15}$$

방법 2 분자는 분자끼리 곱하고, 분모는 분모끼리 곱하기 전에 분자와 분모를 약분하여 계산하기

$$\frac{3}{5}\times\frac{4}{9}=\frac{\overset{1}{\cancel{3}}\times4}{5\times\underset{3}{\cancel{9}}}=\frac{4}{15}$$

방법 3 주어진 곱셈식에서 분자와 분모를 약분하여 계산하기

$$\frac{\overset{1}{\cancel{3}}}{5}\times\frac{4}{\underset{3}{\cancel{9}}}=\frac{4}{15}$$

3 세 진분수의 곱셈

• $\frac{3}{4}\times\frac{2}{5}\times\frac{1}{3}$의 계산

방법 1 두 분수씩 차례로 계산하기

$$\frac{3}{4}\times\frac{2}{5}\times\frac{1}{3}=\left(\frac{3}{\underset{2}{\cancel{4}}}\times\frac{\overset{1}{\cancel{2}}}{5}\right)\times\frac{1}{3}=\frac{\overset{1}{\cancel{3}}}{10}\times\frac{1}{\underset{1}{\cancel{3}}}=\frac{1}{10}$$

방법 2 분자는 분자끼리 곱하고, 분모는 분모끼리 곱하기 전에 분자와 분모를 약분하여 계산하기

$$\frac{3}{4}\times\frac{2}{5}\times\frac{1}{3}=\frac{\overset{1}{\cancel{3}}\times\overset{1}{\cancel{2}}\times1}{\underset{2}{\cancel{4}}\times5\times\underset{1}{\cancel{3}}}=\frac{1}{10}$$

방법 3 주어진 곱셈식에서 분자와 분모를 약분하여 계산하기

$$\frac{\overset{1}{\cancel{3}}}{\underset{2}{\cancel{4}}}\times\frac{\overset{1}{\cancel{2}}}{5}\times\frac{1}{\underset{1}{\cancel{3}}}=\frac{1}{10}$$

개념 활용 1

단위분수에 단위분수를 곱하면 계산 결과는 처음 수보다 작아집니다.

예 $\frac{1}{7}\times\frac{1}{2}\left(=\frac{1}{14}\right)<\frac{1}{7}$

개념 활용 2

부분의 곱 구하기

①

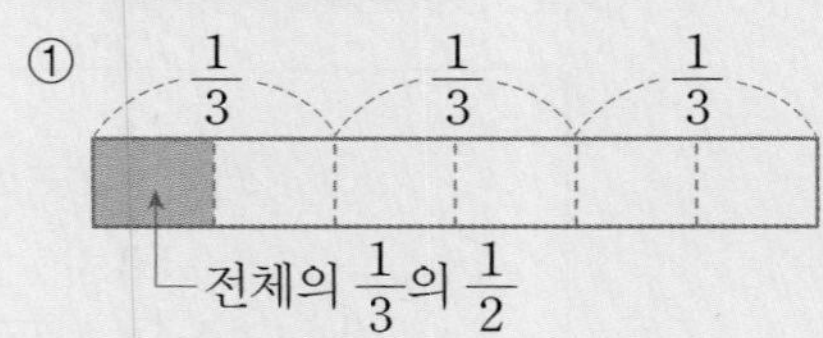

전체의 $\frac{1}{3}$의 $\frac{1}{2}$은

전체의 $\frac{1}{3}\times\frac{1}{2}=\frac{1}{6}$

②

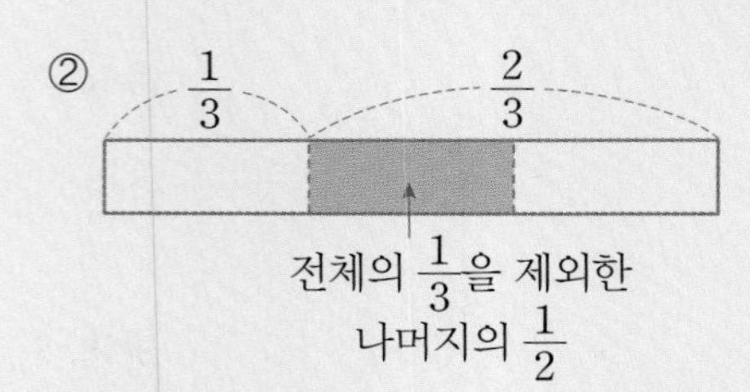

전체의 $\frac{1}{3}$을 제외한 나머지의 $\frac{1}{2}$은

$$\left(1-\frac{1}{3}\right)\times\frac{1}{2}=\frac{\overset{1}{\cancel{2}}}{3}\times\frac{1}{\underset{1}{\cancel{2}}}=\frac{1}{3}$$

→ 전체의 $\frac{1}{3}$을 제외한 나머지

1 크기를 비교하여 ○ 안에 >, =, <를 알맞게 써넣으시오.

$$\frac{1}{8}\times\frac{1}{4} \bigcirc \frac{1}{8}$$

2 $\frac{4}{5}\times\frac{3}{8}$을 두 가지 방법으로 계산하시오.

방법 1

$\frac{4}{5}\times\frac{3}{8}=$

방법 2

$\frac{4}{5}\times\frac{3}{8}=$

3 계산 결과가 더 큰 것을 찾아 기호를 쓰시오.

㉠ $\frac{1}{8}\times\frac{3}{10}\times\frac{2}{3}$	㉡ $\frac{1}{12}\times\frac{2}{5}\times\frac{6}{7}$

(　　　　　　)

4 끈 $\frac{9}{10}$ m의 $\frac{2}{5}$를 사용하여 리본을 만들었습니다. 리본을 만드는 데 사용한 끈의 길이는 몇 m입니까?

(　　　　　　)

5 수 카드 6장을 한 번씩만 사용하여 3개의 진분수를 만들려고 합니다. 만들 수 있는 3개의 진분수의 곱이 가장 작을 때의 곱을 구하시오.

1　2　3　4　5　6

(　　　　　　)

6 지윤이는 동화책을 어제는 전체의 $\frac{4}{7}$를 읽었고, 오늘은 어제 읽고 난 나머지의 $\frac{1}{3}$을 읽었습니다. 지윤이가 오늘 읽은 양은 책 전체의 몇 분의 몇입니까?

(　　　　　　)

2 분수의 곱셈

3. 대분수의 곱셈

1 (대분수)×(대분수)

• $2\frac{2}{3}\times1\frac{1}{4}$의 계산

방법 1 대분수를 가분수로 나타내어 계산하기

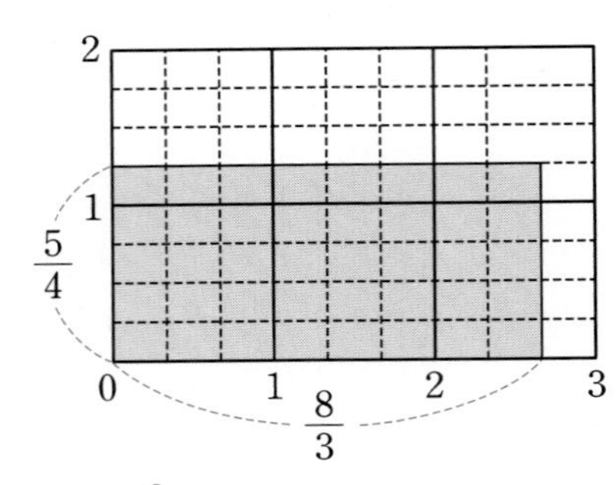

$$2\frac{2}{3}\times1\frac{1}{4}=\frac{\overset{2}{\cancel{8}}}{3}\times\frac{5}{\underset{1}{\cancel{4}}}=\frac{10}{3}=3\frac{1}{3}$$

방법 2 $1\frac{1}{4}$을 1과 $\frac{1}{4}$로 나누어 계산하기

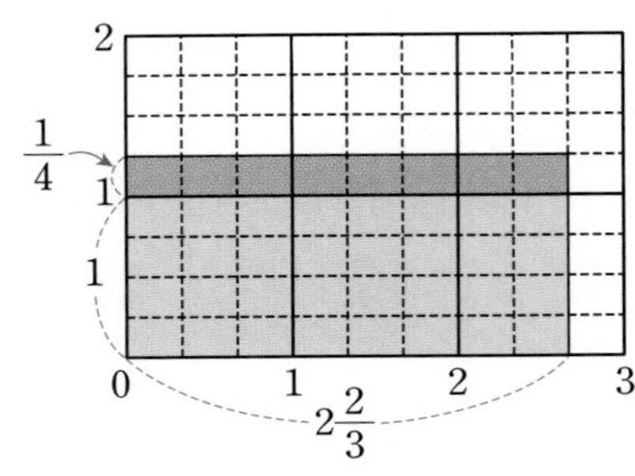

$$2\frac{2}{3}\times1\frac{1}{4}=\left(2\frac{2}{3}\times1\right)+\left(2\frac{2}{3}\times\frac{1}{4}\right)$$
$$=2\frac{2}{3}+\left(\frac{\overset{2}{\cancel{8}}}{3}\times\frac{1}{\underset{1}{\cancel{4}}}\right)$$
$$=2\frac{2}{3}+\frac{2}{3}=2\frac{4}{3}=3\frac{1}{3}$$

2 대분수가 있는 세 분수의 곱셈

• $\frac{3}{5}\times1\frac{1}{6}\times1\frac{1}{4}$의 계산

대분수를 가분수로 나타내어 계산합니다.

$$\frac{3}{5}\times1\frac{1}{6}\times1\frac{1}{4}=\frac{\overset{1}{\cancel{3}}}{\underset{1}{\cancel{5}}}\times\frac{7}{\underset{2}{\cancel{6}}}\times\frac{\overset{1}{\cancel{5}}}{4}=\frac{7}{8}$$

• $1\frac{1}{3}\times6\times1\frac{3}{7}$의 계산

$$1\frac{1}{3}\times6\times1\frac{3}{7}=\frac{4}{3}\times6\times\frac{10}{7}=\frac{4\times\overset{2}{\cancel{6}}\times10}{\underset{1}{\cancel{3}}\times7}=\frac{80}{7}=11\frac{3}{7}$$

미리보기 중1

곱셈의 결합법칙

세 수의 곱셈에서 어떤 두 수를 먼저 곱해도 계산 결과는 같습니다.

(■×▲)×●=■×(▲×●)

참고

분수와 자연수가 섞여 있는 세 수의 곱셈

$\frac{▲}{■}\times●\times\frac{♥}{★}=\frac{▲}{■}\times\frac{●}{1}\times\frac{♥}{★}$

$=\frac{▲\times●\times♥}{■\times★}$

1 가장 큰 수와 가장 작은 수의 곱을 구하시오.

$3\frac{1}{9}$	$4\frac{1}{6}$	$3\frac{4}{7}$	$1\frac{4}{5}$

( )

2 계산에서 잘못된 부분을 찾아 그 이유를 쓰고, 바르게 계산하시오.

$$1\frac{\overset{2}{\cancel{4}}}{9}\times 2\frac{1}{\underset{1}{\cancel{2}}}=\frac{11}{9}\times 2=\frac{22}{9}=2\frac{4}{9}$$

이유 ______________________

____

바른 계산 ______________________

3 계산 결과가 단위분수인 것을 찾아 기호를 쓰시오.

㉠ $\frac{3}{8}\times 2\frac{1}{3}\times 1\frac{4}{5}$ ㉡ $1\frac{2}{5}\times 2\frac{1}{7}\times \frac{1}{6}$

( )

4 굵기가 같은 철근 1 m의 무게는 $4\frac{5}{9}$ kg입니다. 이 철근 $2\frac{4}{7}$ m의 무게는 몇 kg입니까?

( )

5 한 변의 길이가 $1\frac{1}{8}$ cm인 정사각형 모양의 색종이 16장을 겹치지 않게 이어 붙였습니다. 이어 붙인 색종이 전체의 넓이는 몇 cm^2입니까?

$1\frac{1}{8}$ cm ……

( )

6 가로가 $4\frac{1}{6}$ cm, 세로가 $2\frac{3}{10}$ cm인 직사각형이 있습니다. 이 직사각형 전체의 $\frac{2}{3}$를 잘라냈다면 잘라낸 부분의 넓이는 몇 cm^2입니까?

( )

STEP 2 JUMP 유형

유형 1 □ 안에 들어갈 수 있는 수를 구하는 문제

예제 1-1 □ 안에 들어갈 수 있는 자연수를 모두 구하시오.

$$\frac{5}{18}\times\frac{6}{7}>\frac{\square}{21}$$

문제해결 Key

곱셈식을 계산하여 식을 간단히 합니다.

풀이

❶ $\frac{5}{18}\times\frac{6}{7}$ 계산하기

❷ □ 안에 들어갈 수 있는 자연수 구하기

예제 1-2 □ 안에 들어갈 수 있는 자연수를 모두 구하시오.

$$\square\frac{1}{4}<1\frac{1}{5}\times3\frac{1}{8}$$

(　　　　　　　　　　)

응용 1-3 □ 안에 들어갈 수 있는 자연수를 모두 구하시오.

$$\frac{1}{50}<\frac{1}{9}\times\frac{1}{\square}<\frac{1}{20}$$

(　　　　　　　　　　)

유형 ❷ 수직선에서 □ 안에 알맞은 수를 구하는 문제

예제 2-1 수직선에서 $1\frac{1}{2}$과 $3\frac{3}{4}$ 사이를 3등분 하였습니다. □ 안에 알맞은 수를 대분수로 나타내시오.

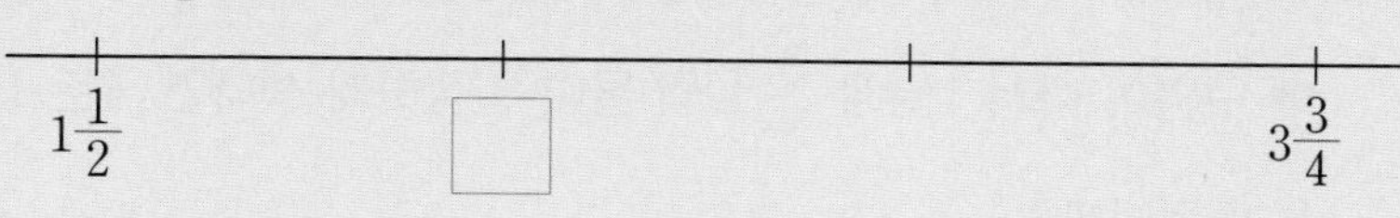

문제해결 Key

㉮와 ㉯ 사이를 3등분 했을 때 □가 나타내는 값 구하기

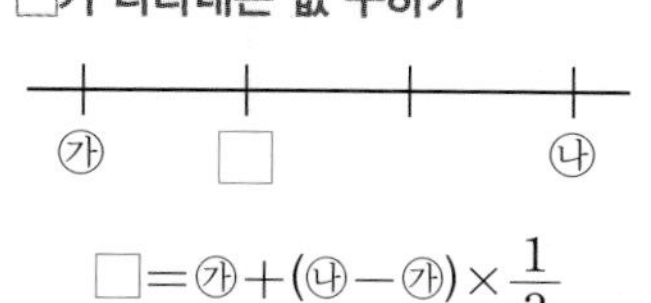

$\square = ㉮ + (㉯ - ㉮) \times \frac{1}{3}$

→ ㉮와 □ 사이의 거리

풀이

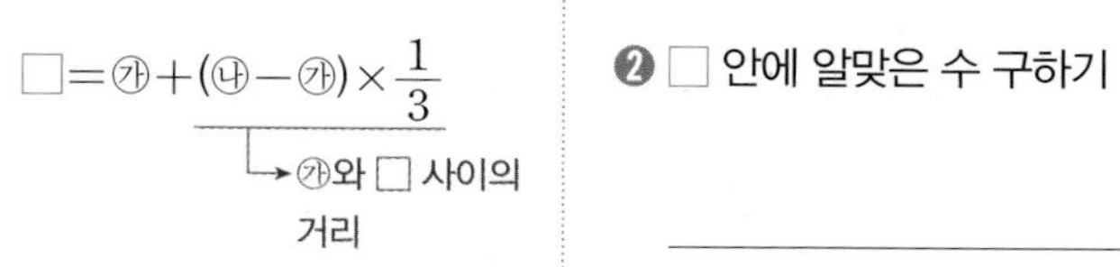

❶ $1\frac{1}{2}$과 □ 사이의 거리 구하기

❷ □ 안에 알맞은 수 구하기

답 ______

예제 2-2 수직선에서 $2\frac{1}{6}$과 $3\frac{5}{8}$ 사이를 5등분 하였습니다. □ 안에 알맞은 수를 대분수로 나타내시오.

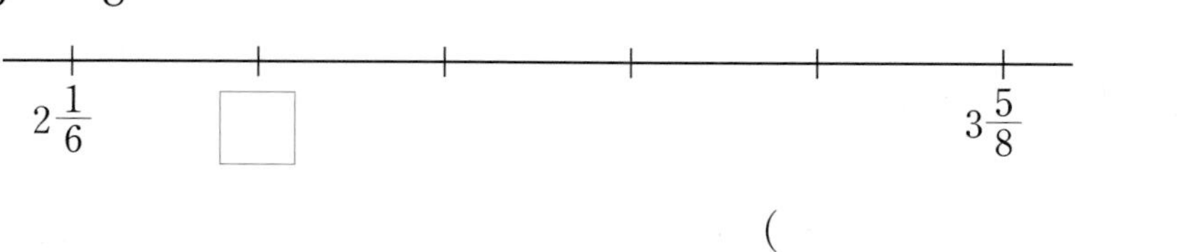

(　　　　　　　　)

응용 2-3 수직선에서 $2\frac{3}{4}$과 $4\frac{2}{5}$ 사이를 9등분 하였습니다. □ 안에 알맞은 수를 대분수로 나타내시오.

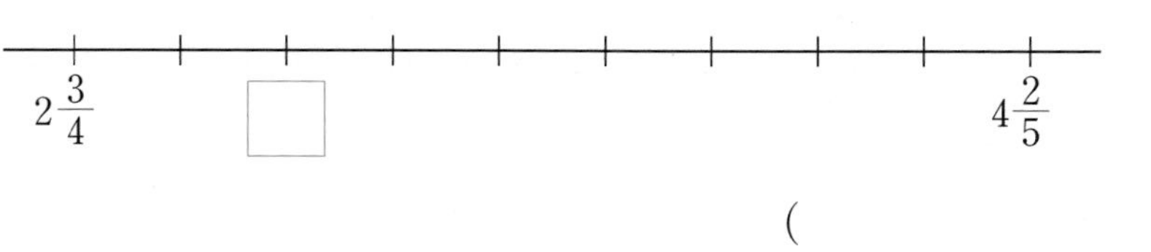

(　　　　　　　　)

유형 3 시간을 분수로 나타내어 구하는 문제

예제 3-1 물통에 1분에 $1\frac{3}{4}$ L씩 물이 일정하게 나오는 수도꼭지로 물을 받으려고 합니다. 이 물통에 구멍이 나서 1분에 $\frac{3}{8}$ L씩 물이 일정하게 샌다면, 4분 16초 동안 물통에 받는 물은 몇 L가 됩니까?

문제해결 Key

1분=60초이므로 ■초=$\frac{■}{60}$분

예 10초=$\frac{10}{60}$분=$\frac{1}{6}$분

풀이

❶ 4분 16초는 몇 분인지 분수로 나타내기

❷ 1분 동안 물통에 받을 수 있는 물의 양 구하기

❸ 4분 16초 동안 물통에 받는 물의 양 구하기

답

예제 3-2 1분에 각각 $\frac{2}{3}$ L, $1\frac{1}{12}$ L의 물이 일정하게 나오는 두 수도꼭지가 있습니다. 물통에 이 두 수도꼭지를 동시에 틀어 10분 40초 동안 물을 받으면 받은 물은 모두 몇 L가 됩니까?

( )

응용 3-3 30분에 $40\frac{1}{2}$ km를 달리는 자동차가 있습니다. 이 자동차가 같은 빠르기로 1시간 20분 동안 달린다면 몇 km를 달릴 수 있습니까?

( )

유형 4 튀어 오르는 공의 높이를 구하는 문제

예제 4-1 떨어진 높이의 $\frac{2}{3}$만큼 튀어 오르는 공이 있습니다. 이 공을 24 m 높이에서 떨어뜨렸을 때, 두 번째로 튀어 오른 공의 높이는 몇 m입니까?

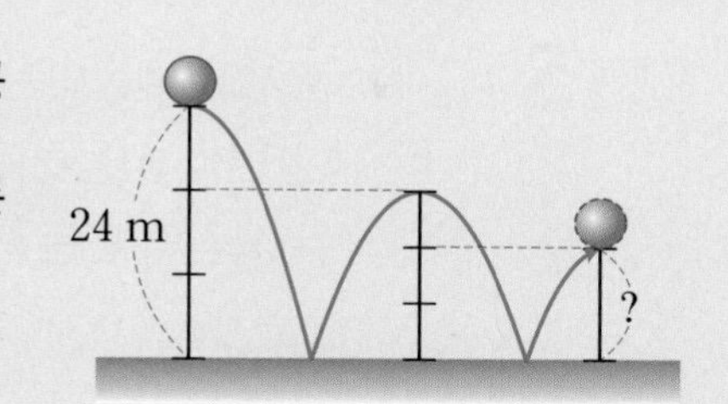

문제해결 Key

(튀어 오른 공의 높이)
=(떨어진 높이)×$\frac{2}{3}$

풀이

❶ 첫 번째로 튀어 오른 공의 높이 구하기

❷ 두 번째로 튀어 오른 공의 높이 구하기

답

예제 4-2 떨어진 높이의 $\frac{3}{4}$만큼 튀어 오르는 공이 있습니다. 이 공을 40 m 높이에서 떨어뜨렸을 때, 두 번째로 튀어 오른 공의 높이는 몇 m입니까?

( )

응용 4-3 떨어진 높이의 $\frac{2}{5}$만큼 튀어 오르는 공이 있습니다. 이 공을 30 m 높이에서 떨어뜨렸을 때, 두 번째로 튀어 올랐을 때까지 공이 움직인 거리는 모두 몇 m입니까?
(단, 공은 땅과 수직으로만 움직입니다.)

( )

유형 5 수 카드로 곱셈식을 만드는 문제

예제 5-1 준기와 예솔이는 다음과 같이 수 카드를 가지고 있습니다. 각자 가지고 있는 수 카드를 한 번씩 사용하여 준기는 가장 큰 대분수를, 예솔이는 가장 작은 대분수를 만들었습니다. 두 사람이 만든 대분수의 곱을 구하시오.

준기: 2 5 6 예솔: 1 3 2

문제해결 Key

- 가장 큰 대분수: 자연수 부분에 가장 큰 수를 놓습니다.
- 가장 작은 대분수: 자연수 부분에 가장 작은 수를 놓습니다.

풀이

❶ 준기가 만든 가장 큰 대분수 알아보기

❷ 예솔이가 만든 가장 작은 대분수 알아보기

❸ 가장 큰 대분수와 가장 작은 대분수의 곱 구하기

답

예제 5-2 5장의 수 카드 중에서 3장을 뽑아 한 번씩 사용하여 대분수를 만들려고 합니다. 만들 수 있는 가장 큰 대분수와 가장 작은 대분수의 곱을 구하시오.

( )

응용 5-3 4장의 수 카드를 한 번씩 사용하여 (대분수)×(자연수)의 식을 만들려고 합니다. 계산 결과가 가장 작은 곱셈식을 만들고 계산하시오.

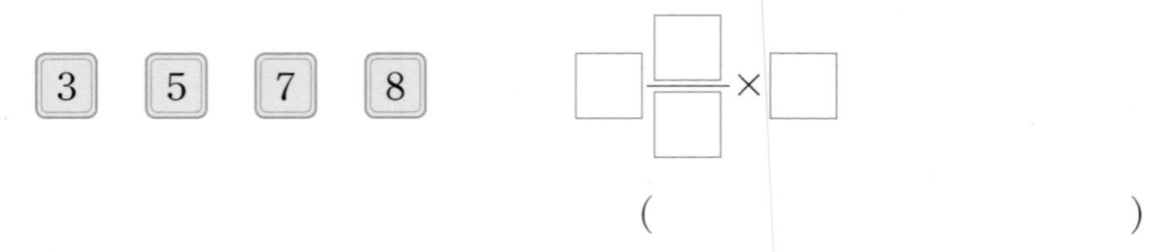

( )

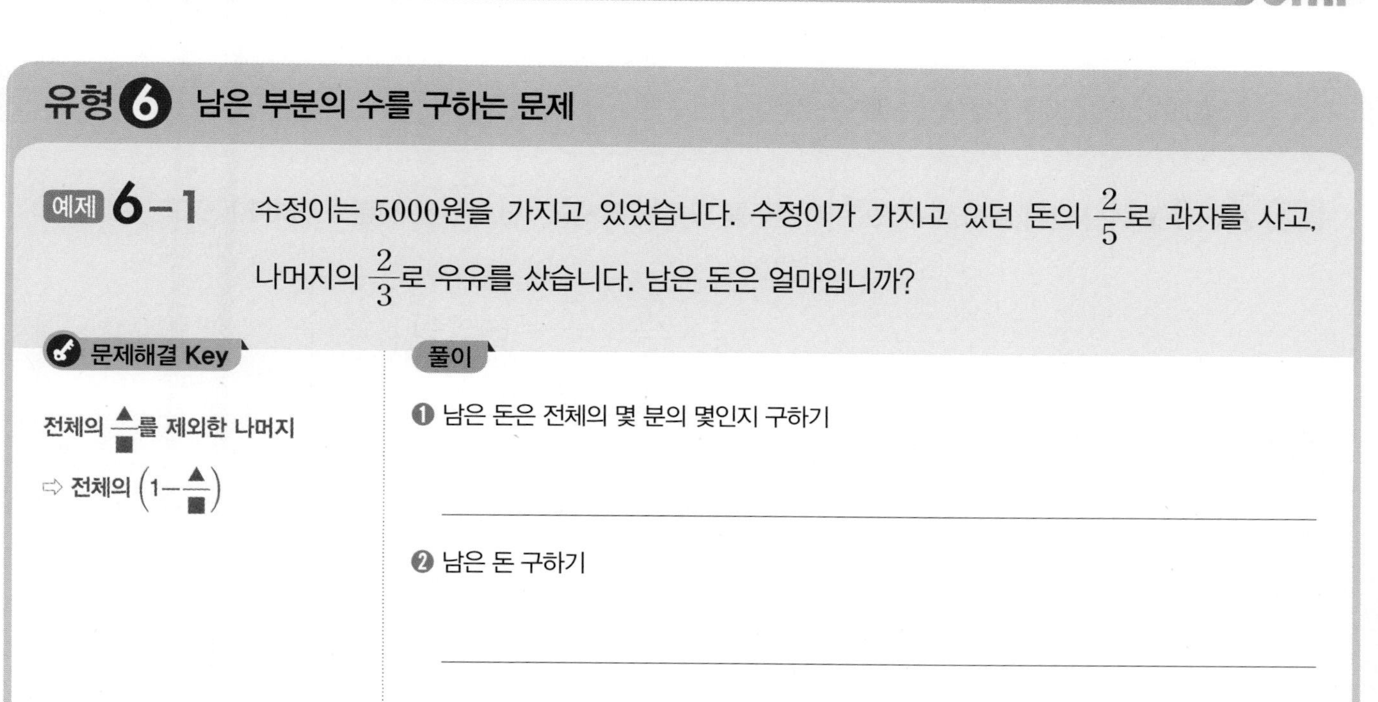

예제 6-2 전체가 120쪽인 동화책이 있습니다. 혜승이는 이 동화책을 어제는 전체의 $\frac{3}{10}$을 읽었고, 오늘은 나머지의 $\frac{2}{7}$를 읽었습니다. 혜승이가 이 동화책을 다 읽으려면 몇 쪽을 더 읽어야 합니까?

( )

응용 6-3 태용이는 가지고 있던 끈의 $\frac{1}{4}$로 선물을 포장하고, 나머지의 $\frac{1}{3}$로 꽃을 만들었습니다. 남은 끈의 길이가 10 m일 때 태용이가 처음에 가지고 있던 끈은 몇 m입니까?

( )

유형 7 계산 결과가 자연수일 때 □ 안의 자연수를 구하는 문제

예제 7-1 □ 안에 들어갈 수 있는 자연수를 모두 구하시오. (단, $\frac{7}{\square}$은 진분수입니다.)

$$1\frac{3}{5}\times2\frac{6}{7}\times\frac{7}{\square}=(\text{자연수})$$

문제해결 Key

$\frac{●}{■}\times\frac{▲}{★}=$(자연수)

⇨ (■×★)은 (●×▲)의 약수

풀이

❶ $1\frac{3}{5}\times2\frac{6}{7}\times\frac{7}{\square}$을 계산하여 □를 사용한 분수로 나타내기

❷ □ 안에 들어갈 수 있는 자연수 구하기

답

예제 7-2 다음 식의 계산 결과가 자연수일 때 □ 안에 들어갈 수 있는 가장 작은 자연수를 구하시오.

$$\frac{3}{4}\times1\frac{3}{5}\times\frac{\square}{3}$$

(　　　　　　)

응용 7-3 어떤 기약분수에 $\frac{6}{11}$을 곱한 계산 결과와 $\frac{9}{22}$를 곱한 계산 결과가 모두 자연수가 됩니다. 어떤 기약분수 중에서 가장 작은 분수를 대분수로 나타내시오.

(　　　　　　)

창의·융합

유형 8 분수의 곱셈을 활용한 문제

예제 8-1

[수학 + 사회]

자동차세는 자동차를 재산으로 보는 재산세와 도로 이용으로 인한 손상 수리 경비에 관한 세금입니다. 자동차를 소유한 사람은 매년 자동차 종류별로 자동차세를 내는데, 이때 *지방교육세도 같이 내야 합니다. 구입 시기가 3년 이상 4년 미만이고 *배기량 2500 cc인 자동차의 할인된 자동차세와 지방교육세는 모두 얼마입니까?

1대당 연간 자동차세 금액

가정용 승용차	
배기량	세금(1 cc 기준)
1000 cc 이하	80원
1000 cc 초과 1600 cc 이하	140원
1600 cc 초과	200원

자동차세 할인 금액

구입 시기	할인 금액
2년 이상~3년 미만	(자동차세) $\times \frac{5}{100}$
3년 이상~4년 미만	(자동차세) $\times \frac{10}{100}$
4년 이상~5년 미만	(자동차세) $\times \frac{15}{100}$

❶ (자동차세) = (자동차 배기량(cc)) × (세금(1cc 기준))
❷ 자동차 구입 시기에 따라 자동차세가 할인됩니다.
❸ (지방교육세) = (할인된 자동차세) $\times \frac{3}{10}$

문제해결 Key

(납부해야 하는 금액)
= (할인된 자동차세)
+ (지방교육세)

*지방교육세: 지방교육의 질적 향상을 위해 내는 세금입니다.

*배기량: 엔진의 크기를 나타내는 기준으로 단위는 cc(씨씨)를 사용합니다.

풀이

❶ 자동차세 구하기

❷ 할인된 자동차세 구하기

❸ 지방교육세 구하기

❹ 할인된 자동차세와 지방교육세의 합 구하기

답

STEP 3 MASTER 심화

문제 풀이 동영상

01 가⊙나=가×나－나와 같이 약속할 때, 다음을 계산하시오.

$$2\frac{2}{7} \odot 1\frac{3}{4}$$

(　　　　　　　　　　　)

02 오른쪽 그림은 정사각형의 각 변의 한가운데 점을 이어서 정사각형을 계속 그린 것입니다. 색칠한 부분의 넓이는 몇 cm^2입니까?

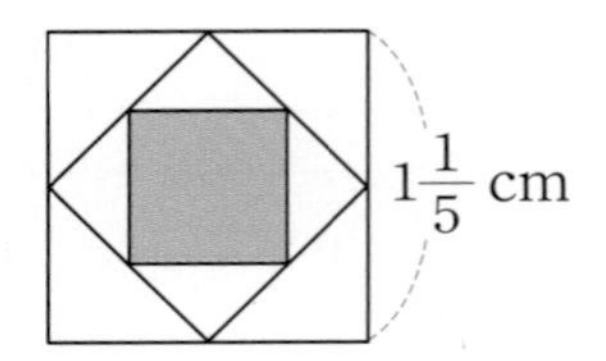

(　　　　　　　　　　　)

해법 경시 유형 | 유형 ❶ □ 안에 들어갈 수 있는 수를 구하는 문제

03 □ 안에 들어갈 수 있는 자연수 중에서 가장 작은 수를 구하시오.

$$\frac{1}{5}-\frac{1}{6}>\frac{1}{7}\times\frac{1}{\square}$$

(　　　　　　　　　　　)

창의 융합

[수학+사회] 유형 8 분수의 곱셈을 활용한 문제

04 한국 사람이 중국에서 또는 중국 사람이 한국에서 신발을 사려고 할 때에는 서로 다른 신발 사이즈를 불러야 합니다. 왜냐하면 한국에서는 신발 사이즈 단위로 'mm'를 쓰지만 중국에서는 '호'로 나타내기 때문입니다. 중국 사이즈인 '호'는 0호=50 mm이고 5 mm가 더해질 때마다 1호씩 올라갑니다. 중국에서 275 mm의 신발을 사려면 몇 호 신발을 사야 합니까?

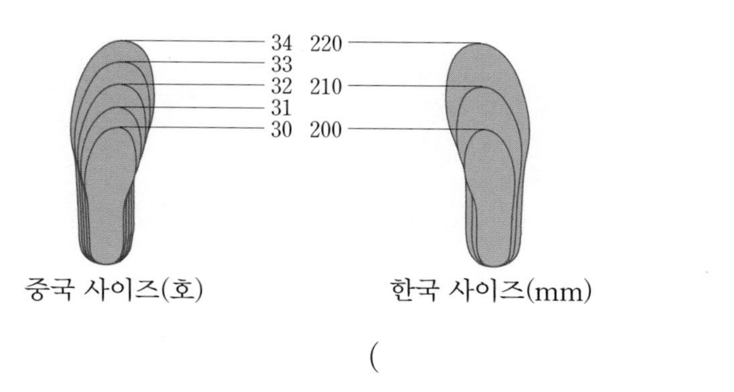

(　　　　　　　　　　)

유형 3 시간을 분수로 나타내어 구하는 문제

05 1분에 각각 $1\frac{5}{9}$ km, $1\frac{1}{3}$ km의 빠르기로 달리는 두 자동차가 있습니다. 두 자동차가 일정한 빠르기로 동시에 같은 장소에서 출발하여 반대 방향으로 3분 18초 동안 달렸습니다. 두 자동차 사이의 거리는 몇 km입니까?

(　　　　　　　　　　)

06 하루에 $1\frac{1}{4}$분씩 느려지는 시계가 있습니다. 이 시계를 오늘 오전 10시에 정확히 맞추어 놓았습니다. 12일 후 오전 10시에 이 시계가 가리키는 시각은 오전 몇 시 몇 분입니까?

(　　　　　　　　　　)

07 길이가 $2\frac{4}{5}$ cm인 색 테이프 4장을 그림과 같이 $\frac{3}{8}$ cm씩 겹치게 한 줄로 이어 붙였습니다. 이어 붙인 색 테이프 전체의 길이는 몇 cm입니까?

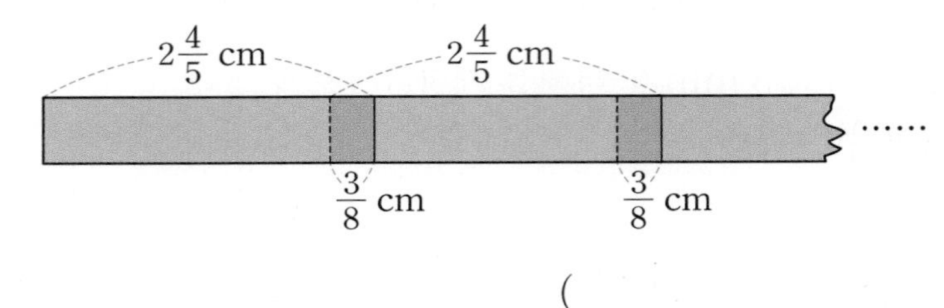

( )

창의 융합

08 [수학 + 음악]
마림바는 실로폰의 일종으로 각각의 건반 아래에 길이가 다른 *공명관이 연결되어 있습니다. 마림바에서 '도' 소리를 내는 관의 길이를 $\frac{2}{3}$로 줄이면 5도 높은 '솔' 소리가 나고, $\frac{1}{2}$로 줄이면 한 옥타브 위의 '도' 소리가 납니다. 처음 '도' 소리를 내는 관의 길이가 60 cm일 때 5도 높은 '솔' 소리를 내는 관의 길이와 한 옥타브 위의 '도' 소리를 내는 관의 길이의 합을 구하시오.

▲ 마림바

*공명관: 공기를 진동시켜 소리를 더 크고 높게 하는 관

( )

09 다음과 같은 규칙으로 분수를 늘어놓았습니다. 처음부터 100번째 분수까지 모두 곱한 값을 구하시오.

$\frac{1}{2}$, $\frac{2}{3}$, $\frac{3}{4}$, $\frac{4}{5}$, $\frac{5}{6}$ ......

( )

유형 ❷ 수직선에서 □ 안에 알맞은 수를 구하는 문제

10 두 수직선을 각각 같은 간격으로 나눈 것입니다. ㉠에 알맞은 수를 구하시오.

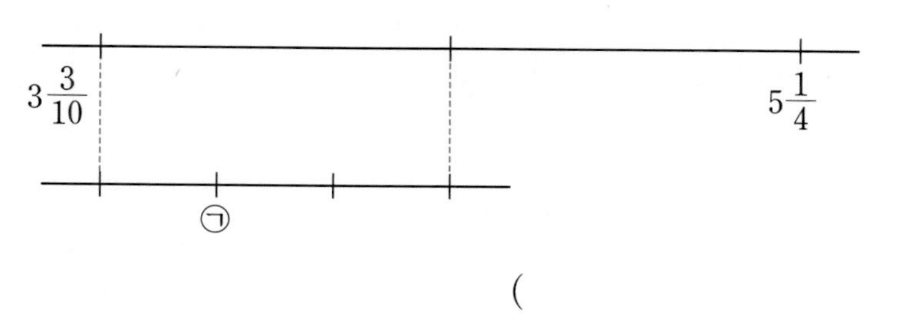

( )

유형 ❸ 시간을 분수로 나타내어 구하는 문제

11 화살표 방향으로 자전거를 타고 영주는 ㉮에서 출발하여 한 시간에 $5\frac{1}{3}$ km를 가는 빠르기로 가고, 소임이는 ㉯에서 출발하여 한 시간에 $6\frac{2}{5}$ km를 가는 빠르기로 갑니다. 두 사람이 동시에 출발하여 2시간 30분 후에 만났다면 ㉮와 ㉯ 사이의 거리는 몇 km입니까?

영주 → ← 소임
㉮ ㉯

( )

유형 ❻ 남은 부분의 수를 구하는 문제

12 설탕이 한 봉지에 $2\frac{1}{12}$ kg씩 8봉지 있습니다. 이 설탕 전체의 $\frac{2}{5}$는 사탕을 만드는 데 사용하고, 나머지의 $\frac{3}{8}$은 떡을 만드는 데 사용하였습니다. 남은 설탕은 몇 kg입니까?

( )

해법 경시 유형 **유형 ❹ 튀어 오르는 공의 높이를 구하는 문제**

13 떨어진 높이의 $\frac{5}{8}$만큼 튀어 오르는 공이 있습니다. 이 공을 64 m 높이에서 떨어뜨렸을 때, 세 번째로 땅에 닿을 때까지 공이 움직인 거리는 모두 몇 m입니까? (단, 공은 땅과 수직으로만 움직입니다.)

( )

14 정사각형의 가로를 처음 길이의 $\frac{1}{4}$만큼 늘이고, 세로를 처음 길이의 $\frac{1}{3}$만큼 줄여서 직사각형을 만들었습니다. 만든 직사각형의 넓이는 처음 정사각형 넓이의 몇 분의 몇입니까?

( )

유형 ❺ 수 카드로 곱셈식을 만드는 문제

15 5장의 수 카드를 한 번씩 사용하여 (대분수)×(진분수)의 식을 만들려고 합니다. 계산 결과가 가장 큰 곱셈식을 만들고 계산하시오.

2 3 5 8 9

$\square\frac{\square}{\square}\times\frac{\square}{\square}$

( )

유형 ❸ 시간을 분수로 나타내어 구하는 문제

16 어떤 일을 선우가 혼자서 하면 4시간이 걸리고, 지민이가 혼자서 하면 3시간이 걸립니다. 이 일을 두 사람이 함께 1시간 30분 동안 하면 남은 일은 전체의 몇 분의 몇입니까? (단, 두 사람이 각각 한 시간 동안 하는 일의 양은 일정합니다.)

( )

성대 경시 유형

17 합이 $\frac{3}{4}$이고, 차가 $\frac{1}{8}$인 두 분수가 있습니다. 두 분수의 곱을 구하시오.

( )

성대 경시 유형 유형 ❼ 계산 결과가 자연수일 때 □ 안의 자연수를 구하는 문제

18 다음 식의 계산 결과가 자연수가 되도록 ㉠과 ㉡이 될 수 있는 수를 (㉠, ㉡)으로 나타내면 모두 몇 쌍입니까? (단, ㉠과 ㉡은 1보다 큰 한 자리 자연수입니다.)

$$\frac{3}{4} \times ㉠ \times \frac{1}{㉡}$$

( )

STEP 4 TOP 최고수준

문제 풀이 동영상

해법 경시 유형

01 $\frac{1}{㉠}\times\frac{1}{㉡}=\frac{1}{㉡-㉠}\times\left(\frac{1}{㉠}-\frac{1}{㉡}\right)$과 같이 나타낼 수 있습니다. 이를 이용하여 다음 식의 값을 기약분수로 나타내시오.

$$\frac{1}{2}\times\frac{1}{3}+\frac{1}{3}\times\frac{1}{4}+\frac{1}{4}\times\frac{1}{5}+\cdots\cdots+\frac{1}{99}\times\frac{1}{100}$$

(　　　　　　　　　　)

창의 융합

[수학+사회]

02 1793년 프랑스의 혁명 정부에서는 눈금이 10개 있는 시계를 만들어 하루는 10시간, 1시간은 100분인 시계를 사용하기로 하였습니다. 예를 들어 5시이면 오늘날의 낮 12시를 나타내고, 10시이면 밤 12시를 나타냅니다. 하지만 눈금이 10개 있는 시계는 사람들이 익숙하지 않고 너무 불편하다는 지적에 얼마 사용하지 못하고 1795년 폐지되었습니다. 오른쪽 시각을 오늘날의 시각으로 바꾸면 몇 시 몇 분입니까?

▲ 프랑스 시계

(　　　　　　　　　　)

고대 경시 유형

03 개미가 ㉮에서 출발하여 집까지 갈 때 전체 거리의 $\frac{1}{2}$을 가서 첫 번째로 쉽니다. 다시 출발하여 남은 거리의 $\frac{1}{3}$을 가서 두 번째로 쉬고, 다시 출발하여 남은 거리의 $\frac{1}{4}$을 가서 세 번째로 쉬고, 다시 출발하여 남은 거리의 $\frac{1}{5}$을 가서 네 번째로 쉽니다. 이와 같은 방법으로 개미가 쉬어갈 때, 8번째 쉬는 지점에서 개미집까지의 거리는 몇 m입니까?

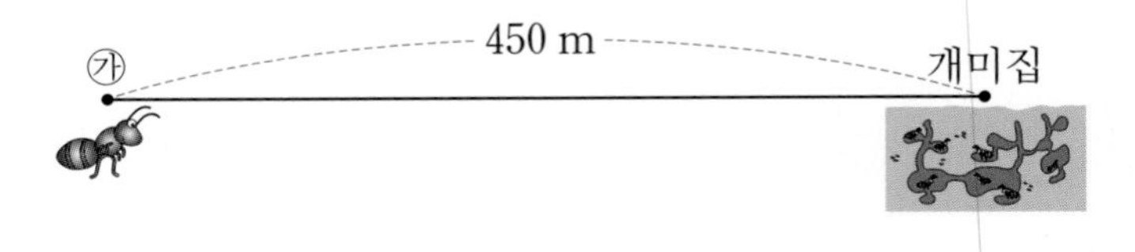

(　　　　　　　　　　)

성대 경시 유형

04 식에서 ㉠이 40보다 작은 자연수이고 ㉢이 두 자리 수일 때, ㉢이 될 수 있는 수는 모두 몇 개입니까?

$$385 \times \frac{㉡}{㉠} = ㉢$$

(　　　　　　　　　　)

05 원 모양의 연못 둘레에 $\frac{1}{4}$ m 간격으로 모든 간격이 일정하게 울타리를 설치하려고 합니다. 설치하려고 하는 전체 울타리 수의 $\frac{3}{8}$을 설치한 후 25개를 더 설치하였더니 아직 설치하지 않은 울타리 수는 전체의 $\frac{5}{18}$였습니다. 연못의 둘레는 몇 m입니까?

(단, 울타리의 두께는 생각하지 않습니다.)

(　　　　　　　　　　)

06 하경, 태호, 선아 세 사람이 물을 나눠 가졌습니다. 하경이는 전체 물의 $\frac{1}{3}$과 1 L를, 태호는 나머지의 $\frac{1}{3}$과 1 L를, 마지막으로 선아가 나머지의 $\frac{1}{3}$과 1 L를 가져갔더니 남은 물이 없었습니다. 처음에 있던 물의 양은 몇 L입니까?

(　　　　　　　　　　)

생각하기

태극기에 숨어 있는 분수의 곱셈

우리나라 국기인 태극기는 흰색 바탕에 가운데 태극 문양과 네 모서리의 건곤감리(乾坤坎離)로 구성되어 있습니다.
태극기의 흰색 바탕은 밝음과 순수, 그리고 평화를 사랑하는 우리의 민족성을 나타내고 있습니다.
가운데의 태극 문양은 음(파랑)과 양(빨강)의 조화를 상징하는 것으로 우주 만물이 음양의 상호 작용에 의해 생성되고 발전한다는 자연의 진리가 담겨 있습니다.
이렇게 태극기에는 평화를 사랑하는 우리 민족의 마음과 우주를 움직이는 자연의 진리가 담겨 있습니다.

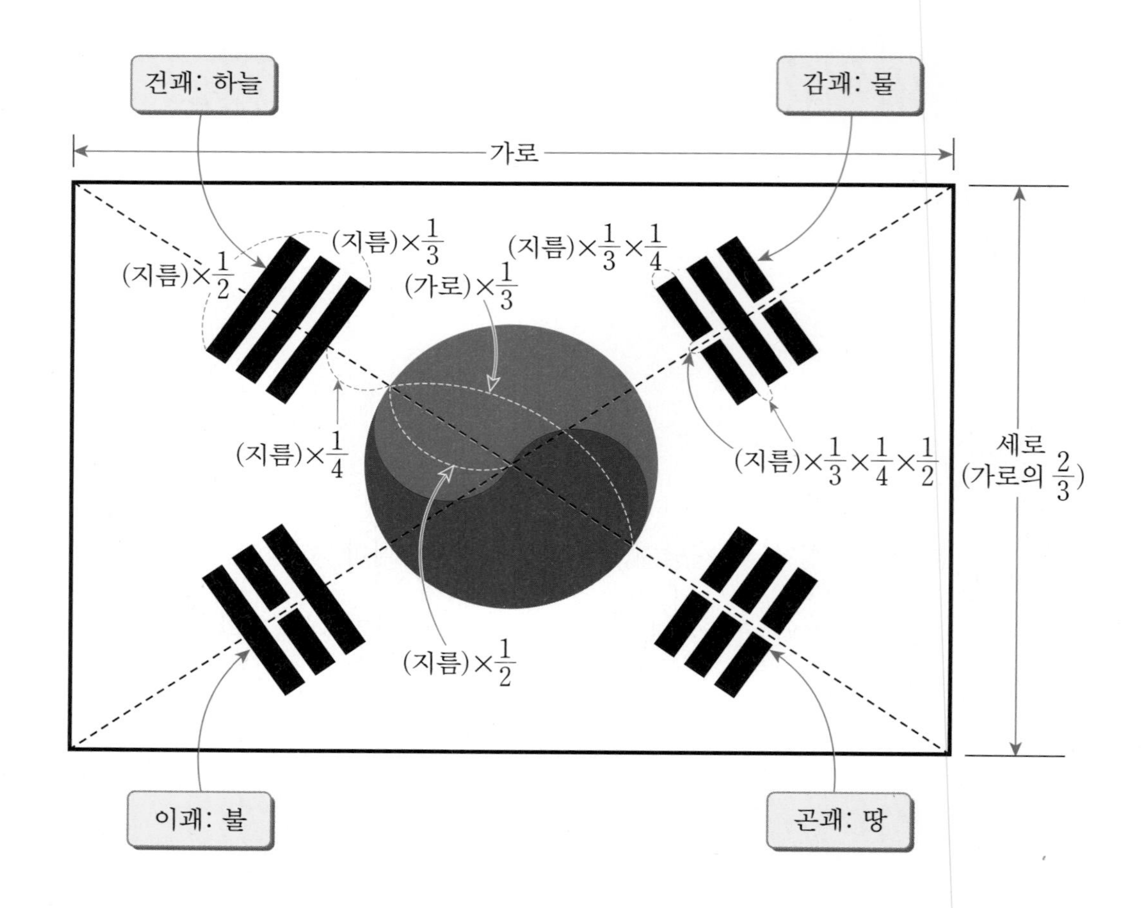

최 고 수 준

3 합동과 대칭

꼭! 알아야 할 대표 유형

유형 ❶ 합동인 도형을 이용하여 변의 길이를 구하는 문제

유형 ❷ 합동인 도형을 이용하여 각도를 구하는 문제

유형 ❸ 선대칭도형에서 각도를 구하는 문제

유형 ❹ 원을 이용하여 그린 점대칭도형에서 각도를 구하는 문제

유형 ❺ 점대칭도형을 완성하고 넓이를 구하는 문제

유형 ❻ 합동인 삼각형의 수를 구하는 문제

유형 ❼ 선대칭도형의 둘레나 넓이를 구하는 문제

유형 ❽ 점대칭도형의 둘레를 구하는 문제

유형 ❾ 종이를 접은 모양에서 각도를 구하는 문제

유형 ❿ [창의·융합] 선대칭도형이면서 점대칭도형인 것을 찾는 문제

단계	쪽수	공부한 날	점수
1단계 START 개념	54~59	월 일	O X
2단계 JUMP 유형	60~69	월 일	O X
3단계 MASTER 심화	70~75	월 일	O X
4단계 TOP 최고수준	76~77	월 일	O X

※ O에는 맞힌 개수, X에는 틀린 개수를 써넣으세요.

STEP 1 START 개념

1. 도형의 합동과 그 성질

1 도형의 합동

• 합동: 모양과 크기가 같아서 포개었을 때 완전히 겹치는 두 도형

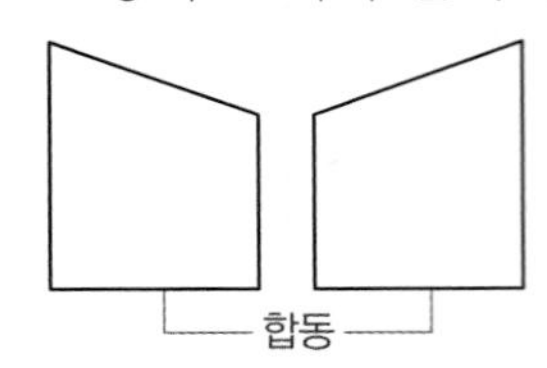

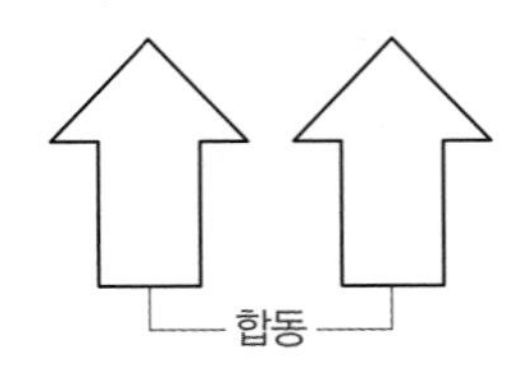

2 합동인 도형의 성질

• 대응점, 대응변, 대응각

서로 합동인 두 도형을 포개었을 때

① 대응점: 겹치는 점

② 대응변: 겹치는 변

③ 대응각: 겹치는 각

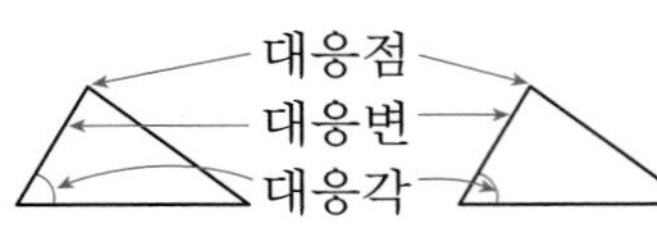

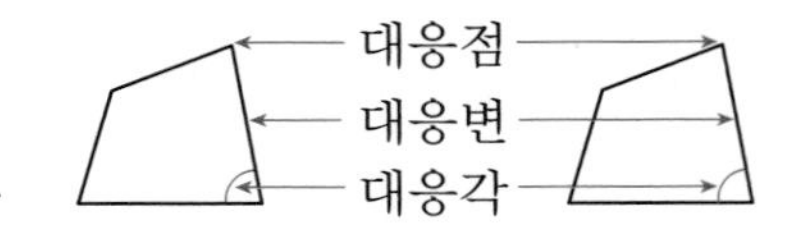

대응점: 3쌍
대응변: 3쌍
대응각: 3쌍

대응점: 4쌍
대응변: 4쌍
대응각: 4쌍

• 합동인 도형의 성질

① 각각의 대응변의 길이가 서로 같습니다.

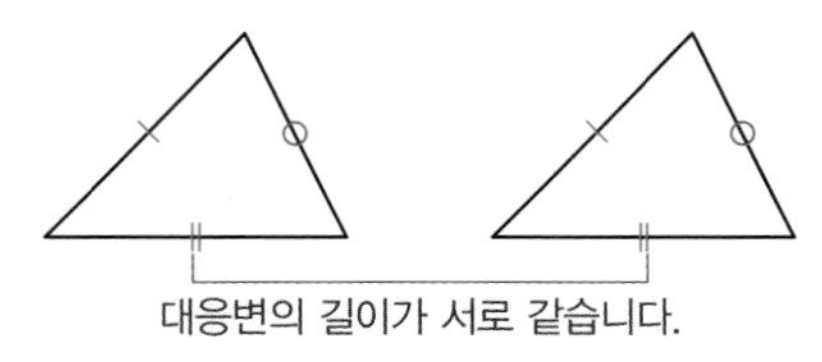

대응변의 길이가 서로 같습니다.

② 각각의 대응각의 크기가 서로 같습니다.

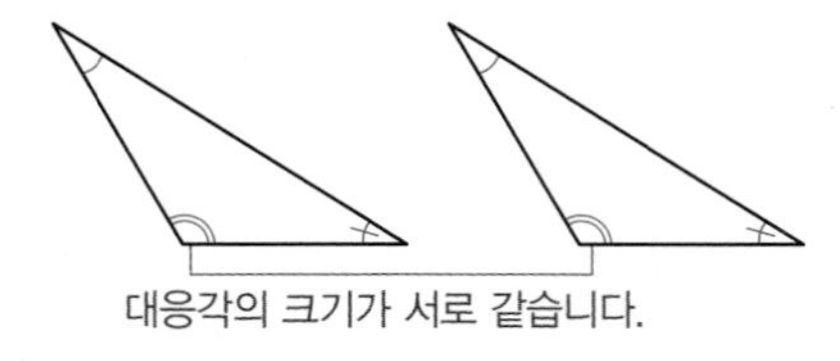

대응각의 크기가 서로 같습니다.

개념 활용 1

직사각형을 잘라 서로 합동인 도형 만들기

• 2조각으로 잘라 만들기

예 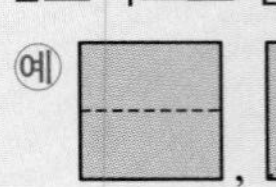, 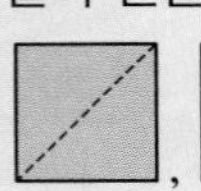, 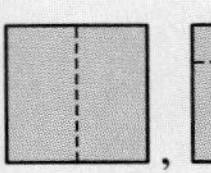

• 4조각으로 잘라 만들기

예 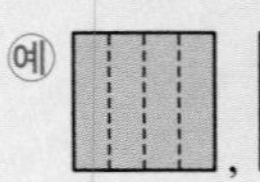, 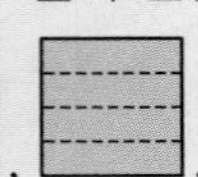, 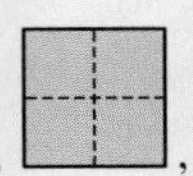, 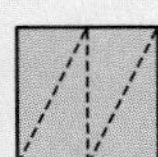

개념 활용 2

둘레나 넓이가 같은 두 도형의 관계

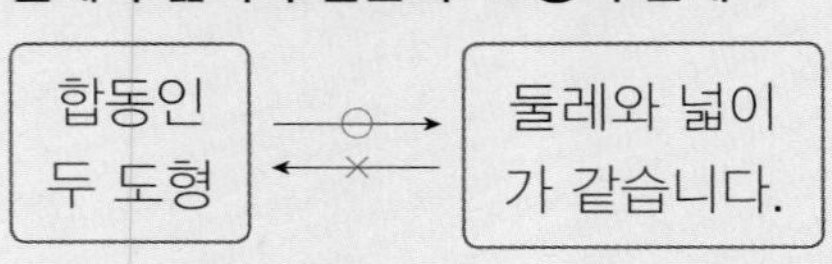

둘레나 넓이가 같다고 해서 두 도형이 서로 합동이 되는 것은 아닙니다.

예 둘레가 같은 두 삼각형

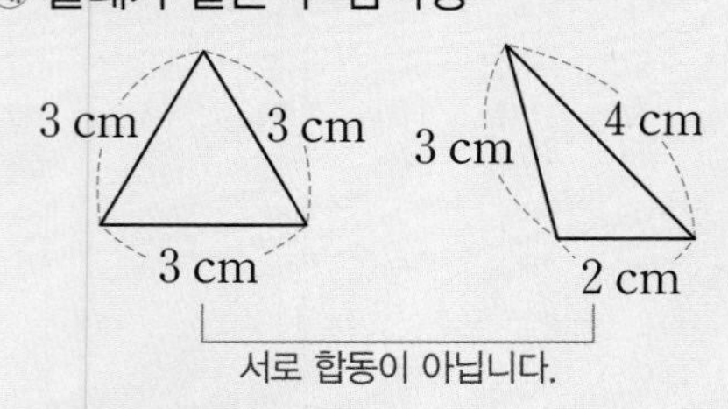

서로 합동이 아닙니다.

예 넓이가 같은 두 삼각형

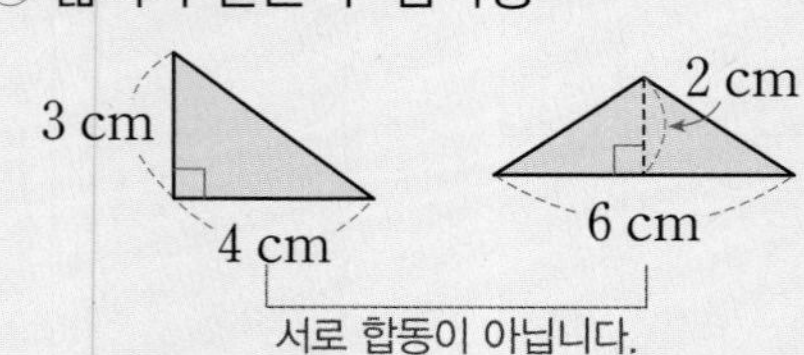

서로 합동이 아닙니다.

1 칠교판에서 서로 합동인 두 도형을 모두 찾아 기호를 쓰시오.

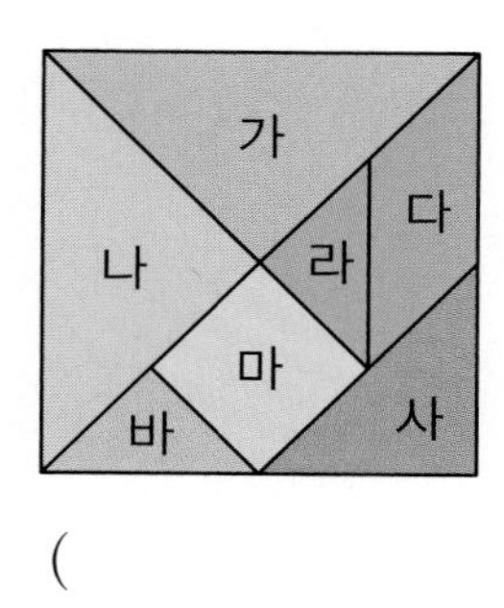

( )

2 다음에서 항상 서로 합동이 되는 것을 찾아 기호를 쓰시오.

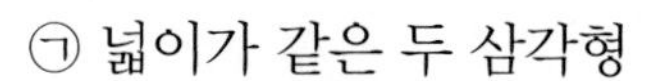

㉠ 넓이가 같은 두 삼각형
㉡ 한 변의 길이가 같은 두 정삼각형
㉢ 둘레가 같은 두 직사각형

( )

3 두 사각형은 서로 합동입니다. 각 ㅁㅂㅅ은 몇 도입니까?

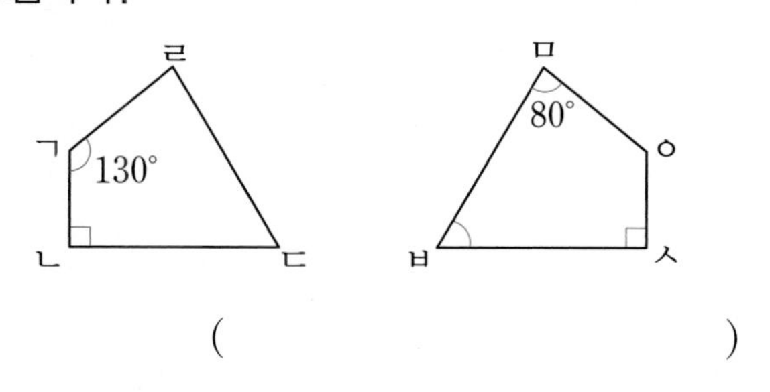

( )

4 정삼각형을 서로 합동인 삼각형 4개가 되도록 선으로 나누어 보시오.

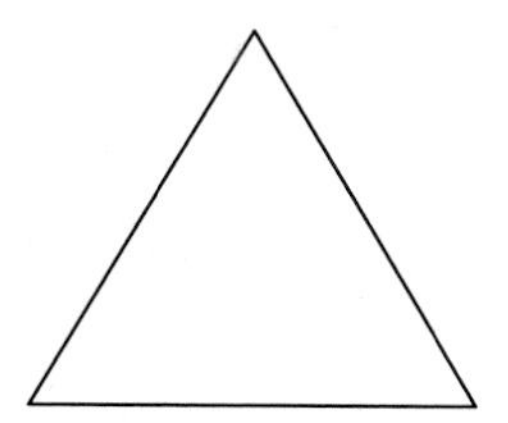

5 두 삼각형은 서로 합동입니다. 삼각형 ㄱㄴㄷ의 둘레가 28 cm일 때, 변 ㅂㄹ은 몇 cm입니까?

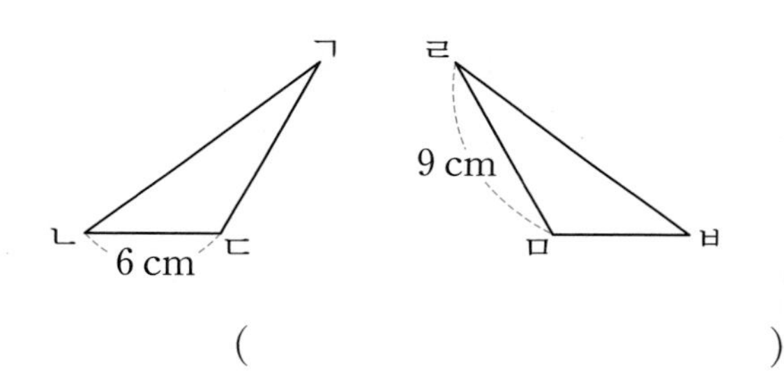

( )

6 선분 ㄴㄹ 위에 서로 합동인 두 삼각형을 그린 것입니다. 각 ㄱㄷㅁ은 몇 도입니까?

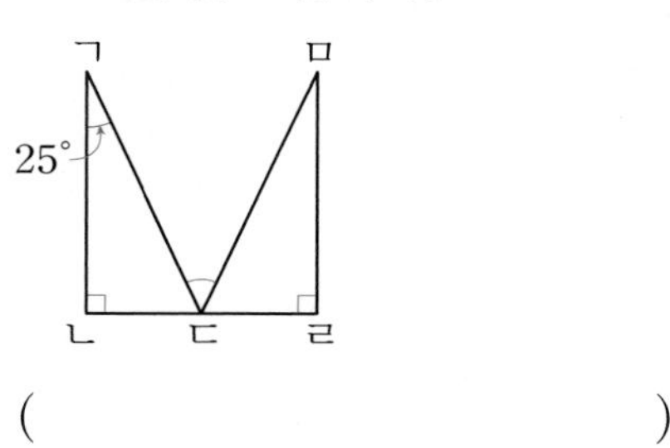

( )

3 합동과 대칭

STEP 1 START 개념

2. 선대칭도형과 그 성질

1 선대칭도형

• 선대칭도형: 한 직선을 따라 접어서 완전히 겹치는 도형

• 대칭축: 선대칭도형에서 도형이 완전히 겹치도록 접은 직선

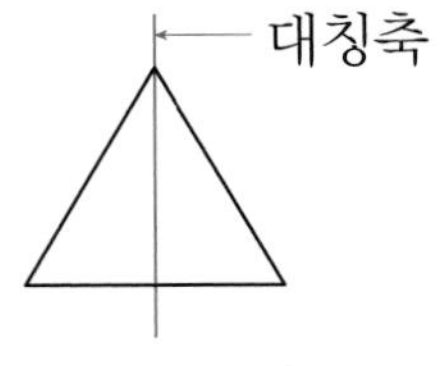

• 대칭축의 개수

선대칭도형은 도형에 따라 대칭축이 여러 개 있을 수 있습니다.

예

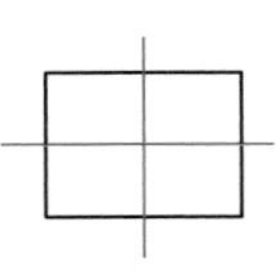
대칭축 2개

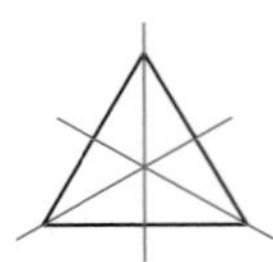
대칭축 3개

대칭축 5개

대칭축이 수없이 많습니다.

• 대칭축을 따라 포개었을 때 겹치는 점을 대응점, 겹치는 변을 대응변, 겹치는 각을 대응각이라고 합니다.

2 선대칭도형의 성질

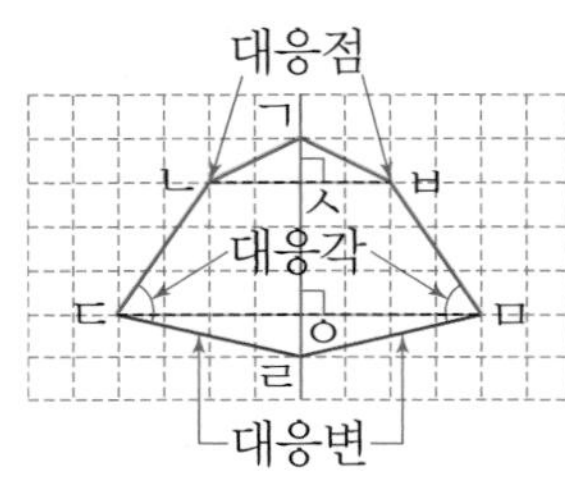

① 각각의 대응변의 길이가 서로 같습니다.
(변 ㄱㄴ)=(변 ㄱㅂ),
(변 ㄴㄷ)=(변 ㅂㅁ),
(변 ㄷㄹ)=(변 ㅁㄹ)

② 각각의 대응각의 크기가 서로 같습니다.
(각 ㄱㄴㄷ)=(각 ㄱㅂㅁ), (각 ㄴㄷㄹ)=(각 ㅂㅁㄹ)

③ 대응점끼리 이은 선분은 대칭축과 수직으로 만납니다.

④ 대칭축은 대응점끼리 이은 선분을 둘로 똑같이 나누므로 각각의 대응점에서 대칭축까지의 거리가 서로 같습니다.
(선분 ㄴㅅ)=(선분 ㅂㅅ), (선분 ㄷㅇ)=(선분 ㅁㅇ)

3 선대칭도형 그리기

① 대칭축을 중심으로 각 점의 대응점을 찾아 표시하기

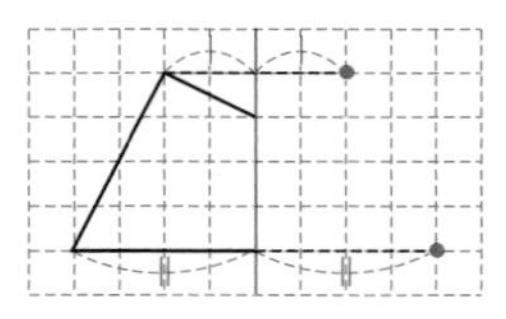

② 대응점을 차례로 이어 선대칭도형 완성하기

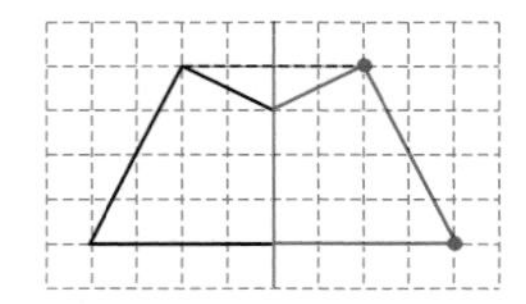

개념 활용 1

직선 ㅂㅅ을 대칭축으로 하는 선대칭도형에서 선분 ㄴㅁ의 길이 구하기

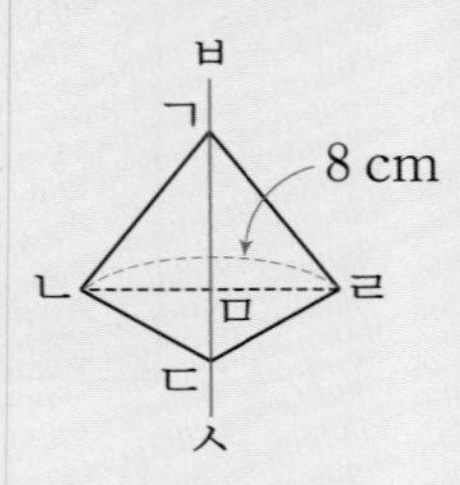

⇨ (선분 ㄴㅁ)=(선분 ㄴㄹ)÷2
=8÷2
=4 (cm)

대칭축은 대응점끼리 이은 선분을 둘로 똑같이 나누므로

개념 활용 2

선대칭도형의 넓이 구하기

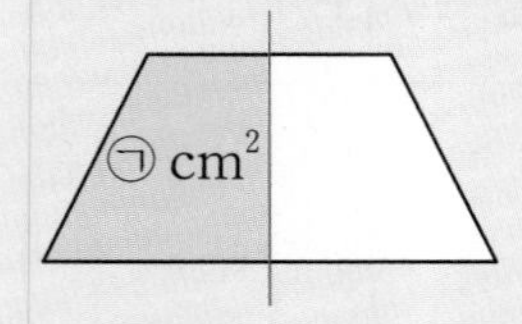

⇨ (선대칭도형의 넓이)
=(대칭축의 한쪽에 있는 도형의 넓이)×2=(㉠×2) cm^2

참고

선대칭의 위치에 있는 도형:
한 직선을 따라 접어서 완전히 겹치는 두 도형

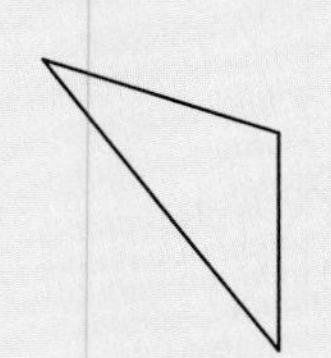

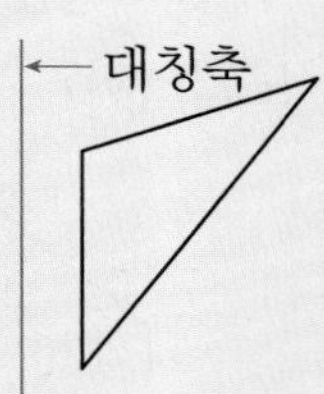

1 선대칭도형을 찾아 대칭축을 모두 그려 보시오.

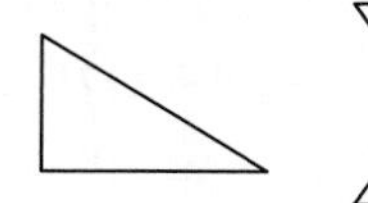
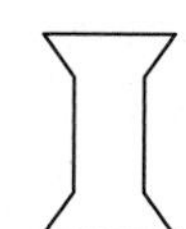

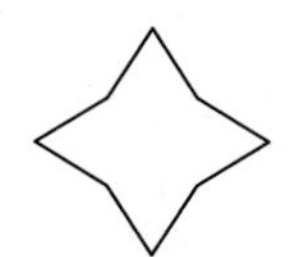

2 선대칭도형이 되도록 그림을 완성하시오.

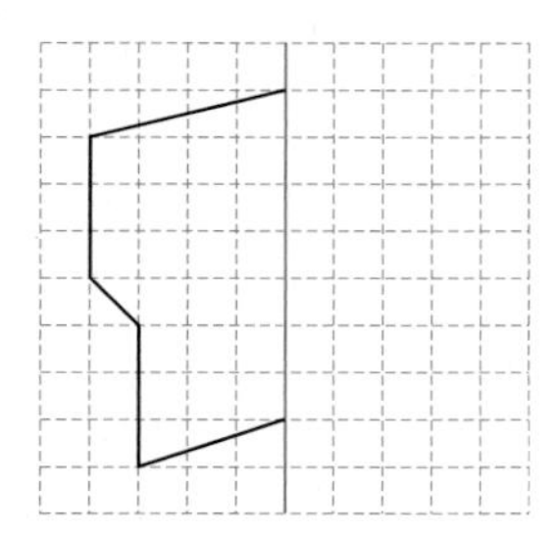

3 직선 ㅇㅈ을 대칭축으로 하는 선대칭도형입니다. 선분 ㄴㅂ은 몇 cm입니까?

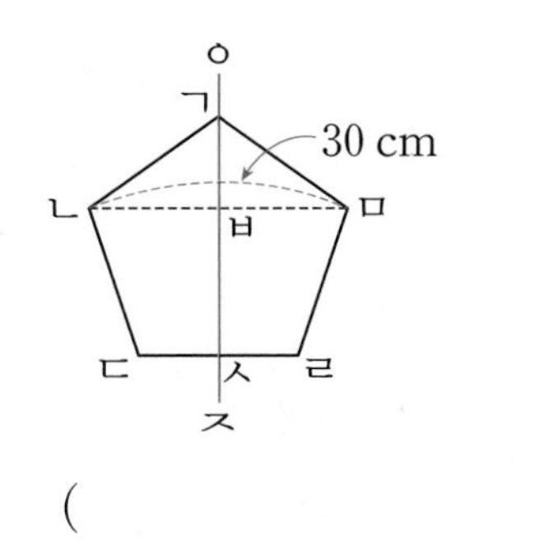

( )

4 선분 ㄹㄴ을 대칭축으로 하는 선대칭도형입니다. 각 ㄱㄴㄹ은 몇 도입니까?

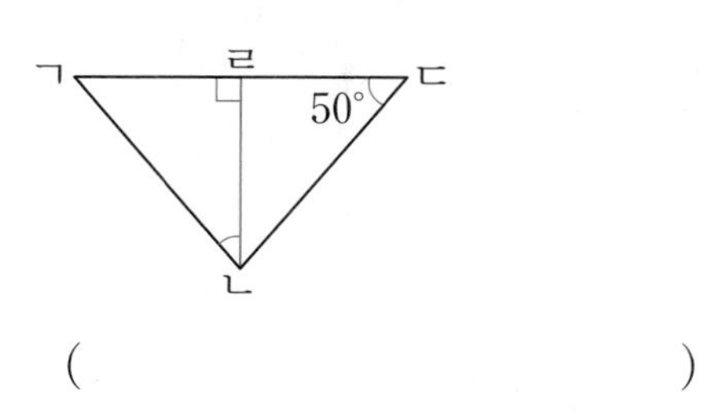

( )

5 직선 ㅁㅂ을 대칭축으로 하는 선대칭도형의 둘레가 66 cm입니다. 변 ㄴㄷ은 몇 cm입니까?

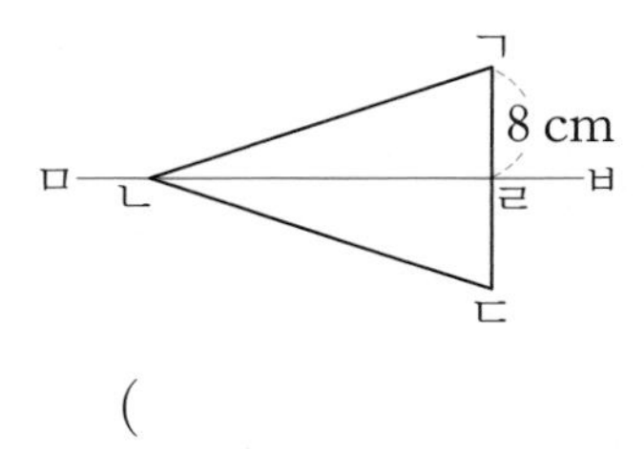

( )

6 직선 가를 대칭축으로 하는 선대칭도형을 완성하려고 합니다. 완성할 선대칭도형의 넓이는 몇 cm^2입니까?

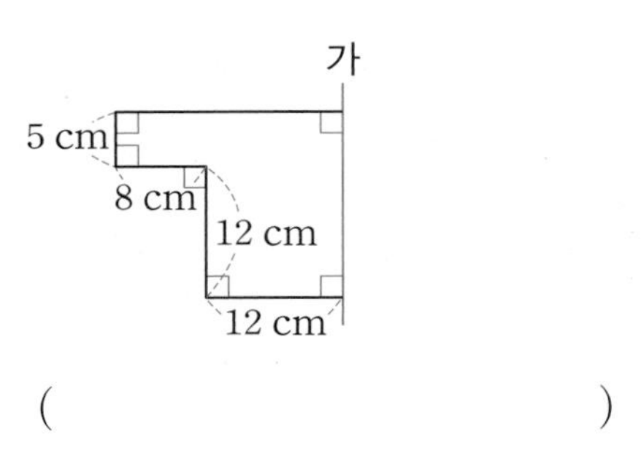

( )

3 합동과 대칭

3. 점대칭도형과 그 성질

1 점대칭도형

• 점대칭도형: 한 도형을 어떤 점을 중심으로 180° 돌렸을 때 처음 도형과 완전히 겹치는 도형

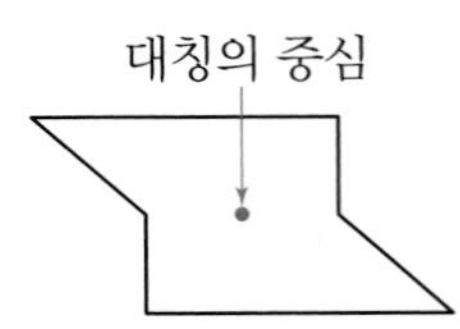

• 대칭의 중심: 점대칭도형에서 도형이 완전히 겹치도록 180° 돌렸을 때 중심이 되는 점

• 대칭의 중심의 개수
점대칭도형에서 대칭의 중심은 1개입니다.

예

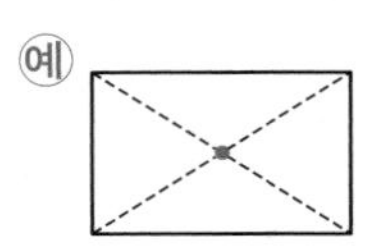
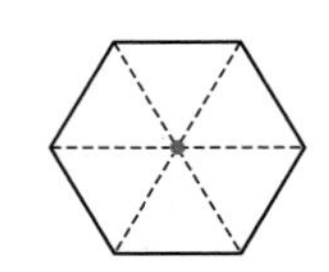
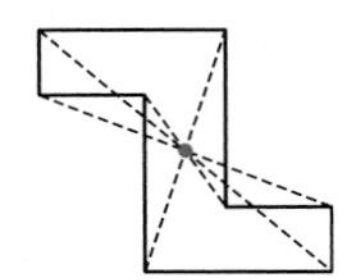
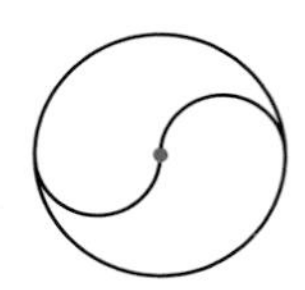

• 대칭의 중심을 중심으로 180° 돌렸을 때 겹치는 점을 대응점, 겹치는 변을 대응변, 겹치는 각을 대응각이라고 합니다.

2 점대칭도형의 성질

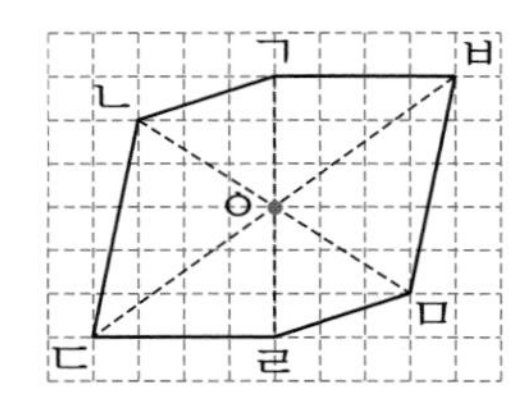

① 각각의 대응변의 길이가 서로 같습니다.
(변 ㄱㄴ)=(변 ㄹㅁ),
(변 ㄴㄷ)=(변 ㅁㅂ),
(변 ㄷㄹ)=(변 ㅂㄱ)

② 각각의 대응각의 크기가 서로 같습니다.
(각 ㄱㄴㄷ)=(각 ㄹㅁㅂ), (각 ㄴㄷㄹ)=(각 ㅁㅂㄱ)

③ 대칭의 중심은 대응점끼리 이은 선분을 둘로 똑같이 나누므로 각각의 대응점에서 대칭의 중심까지의 거리가 서로 같습니다.
(선분 ㄱㅇ)=(선분 ㄹㅇ), (선분 ㄴㅇ)=(선분 ㅁㅇ),
(선분 ㄷㅇ)=(선분 ㅂㅇ)

3 점대칭도형 그리기

① 각 점에서 대칭의 중심을 지나는 직선 긋기

② 각 점에서 대칭의 중심까지의 길이와 같도록 대응점을 찾아 표시하기

③ 대응점을 차례로 이어 점대칭도형 완성하기

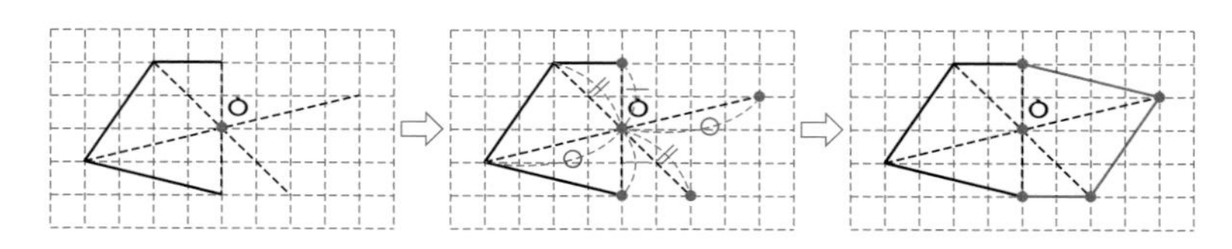

개념 활용

점 ㅇ을 대칭의 중심으로 하는 점대칭도형에서 선분 ㄴㅇ의 길이 구하기

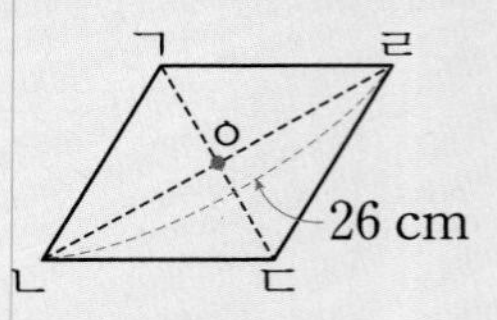

⇨ (선분 ㄴㅇ)=(선분 ㄴㄹ)÷2
=26÷2
=13 (cm)

→ 대칭의 중심은 대응점끼리 이은 선분을 둘로 똑같이 나누므로

참고

점대칭의 위치에 있는 도형:
한 점을 중심으로 180° 돌렸을 때 완전히 겹치는 두 도형

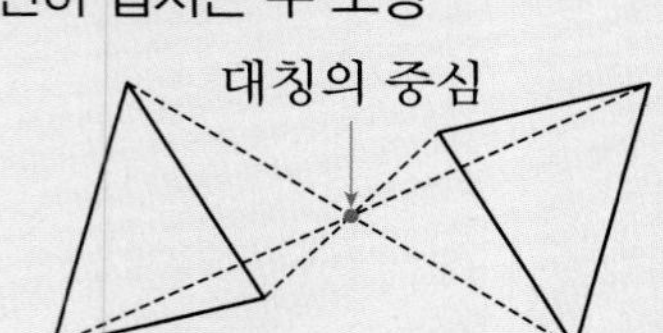

1 점대칭도형을 모두 고르시오. ······ (　　　　　　)

① ㄴ ② ㅂ ③ ㄹ

④ ㅅ ⑤ ㅍ

2 오른쪽은 점 ㅈ을 대칭의 중심으로 하는 점대칭도형입니다. 잘못 설명한 것을 찾아 기호를 쓰시오.

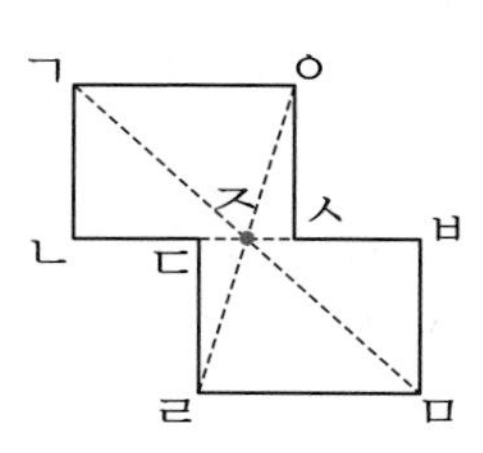

㉠ 점 ㄱ의 대응점은 점 ㅁ입니다.
㉡ 변 ㄱㄴ의 대응변은 변 ㅅㅇ입니다.
㉢ 각 ㄷㄹㅁ의 대응각은 각 ㅅㅇㄱ입니다.
㉣ 선분 ㄷㅈ과 선분 ㅅㅈ의 길이는 같습니다.

(　　　　　　)

3 점 ㅇ을 대칭의 중심으로 하는 점대칭도형을 완성하시오.

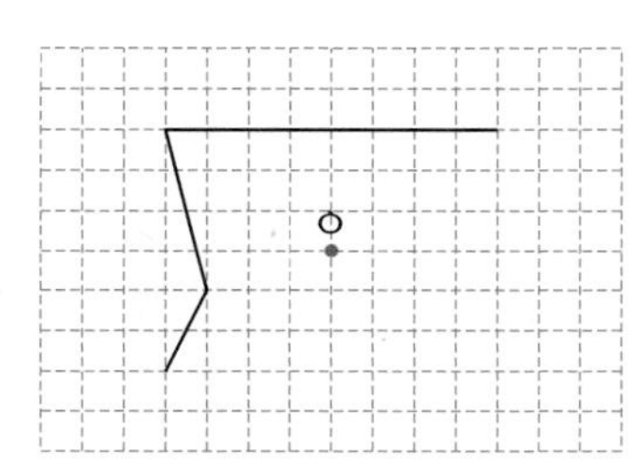

4 점 ㅇ을 대칭의 중심으로 하는 점대칭도형입니다. 각 ㄹㅁㅂ은 몇 도입니까?

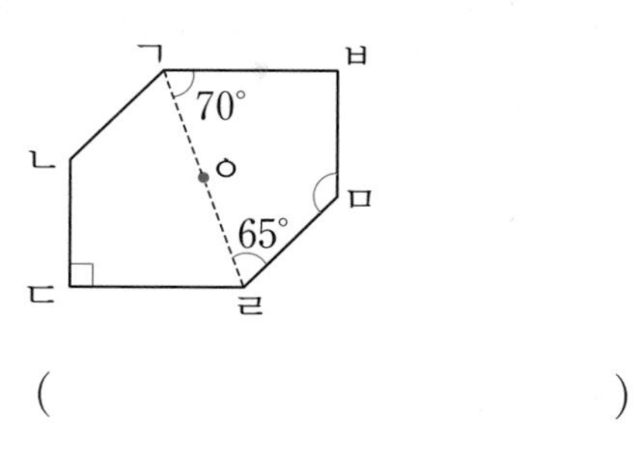

(　　　　　　)

5 점 ㅇ을 대칭의 중심으로 하는 점대칭도형입니다. 삼각형 ㄱㄴㄹ의 둘레는 몇 cm입니까?

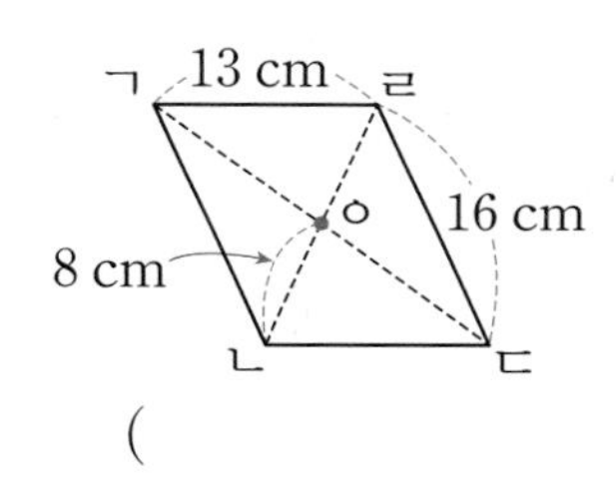

(　　　　　　)

6 점 ㅇ을 대칭의 중심으로 하는 점대칭도형입니다. 선분 ㄴㅇ은 몇 cm입니까?

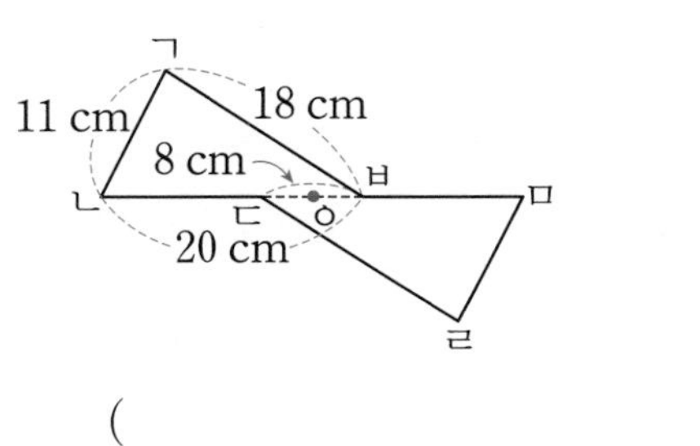

(　　　　　　)

3 합동과 대칭

STEP 2 JUMP 유형

유형 ❶ 합동인 도형을 이용하여 변의 길이를 구하는 문제

예제 1-1 오른쪽 그림에서 삼각형 ㄱㄴㄷ과 삼각형 ㄴㄹㅁ은 서로 합동입니다. 삼각형 ㄱㄴㄷ의 둘레는 몇 cm입니까?

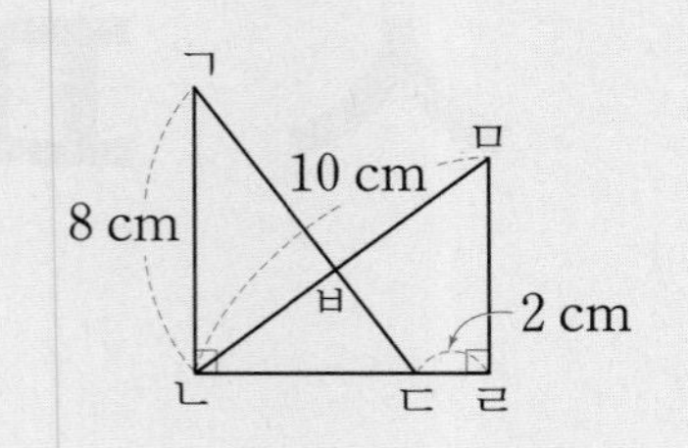

문제해결 Key

서로 합동인 두 도형에서 각각의 대응변의 길이는 서로 같습니다.

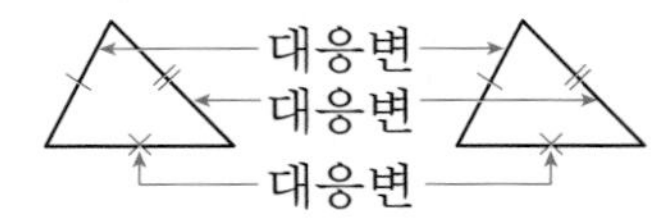

풀이

❶ 변 ㄱㄷ의 길이 구하기

❷ 변 ㄴㄷ의 길이 구하기

❸ 삼각형 ㄱㄴㄷ의 둘레 구하기

답

예제 1-2 오른쪽 그림에서 삼각형 ㄱㄴㄷ과 삼각형 ㅁㄹㄷ은 서로 합동입니다. 삼각형 ㅁㄹㄷ의 둘레는 몇 cm입니까?

(　　　　　　　　　　　)

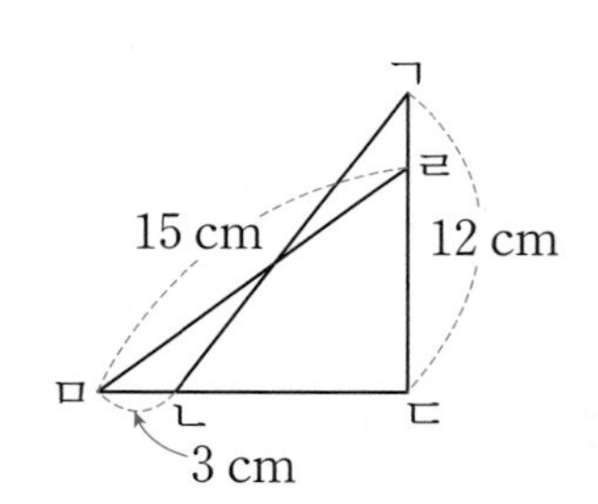

응용 1-3 오른쪽 그림에서 삼각형 ㄱㄴㄷ과 삼각형 ㄷㄹㅁ은 서로 합동입니다. 사각형 ㄱㄴㄹㅁ의 넓이는 몇 cm^2입니까?

(　　　　　　　　　　　)

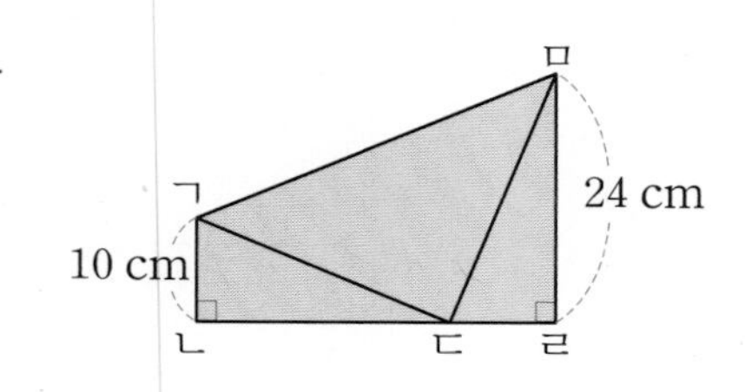

유형 ❷ 합동인 도형을 이용하여 각도를 구하는 문제

예제 2-1 오른쪽 그림에서 삼각형 ㄱㄴㄷ과 삼각형 ㄱㄹㅁ은 서로 합동입니다. 각 ㄱㄴㄷ은 몇 도입니까?

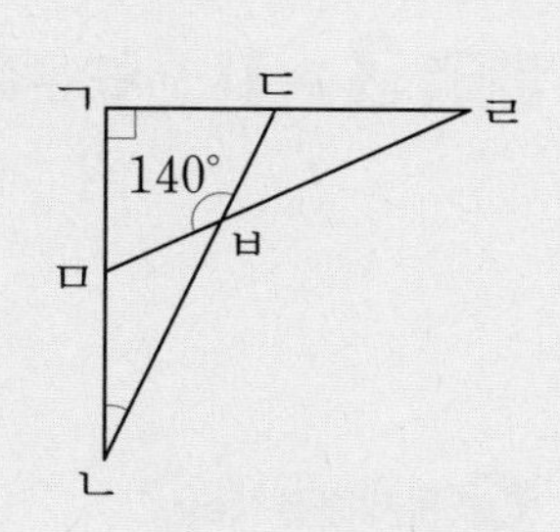

문제해결 Key

서로 합동인 두 도형에서 각각의 대응각의 크기는 서로 같습니다.

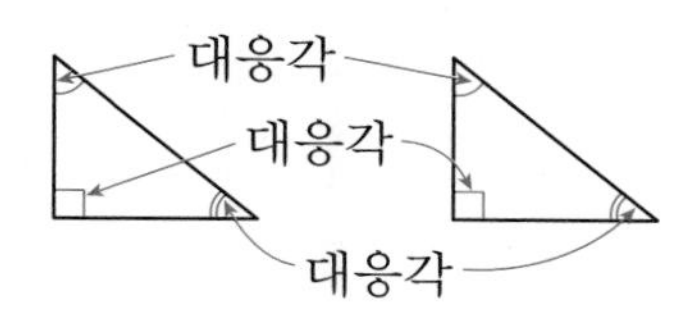

풀이

❶ 사각형 ㄱㅁㅂㄷ에서 각 ㄴㄷㄱ의 크기 구하기

❷ 각 ㄱㄴㄷ의 크기 구하기

답

예제 2-2 오른쪽 그림에서 삼각형 ㄱㄴㄷ과 삼각형 ㄹㄷㄴ은 서로 합동입니다. 각 ㄹㅁㄷ은 몇 도입니까?

(   )

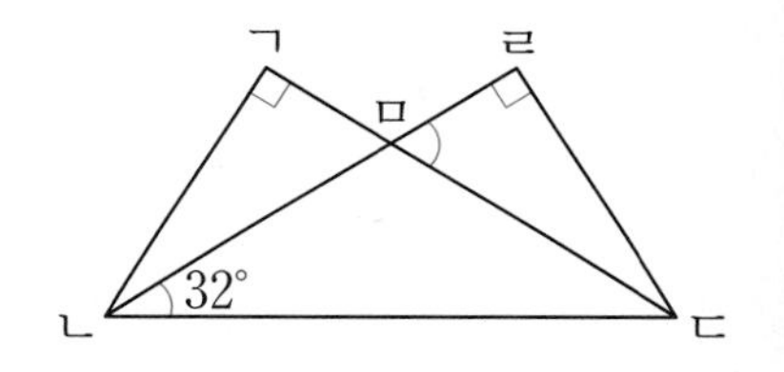

응용 2-3 오른쪽 그림에서 삼각형 ㄱㄴㄷ과 삼각형 ㄹㅁㄷ은 서로 합동인 이등변삼각형입니다. ㉠은 몇 도입니까?

(   )

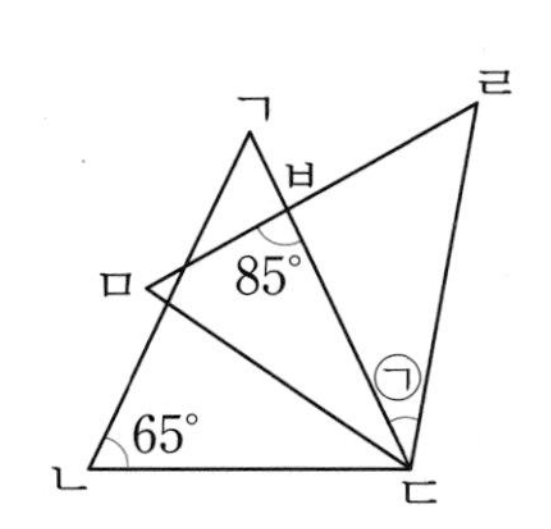

3 합동과 대칭

유형 ③ 선대칭도형에서 각도를 구하는 문제

예제 3-1 오른쪽은 직선 ㅅㅇ을 대칭축으로 하는 선대칭도형입니다. 각 ㄱㄴㅂ은 몇 도입니까?

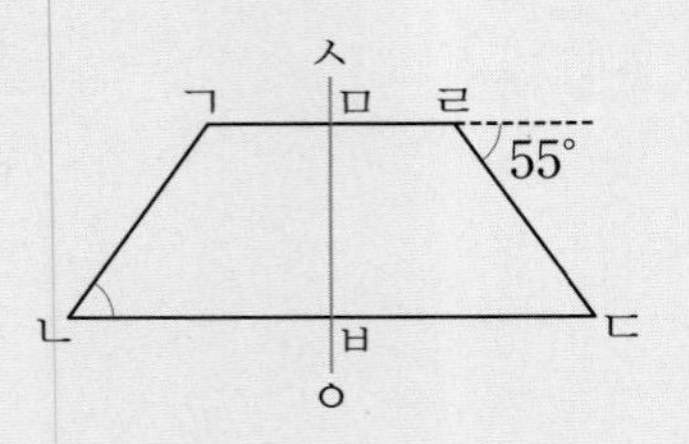

문제해결 Key

선대칭도형에서 각각의 대응각의 크기는 서로 같습니다.

풀이

❶ 각 ㅁㄹㄷ의 크기 구하기

❷ 각 ㅁㄱㄴ의 크기 구하기

❸ 각 ㄱㄴㅂ의 크기 구하기

답

예제 3-2 오른쪽은 직선 ㅅㅇ을 대칭축으로 하는 선대칭도형입니다. 각 ㄱㄴㄷ은 몇 도입니까?

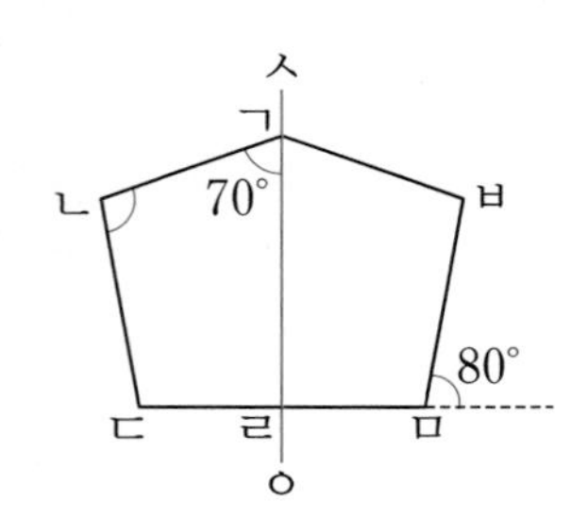

(　　　　　　　　　)

응용 3-3 오른쪽 도형에서 사각형 ㄱㄴㄷㅁ과 삼각형 ㅁㄴㄹ은 각각 선대칭도형입니다. 각 ㄷㄹㅁ은 몇 도입니까?

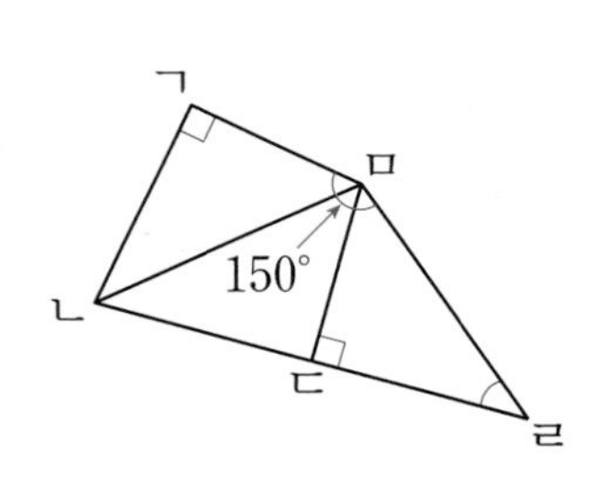

(　　　　　　　　　)

유형 4 원을 이용하여 그린 점대칭도형에서 각도를 구하는 문제

예제 4-1 오른쪽은 원의 중심인 점 ㅇ을 대칭의 중심으로 하는 점대칭도형입니다. 각 ㄷㅇㄹ은 몇 도입니까?

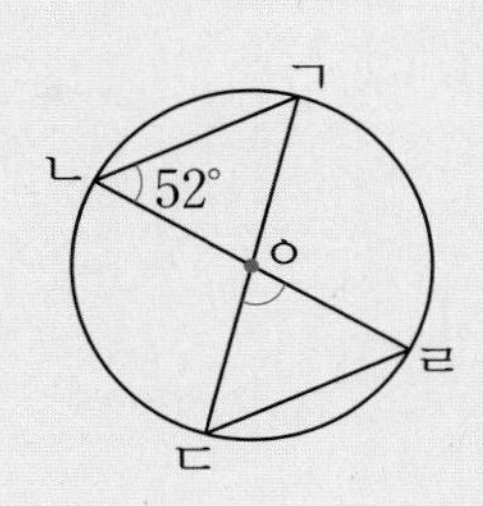

문제해결 Key

한 원에서 반지름의 길이는 모두 같습니다.

❶ 각 ㄱㅇㄴ의 크기 구하기

❷ 각 ㄷㅇㄹ의 크기 구하기

예제 4-2 오른쪽은 원의 중심인 점 ㅇ을 대칭의 중심으로 하는 점대칭도형입니다. 각 ㄷㅇㄹ은 몇 도입니까?

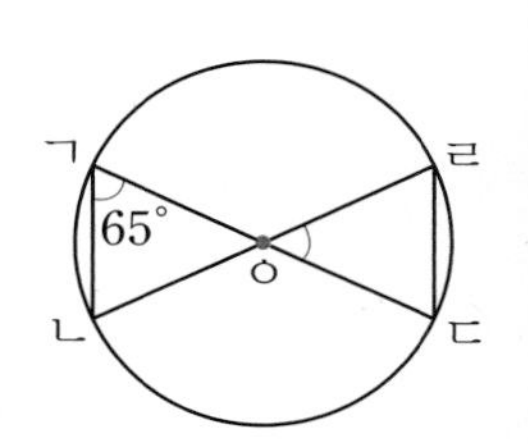

(　　　　　　　　)

응용 4-3 오른쪽은 원의 중심인 점 ㅇ을 대칭의 중심으로 하는 점대칭도형입니다. 각 ㅇㄷㄴ은 몇 도입니까?

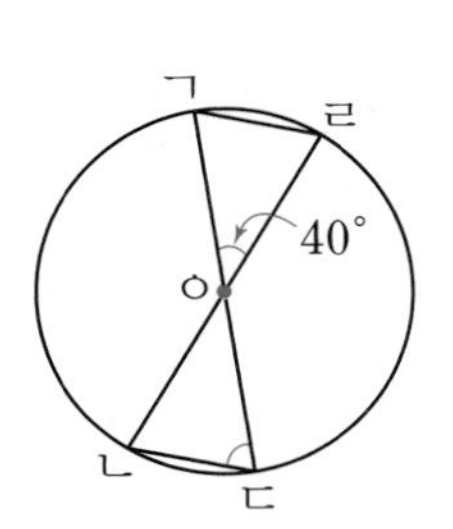

(　　　　　　　　)

유형 5 점대칭도형을 완성하고 넓이를 구하는 문제

예제 5-1 점 ㅇ을 대칭의 중심으로 하는 점대칭도형을 완성하였을 때, 완성한 점대칭도형의 넓이는 몇 cm^2인지 구하시오.

1 cm
1 cm

문제해결 Key

(완성한 점대칭도형의 넓이)
=(처음 도형의 넓이)×2

풀이

❶ 위 그림에서 점 ㅇ을 대칭의 중심으로 하는 점대칭도형 완성하기

❷ 완성한 점대칭도형의 넓이 구하기

답

예제 5-2 점 ㅇ을 대칭의 중심으로 하는 점대칭도형을 완성하였을 때, 완성한 점대칭도형의 넓이는 몇 cm^2인지 구하시오.

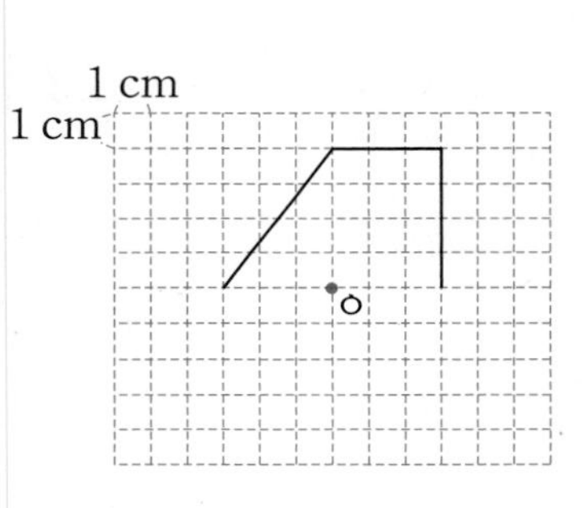

( )

응용 5-3 점 ㅇ을 대칭의 중심으로 하는 점대칭도형을 완성하였더니 완성한 점대칭도형의 넓이가 160 cm^2였습니다. 모눈 한 칸의 한 변의 길이는 몇 cm입니까?

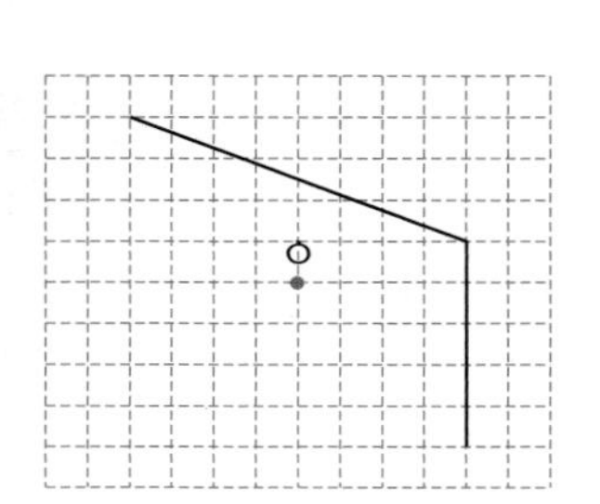

( )

유형 6 합동인 삼각형의 수를 구하는 문제

예제 6-1 오른쪽 평행사변형에서 서로 합동인 삼각형은 모두 몇 쌍입니까?

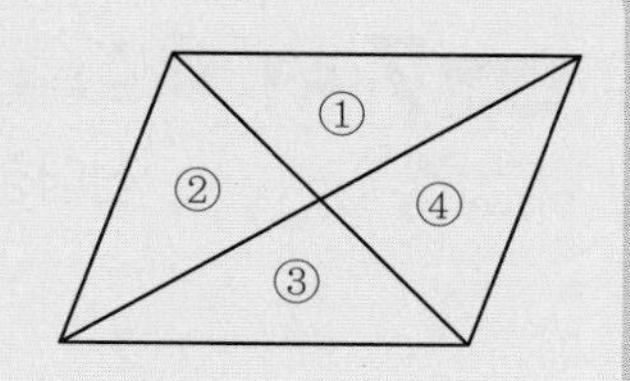

문제해결 Key

서로 합동인 삼각형이 도형 1개로 이루어진 경우와 도형 2개로 이루어진 경우로 나누어 알아봅니다.

풀이

❶ 1개의 삼각형으로 이루어진 서로 합동인 삼각형은 몇 쌍인지 구하기

❷ 2개의 삼각형으로 이루어진 서로 합동인 삼각형은 몇 쌍인지 구하기

❸ 서로 합동인 삼각형은 모두 몇 쌍인지 구하기

답

예제 6-2 오른쪽 마름모 ㄱㄴㄷㄹ에서 서로 합동인 삼각형은 모두 몇 쌍입니까? (단, 점 ㅁ과 점 ㅂ은 각각 한 변의 가운데 점입니다.)

( )

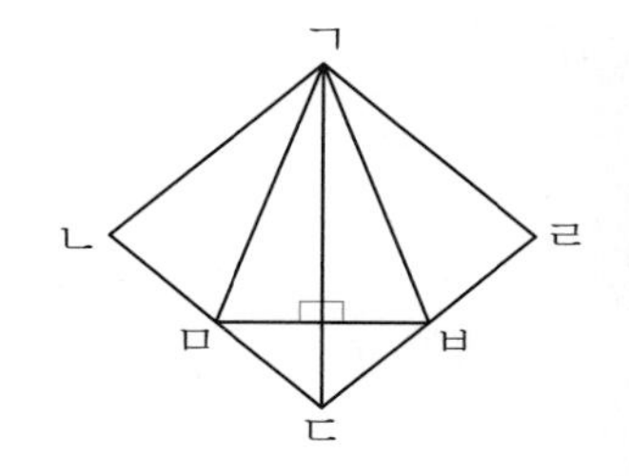

응용 6-3 오른쪽 이등변삼각형 ㄱㄴㄷ에서 서로 합동인 삼각형은 모두 몇 쌍입니까?

( )

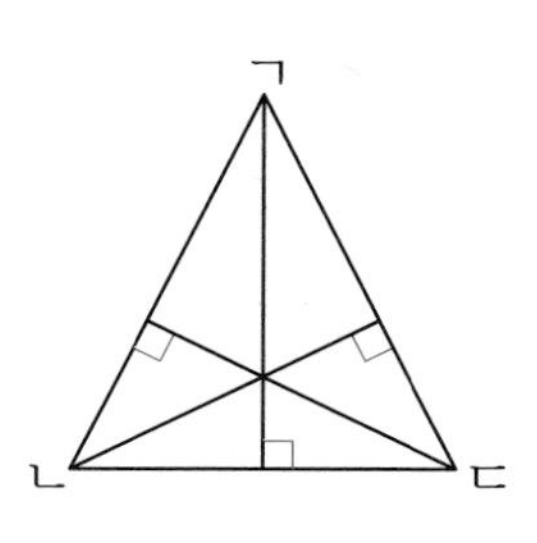

3 합동과 대칭

유형 7 선대칭도형의 둘레나 넓이를 구하는 문제

예제 7-1 오른쪽은 직선 가를 대칭축으로 하는 선대칭도형의 일부분입니다. 완성한 선대칭도형의 둘레는 몇 cm입니까?

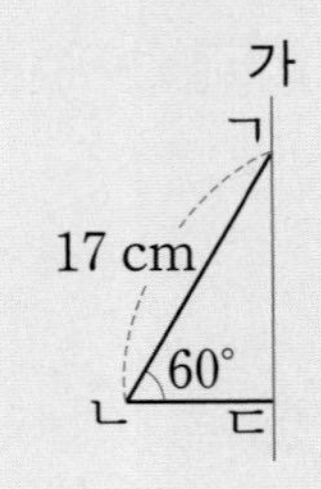

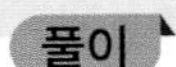

문제해결 Key

선대칭도형에서 각각의 대응각의 크기는 서로 같습니다.

풀이

❶ 직선 가를 대칭축으로 하는 선대칭도형 완성하기

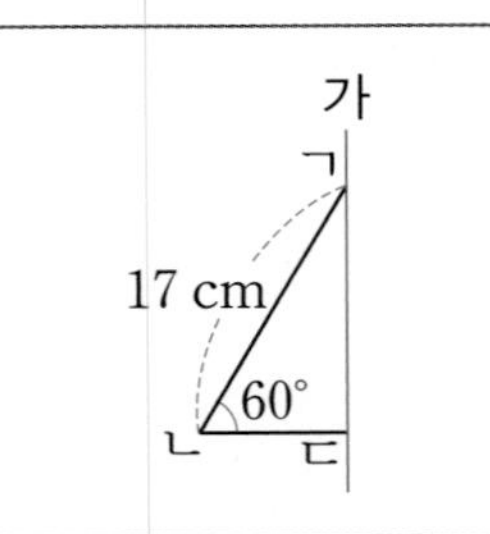

❷ 완성한 선대칭도형의 둘레 구하기

답

예제 7-2 오른쪽은 직선 가를 대칭축으로 하는 선대칭도형의 일부분입니다. 완성한 선대칭도형의 넓이는 몇 cm^2입니까?

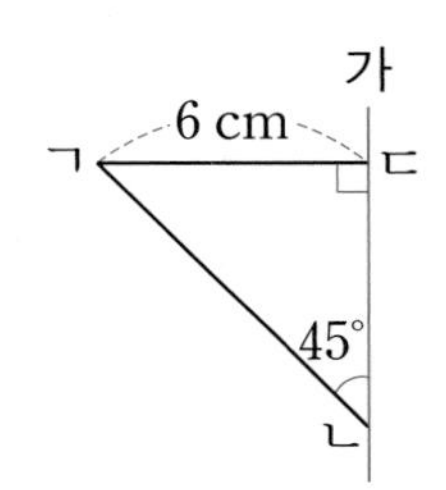

( )

응용 7-3 오른쪽은 직선 가를 대칭축으로 하는 선대칭도형이고, 삼각형 ㄱㄴㅁ과 삼각형 ㅅㄷㅂ은 정삼각형입니다. 굵은 선의 길이의 합은 몇 cm입니까? (단, 선분 ㄱㅇ과 선분 ㅇㅁ의 길이는 같습니다.)

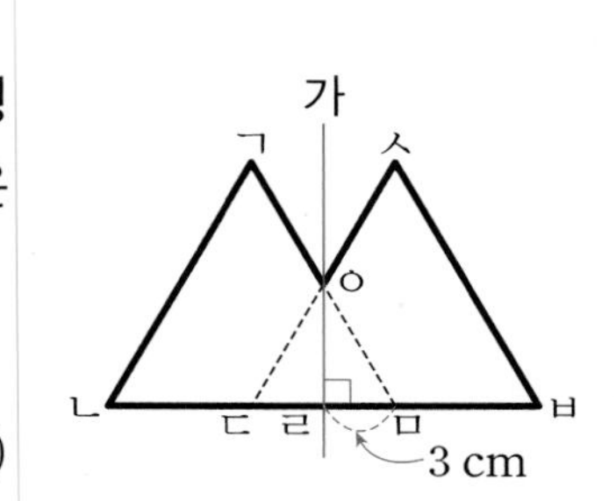

( )

유형 8 점대칭도형의 둘레를 구하는 문제

예제 8-1 오른쪽은 점 ㅅ을 대칭의 중심으로 하는 점대칭도형입니다. 이 점대칭도형의 둘레는 몇 cm입니까?

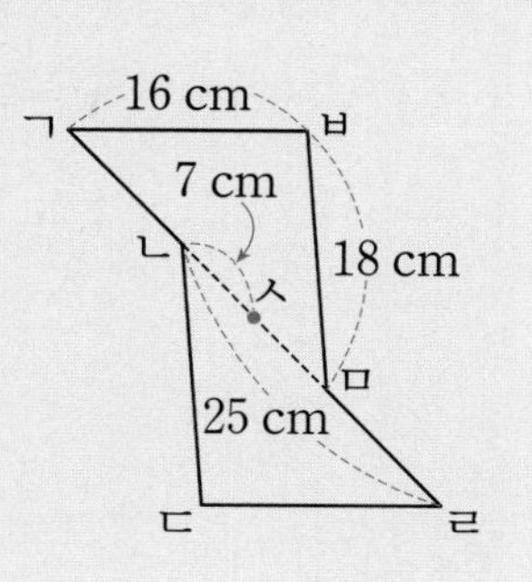

문제해결 Key

점대칭도형의 각각의 대응점에서 대칭의 중심까지의 거리가 서로 같습니다.

풀이

❶ 변 ㄱㄴ의 길이 구하기

❷ 점대칭도형의 둘레 구하기

답 ______

예제 8-2 오른쪽은 점 ㅈ을 대칭의 중심으로 하는 점대칭도형입니다. 이 점대칭도형의 둘레는 몇 cm입니까?

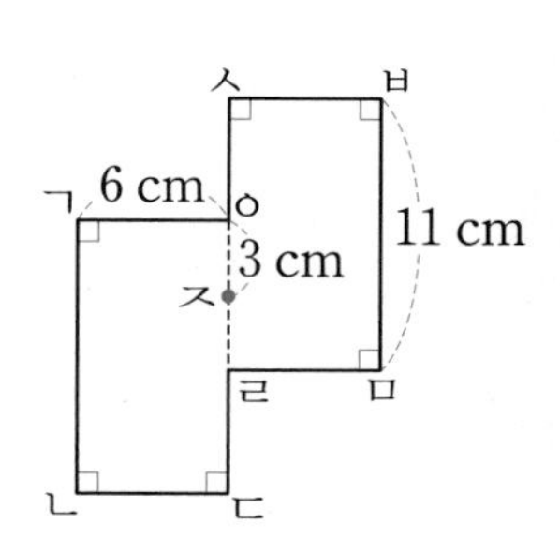

(   )

응용 8-3 오른쪽은 점 ㅈ을 대칭의 중심으로 하고, 정사각형 2개로 이루어진 점대칭도형입니다. 이 점대칭도형의 둘레는 몇 cm입니까?

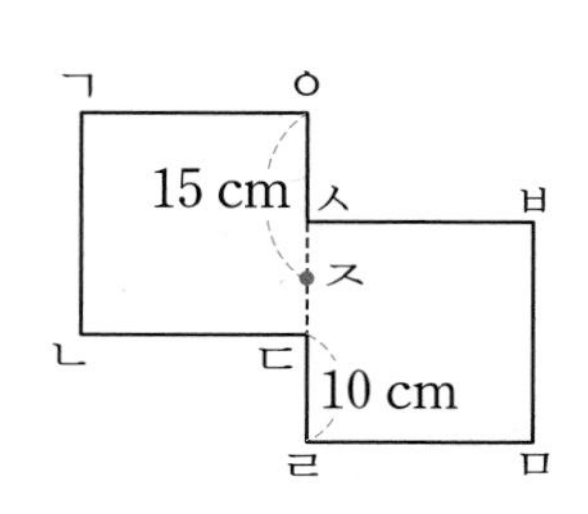

(   )

유형 9 종이를 접은 모양에서 각도를 구하는 문제

예제 9-1 오른쪽 그림과 같이 직사각형 모양의 종이를 접었습니다. ㉠은 몇 도입니까?

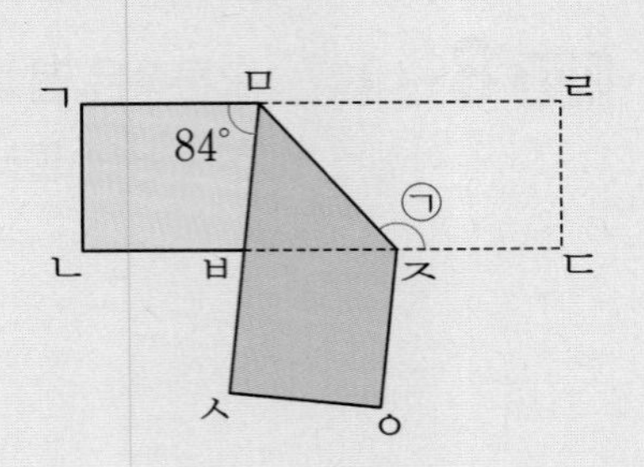

문제해결 Key

종이를 접었을 때 접은 모양 ㉮와 접기 전 모양 ㉯는 서로 합동입니다.

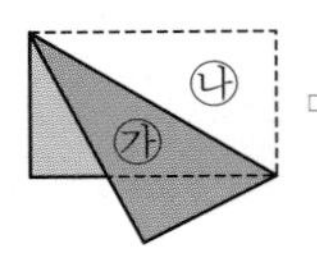

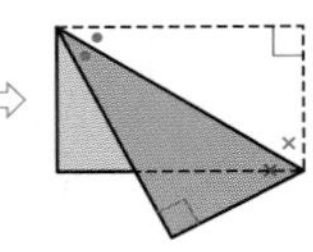

풀이

❶ 각 ㄹㅁㅈ의 크기 구하기

❷ ㉠의 각도 구하기

답

예제 9-2 오른쪽 그림과 같이 삼각형 모양의 종이를 접었습니다. ㉠은 몇 도입니까?

( )

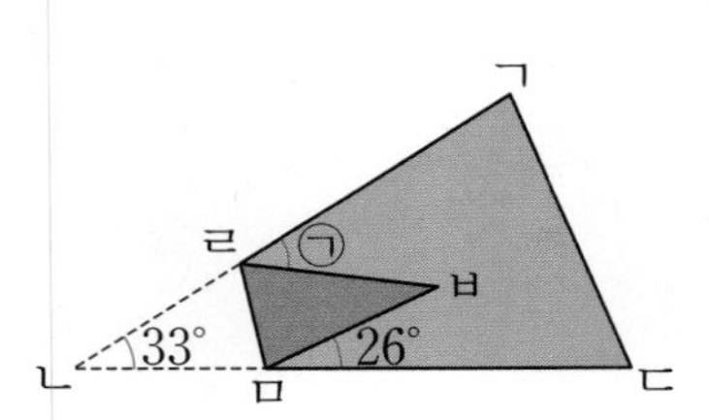

응용 9-3 오른쪽 그림과 같이 정사각형 모양의 종이를 접었습니다. ㉠과 ㉡의 차는 몇 도입니까?

( )

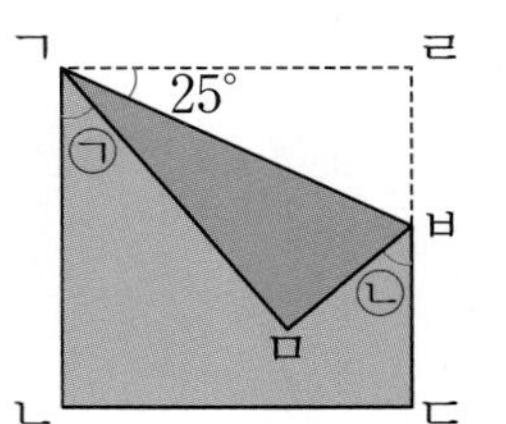

창의·융합

유형 ⑩ 선대칭도형이면서 점대칭도형인 것을 찾는 문제

[수학 + 미술]

예제 10-1 전통 무늬는 자연물이나 동식물, 글자, 가상무늬 등의 다양한 형태를 생활용품이나 옷 등에 그려 넣어 아름답게 보이기 위한 장식 무늬이며 해, 구름, 학 등의 *십장생 무늬를 넣어 장수를 기원하는 마음을 담기도 합니다. 다음 전통 무늬 중에서 선대칭도형이면서 점대칭도형인 것을 모두 찾아 기호를 쓰시오.

*십장생: 오래 살고 죽지 아니한다는 10가지 사물

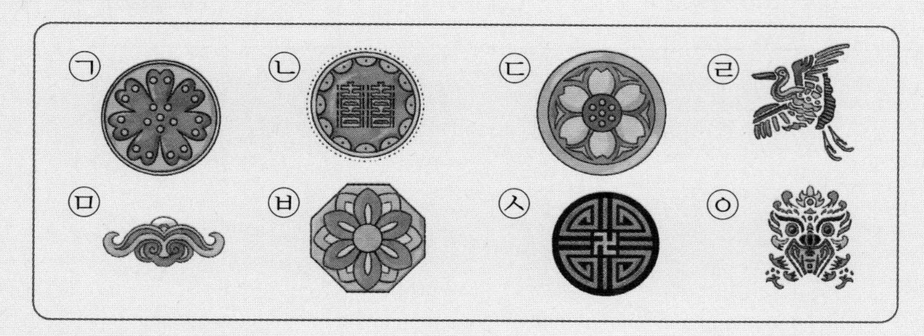

문제해결 Key

먼저 선대칭도형과 점대칭도형을 각각 찾습니다.

풀이

❶ 선대칭도형과 점대칭도형 각각 찾기

선대칭도형: ______

점대칭도형: ______

❷ 선대칭도형이면서 점대칭도형인 것 모두 찾기

______

답 ______

[수학 + 사회]

응용 10-2 지도에는 지형이나 건물 등을 빠짐없이 표시해야 합니다. 하지만 작은 지도 안에 너무 자세하게 그리면 복잡해서 한눈에 알아보기 어려워 실제 모습을 간단하게 나타낸 기호를 사용합니다. 지도에 나타낸 기호 종류 중에서 선대칭도형이면서 점대칭도형인 것은 모두 몇 개입니까?

( )

3

합동과 대칭

문제 풀이 동영상

01 대칭축이 가장 많은 선대칭도형을 찾아 기호를 쓰시오.

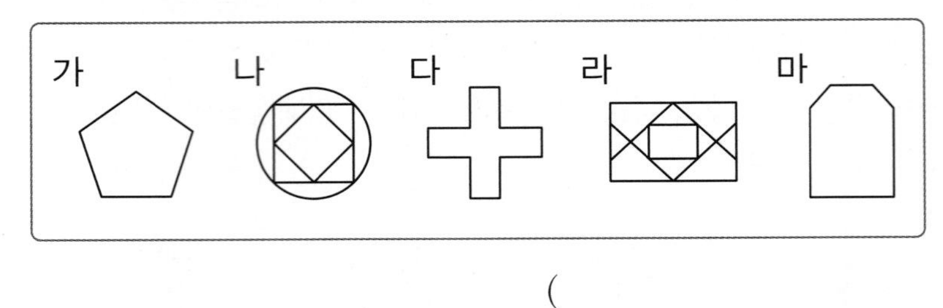

( )

02 오른쪽은 대칭축이 2개인 선대칭도형입니다. 사각형 ㄱㄴㄷㄹ의 둘레가 64 cm일 때, 변 ㄱㄴ은 몇 cm입니까?

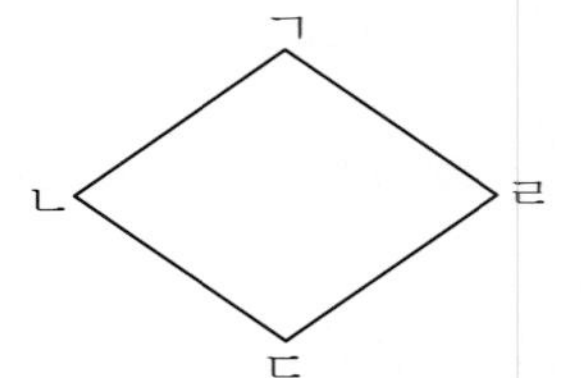

( )

03 오른쪽은 점 ㅇ을 대칭의 중심으로 하는 점대칭도형입니다. 각 ㄹㅁㅂ은 몇 도입니까?

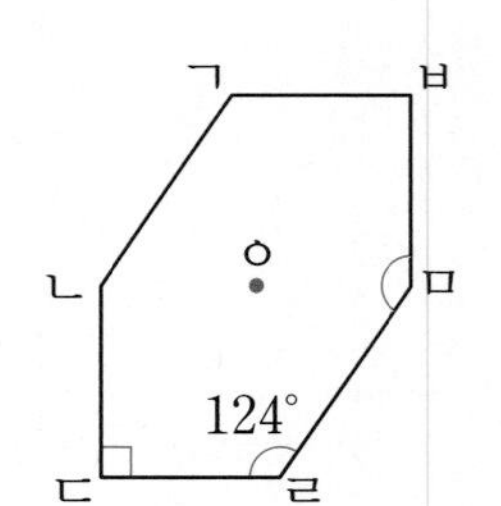

( )

유형 ⑩ 선대칭도형이면서 점대칭도형인 것을 찾는 문제

04 다음에서 항상 선대칭도형이면서 점대칭도형인 것은 모두 몇 개입니까?

㉠ 이등변삼각형	㉡ 직사각형	㉢ 마름모
㉣ 평행사변형	㉤ 정육각형	㉥ 정팔각형

( )

유형 ③ 선대칭도형에서 각도를 구하는 문제

05 오른쪽은 직선 가와 직선 나를 각각 대칭축으로 하는 선대칭도형입니다. ㉠은 몇 도입니까?

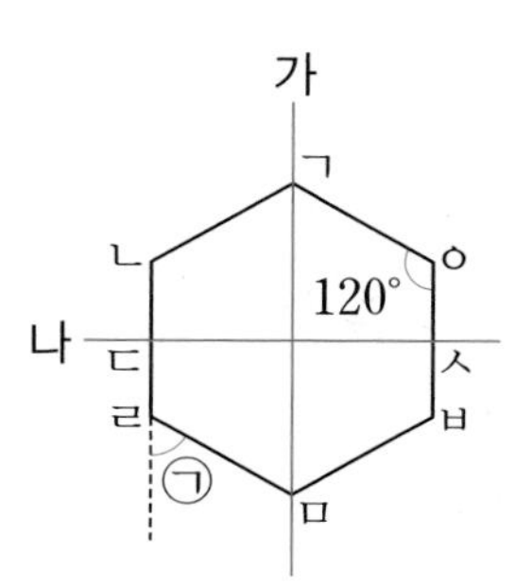

( )

유형 ⑧ 점대칭도형의 둘레를 구하는 문제

06 오른쪽은 점 ㅇ을 대칭의 중심으로 하는 점대칭도형의 일부분입니다. 완성한 점대칭도형의 둘레가 48 cm일 때, 선분 ㅇㄷ은 몇 cm입니까?

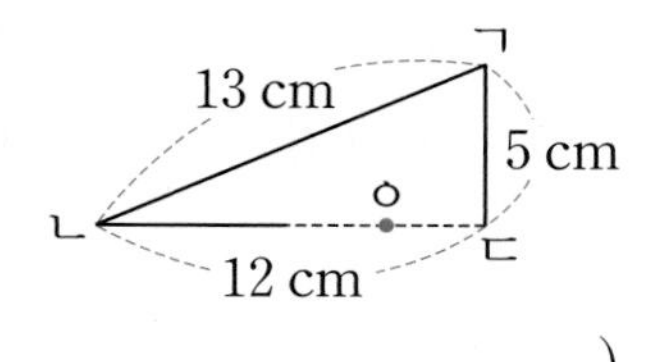

( )

3 합동과 대칭

유형 5 점대칭도형을 완성하고 넓이를 구하는 문제

07 오른쪽은 점 ㅇ을 대칭의 중심으로 하는 점대칭도형의 일부분입니다. 완성한 점대칭도형의 넓이는 몇 cm^2입니까?

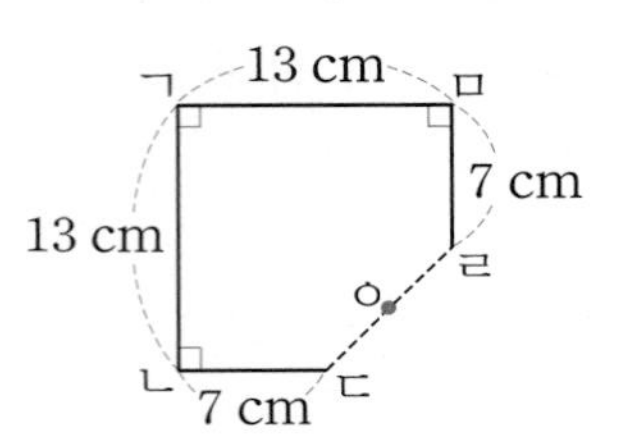

( )

성대 경시 유형

08 오른쪽 그림에서 선분 ㄱㄴ을 대칭축으로 하는 선대칭도형과 점 ㅇ을 대칭의 중심으로 하는 점대칭도형을 각각 완성하였을 때, 완성한 두 도형이 겹치는 부분은 몇 각형입니까?

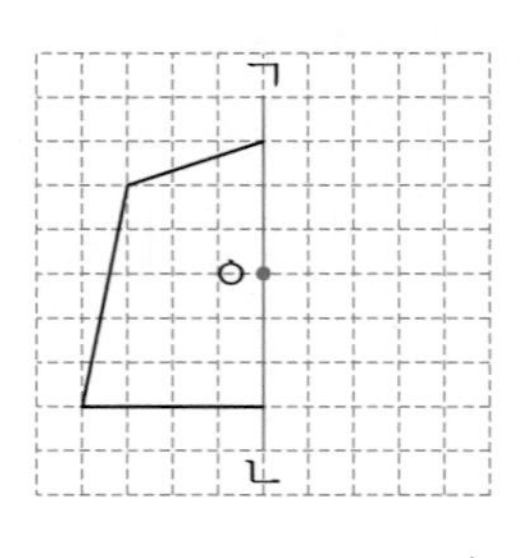

( )

유형 6 합동인 삼각형의 수를 구하는 문제

09 오른쪽 그림에서 삼각형 ㄱㄴㄷ과 삼각형 ㄱㄹㅁ은 모두 이등변삼각형이고 선분 ㄹㅁ과 선분 ㄴㄷ이 각각 4등분이 되도록 선분을 그었습니다. 서로 합동인 삼각형은 모두 몇 쌍입니까?

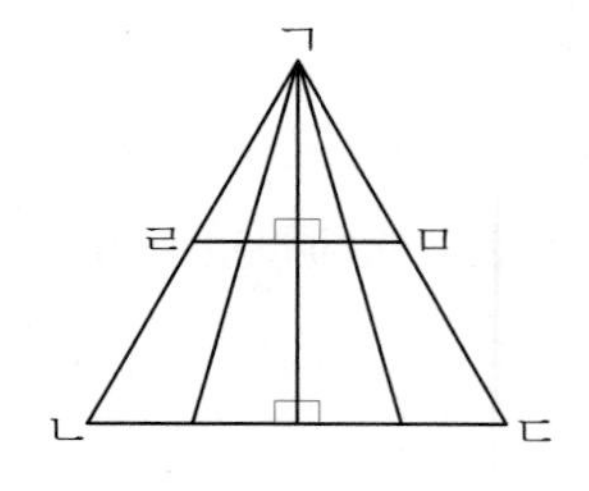

( )

창의 융합

[수학 + 역사] 유형 ❶ 합동인 도형을 이용하여 변의 길이를 구하는 문제

10 탈레스는 자신이 서 있는 곳에서 바다에 떠 있는 배까지의 거리를 직접 재지 않고 다음과 같이 서로 합동인 삼각형을 그려서 구했다고 합니다.

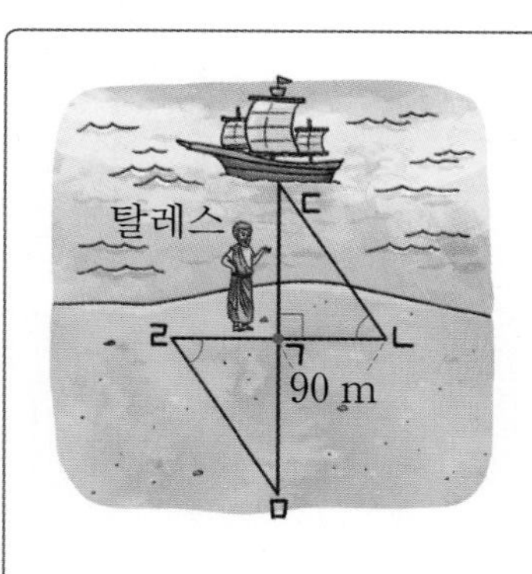

1. 탈레스가 서 있는 곳을 점 ㄱ, 모래 사장에 한 점 ㄴ을 정하고, 배가 있는 곳을 점 ㄷ이라 하여 왼쪽과 같은 직각삼각형 ㄱㄴㄷ을 그립니다.
2. 선분 ㄱㄴ의 길이와 각 ㄱㄴㄷ의 크기를 재어 삼각형 ㄱㄴㄷ과 서로 합동인 삼각형 ㄱㄹㅁ을 그립니다.
3. 변 ㄱㅁ의 길이를 재어 탈레스가 서 있는 곳에서 배까지의 거리를 알 수 있습니다.

삼각형 ㄱㄹㅁ의 세 변의 길이의 합을 재었더니 360 m이고 변 ㄱㅁ의 길이가 변 ㄹㅁ의 길이보다 30 m 더 짧다고 할 때, 탈레스가 서 있는 곳에서 배까지의 거리는 몇 m입니까?

(　　　　　　　　)

▲ 탈레스

고대 그리스의 수학자로 대표적인 업적으로는 천문학을 이용해서 일식을 예언하였고 이집트 쿠푸 왕의 피라미드 높이를 측정한 업적도 유명합니다.

유형 ❼ 선대칭도형의 둘레나 넓이를 구하는 문제

11 오른쪽 직사각형 ㄱㄴㄷㄹ에서 직선 가를 대칭축으로 하는 선대칭도형을 완성하였더니 완성한 선대칭도형의 넓이가 216 cm^2였습니다. 삼각형 ㄱㅁㄹ의 넓이는 몇 cm^2입니까?

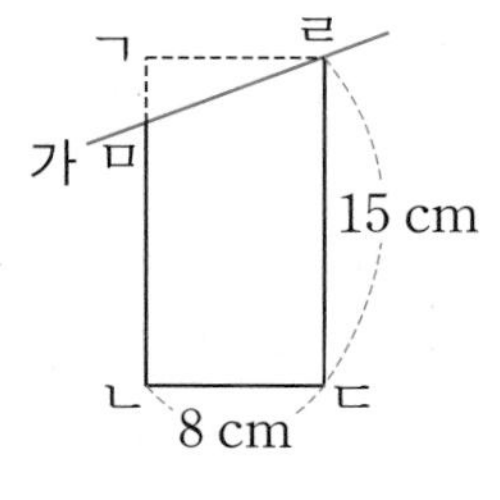

(　　　　　　　　)

3
합동과 대칭

12 오른쪽은 서로 합동인 사다리꼴 3개로 정삼각형을 만든 것입니다. 정삼각형의 둘레가 99 cm일 때, 사다리꼴 한 개의 둘레는 몇 cm입니까?

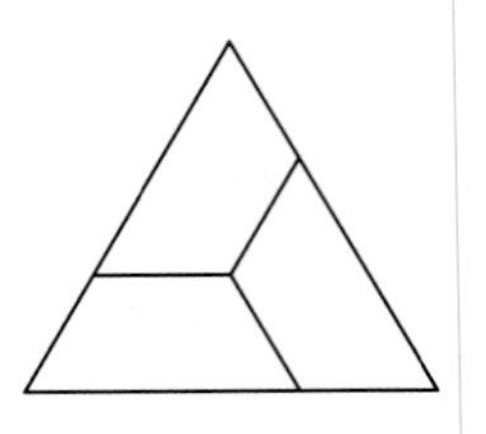

( )

해법 경시 유형

13 오른쪽 그림에서 삼각형 ㄱㄴㄷ과 삼각형 ㄹㅁㅂ은 서로 합동입니다. 색칠한 부분의 넓이는 몇 cm^2입니까?

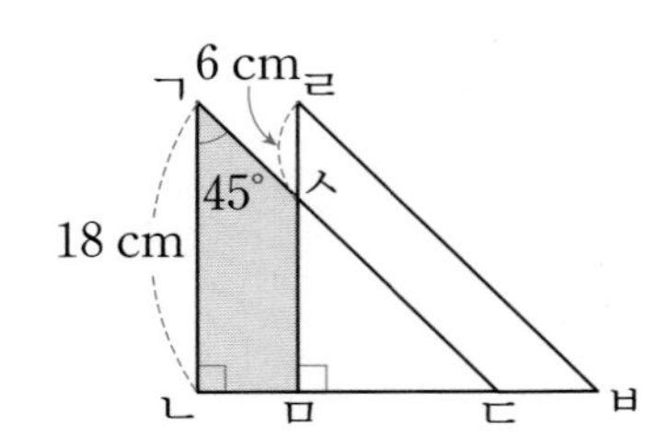

( )

유형 9 종이를 접은 모양에서 각도를 구하는 문제

14 오른쪽 그림과 같이 정사각형 모양의 종이를 반으로 접은 선분 위의 한 점 ㅅ에서 정사각형의 꼭짓점 ㄱ과 꼭짓점 ㄹ이 서로 맞닿도록 접었습니다. 각 ㅅㅁㄴ은 몇 도입니까?

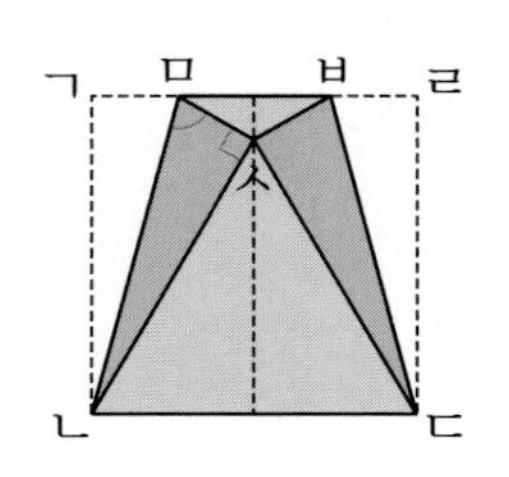

( )

15 8118은 점대칭이 되는 수입니다. 다음 숫자를 사용하여 8118보다 큰 점대칭이 되는 네 자리 수를 만들려고 합니다. 만들 수 있는 수는 모두 몇 개입니까? (단, 같은 숫자를 여러 번 사용할 수 있습니다.)

(   )

유형 ❷ 합동인 도형을 이용하여 각도를 구하는 문제

16 오른쪽 그림에서 삼각형 ㄱㄴㄷ과 삼각형 ㅁㄴㄹ은 서로 합동인 이등변삼각형입니다. 각 ㅁㄱㅂ은 몇 도입니까?

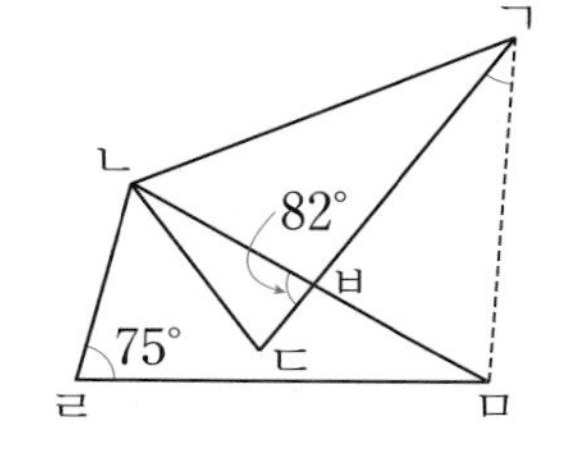

(   )

17 점 ㅅ을 대칭의 중심으로 하는 점대칭도형입니다. 선분 ㅁㅂ의 길이가 선분 ㄱㄷ의 길이의 $\frac{1}{2}$일 때, 색칠한 부분의 넓이는 몇 cm^2입니까?

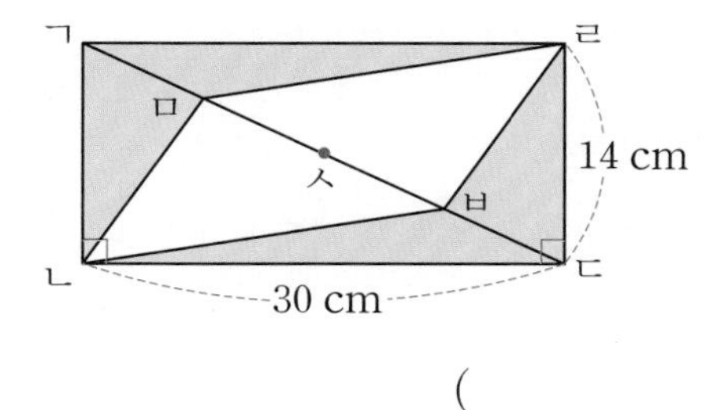

(   )

STEP 4 TOP 최고수준

문제 풀이 동영상

[고대 경시 유형]

01

삼각형 ㄱㄴㄷ은 선분 ㄱㄹ을 대칭축으로 하는 선대칭도형이고, 삼각형 ㄱㅁㄷ은 선분 ㅁㅂ을 대칭축으로 하는 선대칭도형입니다. 각 ㄴㅁㄷ은 몇 도입니까?

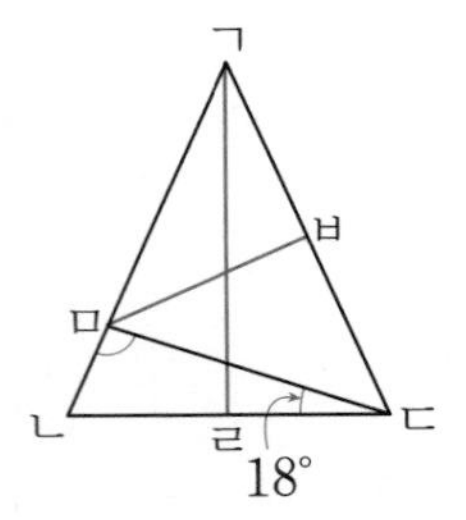

(　　　　　　　　　　)

[해법 경시 유형]

02

오른쪽은 정사각형 한 개와 서로 합동인 직각삼각형 4개를 겹치지 않게 이어 붙여 만든 도형입니다. 사각형 ㄱㄴㄷㄹ의 둘레는 몇 cm입니까?

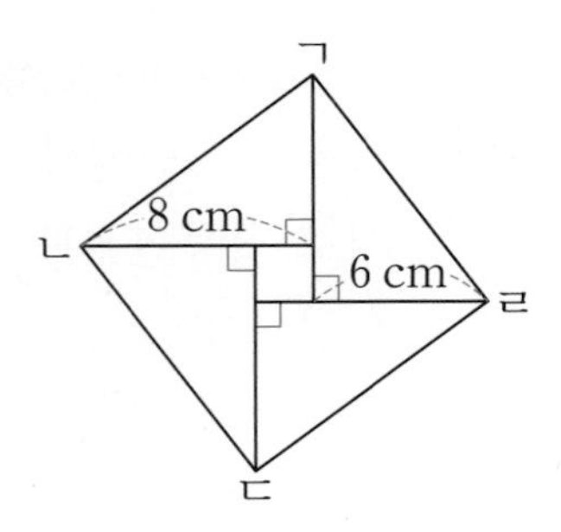

(　　　　　　　　　　)

창의 융합

03

[수학 + 국어]

한글은 자음과 모음으로 이루어져 있습니다. 자음은 닿아서 나는 소리로 우리말로 '닿소리'라 하고, 모음은 홀로 나는 소리라 하여 '홀소리'라고 부릅니다. 서로 다른 자음 2개와 모음 1개를 사용하여 받침이 있는 한 글자를 만들려고 합니다. 만들 수 있는 글자 중에서 점대칭도형이 되는 글자를 모두 쓰시오. (단, *이중모음은 생각하지 않습니다.)

*이중모음: ㅘ과 같이 모음 요소가 2개인 모음

〈자음〉

ㄱ　ㄴ　ㄹ　ㅁ　ㅇ

〈모음〉

ㅡ　ㅣ

(　　　　　　　　　　)

해법 경시 유형

04 오른쪽 그림에서 직선 가를 대칭축으로 하는 선대칭도형을 완성한 후 직선 가는 움직이지 않고 완성한 선대칭도형만 1초에 1.5 cm씩 오른쪽으로 움직였습니다. 4초 후 직선 가에 의해 나누어진 두 부분의 넓이의 차를 구하시오.

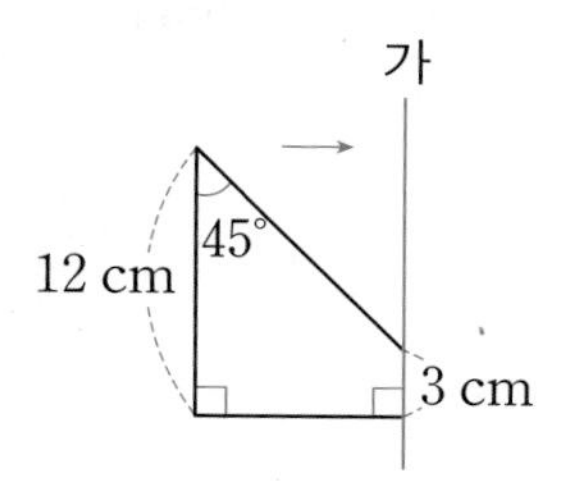

( )

05 오른쪽은 직선 가와 직선 나를 모두 대칭축으로 하는 선대칭도형입니다. ㉠은 몇 도입니까?

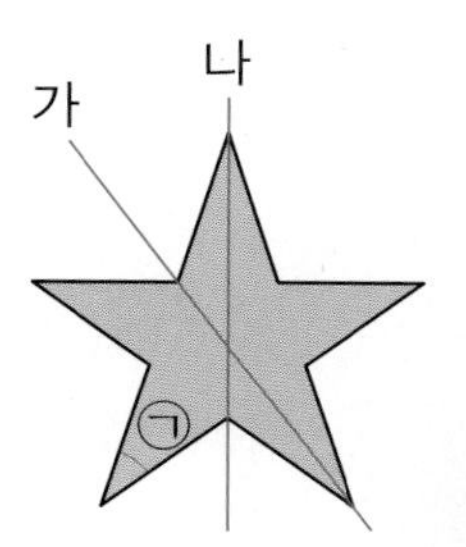

( )

성대 경시 유형

06 직사각형과 정칠각형이 합하여 12개가 있고, 이 도형들의 대칭축은 모두 63개입니다. 정칠각형이 가장 많을 때와 가장 적을 때는 각각 몇 개인지 차례로 쓰시오.

( ), ( )

3 합동과 대칭

생각하기

완벽한 대칭의 미를 자랑하는 타지마할

▲ 타지마할

인도 아그라 시 남쪽에는 세계에서 가장 아름다운 건축물 '타지마할'이 있습니다. 타지마할은 샤 자한 왕이 아이를 낳다가 세상을 떠난 사랑하는 왕비를 위해 만든 무덤입니다. 깊은 슬픔에 빠진 왕은 왕비의 이름을 딴 타지마할을 22년이나 걸려 지었다고 합니다. 타지마할은 왕이 사랑했던 여인에 대한 사랑의 상징이자 제국의 위대함을 세상에 드러낸 멋진 건축물입니다. 이슬람 예술작품 가운데 가장 훌륭한 작품으로 유네스코 세계 문화유산으로 지정되어 있습니다.

타지마할은 벽이나 색도 아름답지만 동서남북 어느 방향에서 보아도 완벽한 대칭을 이루고 있어 더욱더 아름답다고 합니다. 이런 타지마할은 요즘 들어 위기를 맞고 있습니다. 그것은 다름 아닌 공해 때문입니다. 인근 강의 오염으로 인해 벌레들이 급증하면서 벌레의 배설물이 하얀 타지마할을 녹색으로 물들이면서 녹색 타지마할이라는 소리도 나오고 있습니다. 심각한 대기오염으로 하얀 대리석 표면의 색이 변하고 있기 때문입니다.

▲ 타지마할 벽의 아름다운 문양

4 소수의 곱셈

꼭! 알아야 할 대표 유형

유형 ❶ □ 안에 들어갈 수 있는 수를 구하는 문제

유형 ❷ 곱의 소수점 위치를 활용한 문제

유형 ❸ 시간을 소수로 고쳐서 구하는 문제

유형 ❹ 수 카드로 곱셈식을 만드는 문제

유형 ❺ 도형의 넓이를 구하는 문제

유형 ❻ 튀어 오른 공의 높이를 구하는 문제

유형 ❼ 규칙을 찾아 소수 몇째 자리 숫자를 구하는 문제

유형 ❽ [창의·융합] 소수의 곱셈을 활용한 문제

단계	쪽수	공부한 날	점수
1단계 START 개념	80～85	월 일	O X
2단계 JUMP 유형	86～93	월 일	O X
3단계 MASTER 심화	94～99	월 일	O X
4단계 TOP 최고수준	100～101	월 일	O X

※ O에는 맞힌 개수, X에는 틀린 개수를 써넣으세요.

1. 소수와 자연수의 곱셈

1 (소수)×(자연수)

• 0.7×3, 1.05×7의 계산

방법 1 분수의 곱셈으로 계산하기

$$0.7\times3=\frac{7}{10}\times3=\frac{21}{10}=2.1$$

$$1.05\times7=\frac{105}{100}\times7=\frac{735}{100}=7.35$$

방법 2 자연수의 곱셈으로 계산하기

곱해지는 수가 $\frac{1}{10}$배가 되면 계산 결과도 $\frac{1}{10}$배가 됩니다.

$7\times3=21$ → ($\frac{1}{10}$배, $\frac{1}{10}$배) → $0.7\times3=2.1$

$$\begin{array}{r} 7 \\ \times\ 3 \\ \hline 21 \end{array} \Rightarrow \begin{array}{r} 0.7 \\ \times\ 3 \\ \hline 2.1 \end{array}$$

$105\times7=735$ → ($\frac{1}{100}$배, $\frac{1}{100}$배) → $1.05\times7=7.35$

$$\begin{array}{r} 105 \\ \times\ 7 \\ \hline 735 \end{array} \Rightarrow \begin{array}{r} 1.05 \\ \times\ 7 \\ \hline 7.35 \end{array}$$

2 (자연수)×(소수)

• 3×0.9, 5×1.25의 계산

방법 1 분수의 곱셈으로 계산하기

$$3\times0.9=3\times\frac{9}{10}=\frac{27}{10}=2.7$$

$$5\times1.25=5\times\frac{125}{100}=\frac{625}{100}=6.25$$

방법 2 자연수의 곱셈으로 계산하기

$3\times9=27$ → ($\frac{1}{10}$배, $\frac{1}{10}$배) → $3\times0.9=2.7$

$$\begin{array}{r} 3 \\ \times\ 9 \\ \hline 27 \end{array} \Rightarrow \begin{array}{r} 3 \\ \times\ 0.9 \\ \hline 2.7 \end{array}$$

$5\times125=625$ → ($\frac{1}{100}$배, $\frac{1}{100}$배) → $5\times1.25=6.25$

$$\begin{array}{r} 5 \\ \times\ 125 \\ \hline 625 \end{array} \Rightarrow \begin{array}{r} 5 \\ \times\ 1.25 \\ \hline 6.25 \end{array}$$

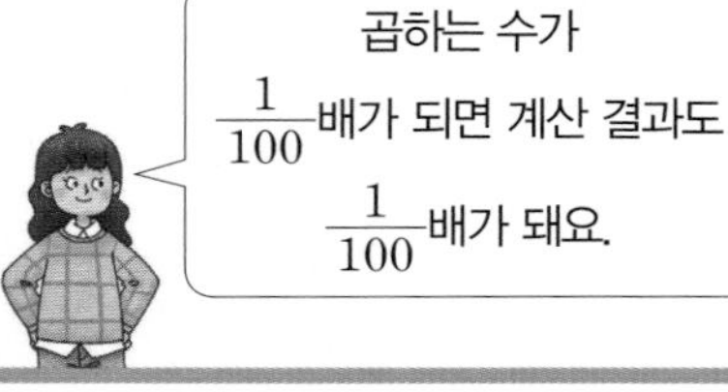

곱하는 수가 $\frac{1}{100}$배가 되면 계산 결과도 $\frac{1}{100}$배가 돼요.

참고

(소수)×(자연수)를 0.1의 개수로 계산할 수 있습니다.

예 0.7은 0.1이 7개.
0.7×3은 0.1이 7개씩 3묶음이므로 0.1이 모두 21개입니다.

$0.7\times3=0.1\times7\times3$
$=0.1\times21$

0.1이 21개이면 2.1이므로 $0.7\times3=2.1$입니다.

개념 활용

• (자연수)×(1보다 작은 소수)
자연수와 1보다 작은 소수의 곱은 처음 수보다 작습니다.

예 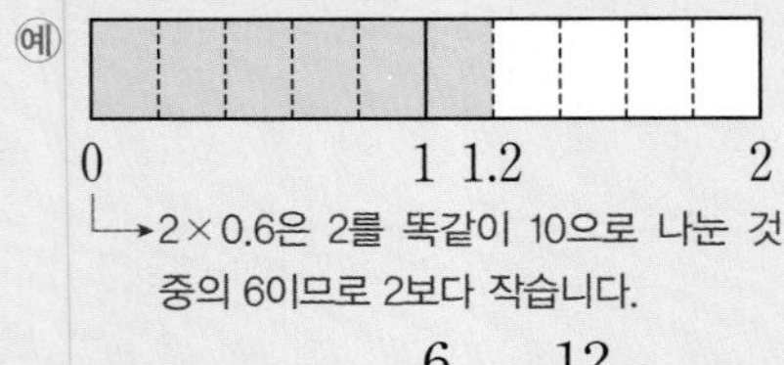

→ 2×0.6은 2를 똑같이 10으로 나눈 것 중의 6이므로 2보다 작습니다.

$$2\times0.6=2\times\frac{6}{10}=\frac{12}{10}=1.2$$

⇨ $2\times0.6(=1.2)<2$

• (자연수)×(1보다 큰 소수)
자연수와 1보다 큰 소수의 곱은 처음 수보다 큽니다.

예 $3\times1.2(=3.6)>3$
→ 3×1=3이므로 3×1.2는 3보다 큽니다.

1 계산 결과가 15보다 작은 것에 ○표 하시오.

15×1.1	15×2.04	15×0.8
( )	( )	( )

2 정사각형의 둘레는 몇 m입니까?

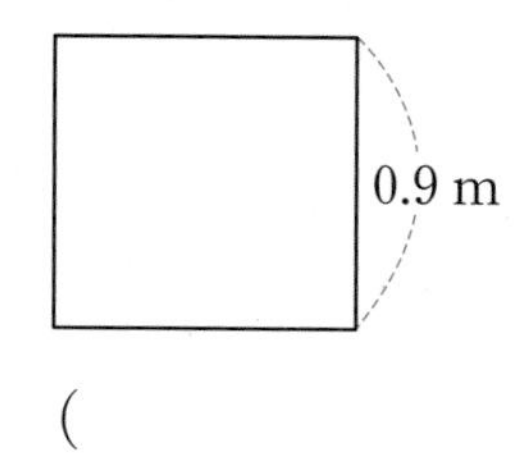

(   )

3 계산이 잘못된 이유를 쓰고 바르게 계산하시오.

$$1.23\times7=\frac{123}{1000}\times7=\frac{861}{1000}=0.861$$

이유 ______________________

____

바른 계산 ______________________

____

4 찬우네 집에서 학교까지의 거리는 2 km이고, 학교에서 도서관까지의 거리는 집에서 학교까지 거리의 0.85배입니다. 학교에서 도서관까지의 거리는 몇 km입니까?

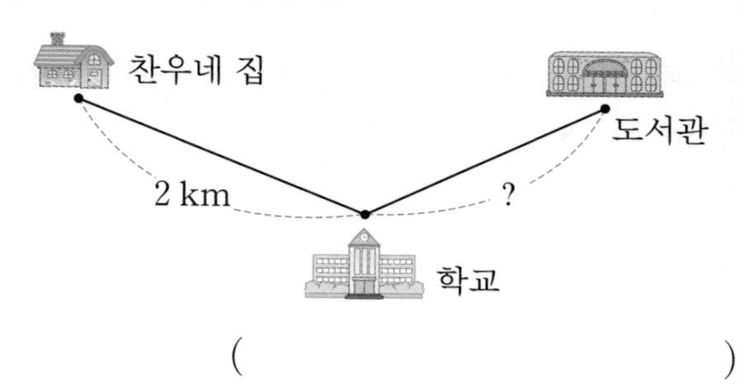

(   )

5 □ 안에 들어갈 수 있는 가장 작은 자연수를 구하시오.

$7.54\times3<\square$

(   )

6 어머니의 몸무게는 60 kg입니다. 민호의 몸무게는 어머니 몸무게의 0.7배이고, 아버지의 몸무게는 민호 몸무게의 1.8배입니다. 아버지의 몸무게는 몇 kg입니까?

(   )

1 (소수)×(소수)

• 0.6×0.3, 4.36×1.5의 계산

방법 1 분수의 곱셈으로 계산하기

$$0.6\times0.3=\frac{6}{10}\times\frac{3}{10}=\frac{18}{100}=0.18$$

$$4.36\times1.5=\frac{436}{100}\times\frac{15}{10}=\frac{6540}{1000}=6.54$$

방법 2 자연수의 곱셈으로 계산하기

$6\times3=18$ → ($\frac{1}{10}$배, $\frac{1}{10}$배, $\frac{1}{100}$배) → $0.6\times0.3=0.18$

$6\times3=18$ ⇨ $0.6\times0.3=0.18$

6×3=18에서 0.6에 0.3을 곱하면 0.6보다 작은 값이 나와야 하므로 0.6×0.3=0.18입니다.

$436\times15=6540$ → ($\frac{1}{100}$배, $\frac{1}{10}$배, $\frac{1}{1000}$배) → $4.36\times1.5=6.540$

$436\times15=6540$ ⇨ $4.36\times1.5=6.540$

소수점 아래 마지막 0은 생략하여 6.54로 나타낼 수 있습니다.

2 세 소수의 곱셈

• $0.5\times0.3\times2.2$의 계산

방법 1 분수의 곱셈으로 계산하기

$$0.5\times0.3\times2.2=\frac{5}{10}\times\frac{3}{10}\times\frac{22}{10}=\frac{330}{1000}=0.33$$

방법 2 순서를 바꾸어 계산하기

$0.5\times0.3\times2.2=0.33$ ($0.5\times0.3=0.15$, $0.15\times2.2=0.33$)

$0.5\times0.3\times2.2=0.33$ ($0.3\times2.2=0.66$, $0.5\times0.66=0.33$)

$0.5\times0.3\times2.2=0.33$ ($0.5\times2.2=1.1$, $1.1\times0.3=0.33$)

참고

곱하는 두 수의 소수점 아래 자리 수를 더한 것과 계산 결과 값의 소수점 아래 자리 수가 같습니다.

(소수 ★ 자리 수)×(소수 ● 자리 수)
⇨ 소수 (★+●) 자리 수

예 $0.6\times0.3=0.18$
(소수 한 자리 수, 소수 한 자리 수, 소수 두 자리 수)

개념 활용

5.6×34.2와 56×0.342의 크기 비교

두 식의 곱을 구하지 않고 곱의 소수점의 위치를 비교하여 두 수의 크기를 비교할 수 있습니다.

5.6×34.2
→ (소수 한 자리 수)×(소수 한 자리 수)=(소수 두 자리 수)

56×0.342
→ (자연수)×(소수 세 자리 수)
=(소수 세 자리 수)

⇨ 5.6×34.2는 56×0.342의 10배입니다.

⇨ $5.6\times34.2>56\times0.342$

미리보기 중1

• **곱셈의 교환법칙**

곱셈에서 두 수의 순서를 바꾸어 곱해도 계산 결과는 같습니다.

■×▲=▲×■

예 $0.7\times0.6=0.6\times0.7$
$=0.42$

• **곱셈의 결합법칙**

세 수의 곱셈에서 어떤 두 수를 먼저 곱해도 계산 결과는 같습니다.

(■×▲)×●=■×(▲×●)

예 $(0.5\times0.3)\times2.2$
$=0.5\times(0.3\times2.2)$
$=0.33$

1 계산 결과를 비교하여 ○ 안에 $>$, $=$, $<$를 알맞게 써넣으시오.

$$0.3 \times 0.15 \bigcirc 0.03 \times 1.5$$

2 평행사변형의 넓이는 몇 m^2입니까?

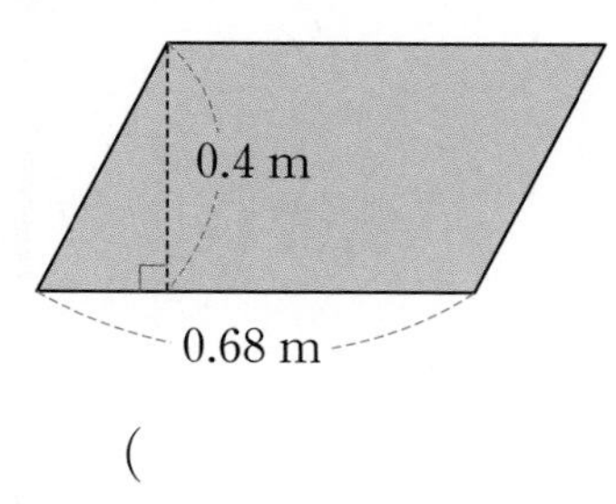

(　　　　　　　　　　)

3 가장 큰 수와 가장 작은 수의 곱을 구하시오.

1.4	5.25	1.7	4.8

(　　　　　　　　　　)

4 채집한 사슴벌레의 길이는 메뚜기 길이의 1.8배입니다. 메뚜기의 길이가 3.6 cm라면 사슴벌레의 길이는 몇 cm입니까?

(　　　　　　　　　　)

5 1부터 9까지의 숫자 중에서 □ 안에 들어갈 수 있는 숫자를 모두 구하시오.

$$2.8 \times 3.4 \times 0.5 < 4.\square 6$$

(　　　　　　　　　　)

6 주스가 1.8 L 있습니다. 이 주스의 0.3만큼을 선영이가 마시고, 선영이가 마신 양의 0.5만큼을 동생이 마셨습니다. 동생이 마신 주스는 몇 L입니까?

(　　　　　　　　　　)

STEP 1 START 개념

3. 곱의 소수점 위치

1 소수에 10, 100, 1000을 곱하기

곱하는 수의 0의 수만큼 곱의 소수점이 오른쪽으로 옮겨집니다.

예
- $2.172 \times 10 = 21.72$ → 소수점이 오른쪽으로 1칸 이동
- $2.172 \times 100 = 217.2$ → 소수점이 오른쪽으로 2칸 이동
- $2.172 \times 1000 = 2172$ → 소수점이 오른쪽으로 3칸 이동

규칙 ① 곱하는 수가 10, 100, 1000으로 변함에 따라 그 결과도 10배씩 변합니다.

② 곱하는 수의 0이 하나씩 늘어날 때마다 곱의 소수점이 오른쪽으로 한 칸씩 옮겨집니다.

참고 소수점을 오른쪽으로 옮길 때 소수점을 옮길 자리가 없으면 0을 더 채워 쓰면서 옮깁니다.

예 $0.24 \times 1000 = 240$

2 자연수에 0.1, 0.01, 0.001을 곱하기

곱하는 소수의 소수점 아래 자리 수만큼 곱의 소수점이 왼쪽으로 옮겨집니다.

예
- $390 \times 0.1 = 39$ → 소수점이 왼쪽으로 1칸 이동
- $390 \times 0.01 = 3.9$ → 소수점이 왼쪽으로 2칸 이동
- $390 \times 0.001 = 0.39$ → 소수점이 왼쪽으로 3칸 이동

규칙 ① 곱하는 수가 0.1, 0.01, 0.001로 변함에 따라 그 결과도 0.1배씩 변합니다.

② 곱하는 소수의 소수점 아래 자리 수가 하나씩 늘어날 때마다 곱의 소수점이 왼쪽으로 한 칸씩 옮겨집니다.

참고 소수점을 왼쪽으로 옮길 때 소수점 아래 자리 수가 모자라면 0을 더 채워 쓰면서 옮깁니다.

예 $45 \times 0.001 = 0.045$

개념 활용

• $0.15 \times ㉠ = 1.5$에서 ㉠ 구하기

$0.15 \longrightarrow 1.5$

소수점이 오른쪽으로 1칸 이동

⇨ $㉠ = 10$

• $620 \times ㉡ = 6.2$에서 ㉡ 구하기

$620 \longrightarrow 6.2$

소수점이 왼쪽으로 2칸 이동

⇨ $㉡ = 0.01$

참고

■ × 0.1, ■ × 0.01, ■ × 0.001 이해하기

$0.1 = \frac{1}{10}$, $0.01 = \frac{1}{100}$, $0.001 = \frac{1}{1000}$

- $■ \times 0.1 = ■ \times \frac{1}{10} = ■ \div 10$
- $■ \times 0.01 = ■ \times \frac{1}{100} = ■ \div 100$
- $■ \times 0.001 = ■ \times \frac{1}{1000} = ■ \div 1000$

1 □ 안에 알맞은 수를 써넣으시오.

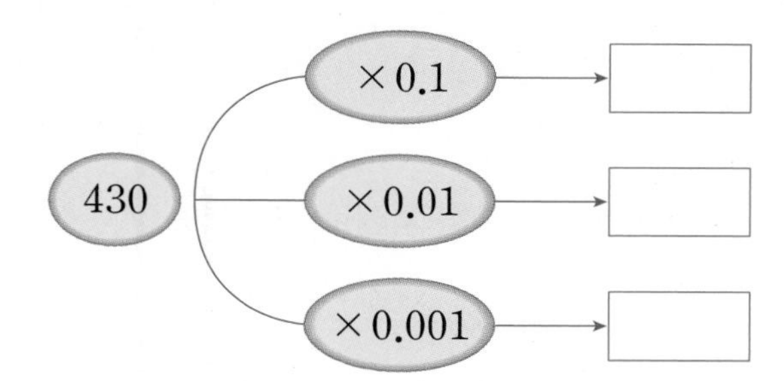

2 태국 돈 1바트(THB)의 환율이 33.41원일 때 10바트, 100바트, 1000바트는 우리나라 돈으로 얼마인지 각각 구하시오.

→외국 돈과 우리나라 돈의 교환 비율

=33.41원

▲ 1바트

10바트(THB)=□원

100바트(THB)=□원

1000바트(THB)=□원

3 계산 결과가 다른 하나를 찾아 기호를 쓰시오.

㉠ 0.538×100
㉡ 53.8×10
㉢ 5.38×10

(　　　　　)

4 □ 안에 알맞은 수를 써넣으시오.

(1) $3.67\times\square=367$

(2) $\square\times94=9.4$

5 □ 안에 알맞은 수가 가장 큰 것을 찾아 기호를 쓰시오.

㉠ $485\times\square=4.85$
㉡ $0.67\times\square=6.7$
㉢ $\square\times683=68.3$

(　　　　　)

6 어떤 수에 0.1을 곱한 수는 7.23에 100을 곱한 수와 같습니다. 어떤 수를 구하시오.

(　　　　　)

STEP 2 JUMP 유형

유형❶ □ 안에 들어갈 수 있는 수를 구하는 문제

예제 1-1 □ 안에 들어갈 수 있는 가장 큰 자연수와 가장 작은 자연수를 차례로 구하시오.

$$8.16 \times 15 < \square < 17 \times 9.2$$

문제해결 Key

$8.16 \times 15 < \square$와 $\square < 17 \times 9.2$로 나누어 계산하고 두 식을 만족하는 □를 찾습니다.

풀이

❶ 8.16×15 구하기

❷ 17×9.2 구하기

❸ □ 안에 들어갈 수 있는 가장 큰 자연수와 가장 작은 자연수를 각각 구하기

답

예제 1-2 □ 안에 들어갈 수 있는 가장 큰 자연수와 가장 작은 자연수를 차례로 구하시오.

$$18 \times 12.7 < \square < 21.52 \times 15$$

(　　　　　　　)

응용 1-3 □ 안에 들어갈 수 있는 자연수 중에서 가장 큰 수와 가장 작은 수의 합을 구하시오.

$$0.75 \times 23 < \square < 32 \times 0.982$$

(　　　　　　　)

유형 2 곱의 소수점 위치를 활용한 문제

예제 2-1 ㉠은 ㉡의 몇 배입니까?

$1.63 \times ㉠ = 16.3$　　$47.32 \times ㉡ = 0.4732$

문제해결 Key

등호(=)의 양쪽에 있는 소수의 소수점 위치를 비교합니다.

풀이

❶ ㉠ 구하기

❷ ㉡ 구하기

❸ ㉠은 ㉡의 몇 배인지 구하기

답 ________

예제 2-2 ㉠은 ㉡의 몇 배입니까?

$㉠ \times 8.5 = 0.85$　　$0.2906 \times ㉡ = 29.06$

(　　　　　　)

응용 2-3 □ 안에 알맞은 수 중에서 가장 큰 수는 가장 작은 수의 몇 배입니까?

㉠ $278 \times □ = 2.78$　㉡ $□ \times 36.7 = 367$　㉢ $51.8 \times □ = 0.0518$

(　　　　　　)

유형 3 시간을 소수로 고쳐서 구하는 문제

예제 3-1 1분에 9.5 L의 물이 나오는 수도가 있습니다. 이 수도로 1분 30초 동안 받는 물의 양은 몇 L인지 소수로 나타내시오. (단, 수도에서 나오는 물의 양은 일정합니다.)

문제해결 Key

60초=1분이므로 ■초$=\frac{■}{60}$분

예) 12초는 몇 분인지 소수로 나타내기

12초$=\frac{12}{60}$분

$=\frac{2}{10}$분

$=0.2$분

풀이

❶ 1분 30초는 몇 분인지 소수로 나타내기

❷ 수도로 1분 30초 동안 받는 물의 양 구하기

답

예제 3-2 한 시간에 80.6 km를 달리는 자동차가 있습니다. 이 자동차가 같은 빠르기로 2시간 24분 동안 달린 거리는 몇 km인지 소수로 나타내시오.

( )

응용 3-3 한 시간에 92.4 km를 달리는 자동차가 있습니다. 이 자동차가 1 km를 달리는 데 0.13 L의 휘발유가 필요하다면 같은 빠르기로 4시간 15분 동안 달리는 데 필요한 휘발유는 몇 L인지 소수로 나타내시오.

( )

유형 4 수 카드로 곱셈식을 만드는 문제

예제 4-1 [2], [3], [5], [8]의 수 카드를 한 번씩 모두 사용하여 다음과 같은 곱셈식을 만들려고 합니다. 곱이 가장 클 때의 곱을 구하시오.

$\square.\square \times \square.\square$

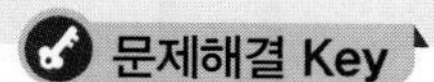

곱이 가장 큰 곱셈식
⇨ 가장 높은 자리에 가장 큰 수와 둘째로 큰 수 놓기

풀이

❶ 일의 자리에 놓아야 하는 두 수 각각 알아보기

❷ ❶의 두 수를 일의 자리에 놓아서 만들 수 있는 곱셈식 모두 만들기

❸ 곱이 가장 클 때의 곱 구하기

예제 4-2 [4], [1], [6], [5]의 수 카드를 한 번씩 모두 사용하여 다음과 같은 곱셈식을 만들려고 합니다. 곱이 가장 작을 때의 곱을 구하시오.

$0.\square\square \times 0.\square\square$

( )

응용 4-3 [3], [4], [5], [7], [1]의 수 카드를 한 번씩 모두 사용하여 다음과 같은 곱셈식을 만들려고 합니다. 곱이 가장 클 때의 곱을 구하시오.

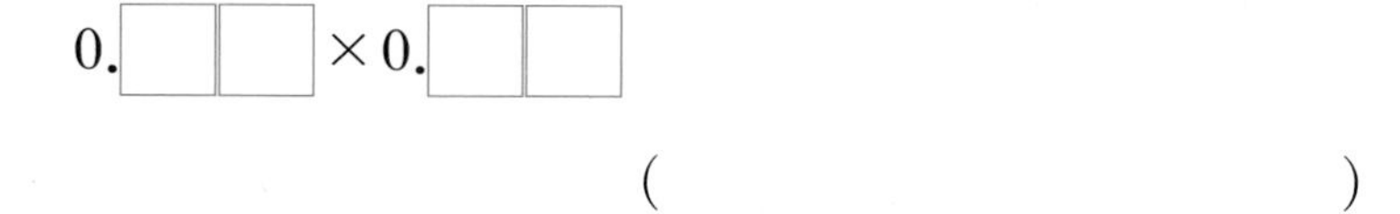

( )

유형 5 도형의 넓이를 구하는 문제

예제 5-1 오른쪽 도형의 넓이는 몇 cm^2인지 구하시오.

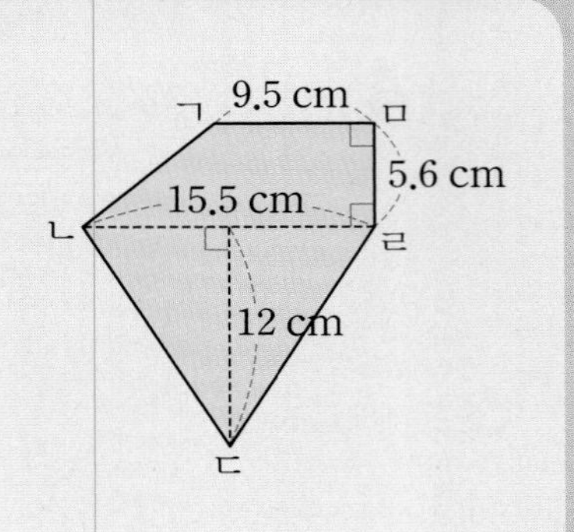

문제해결 Key

(사다리꼴의 넓이)
=(윗변의 길이+아랫변의 길이)×(높이)÷2
(삼각형의 넓이)
=(밑변의 길이)×(높이)÷2

풀이

❶ 사다리꼴 ㄱㄴㄹㅁ의 넓이 구하기

❷ 삼각형 ㄴㄷㄹ의 넓이 구하기

❸ 도형의 넓이 구하기

답

예제 5-2 오른쪽 도형의 넓이는 몇 cm^2인지 구하시오.

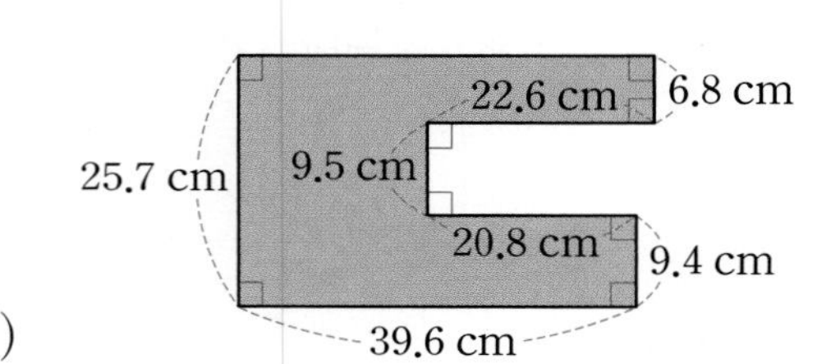

(   )

응용 5-3 오른쪽 도형에서 색칠한 부분의 넓이는 몇 cm^2인지 구하시오.

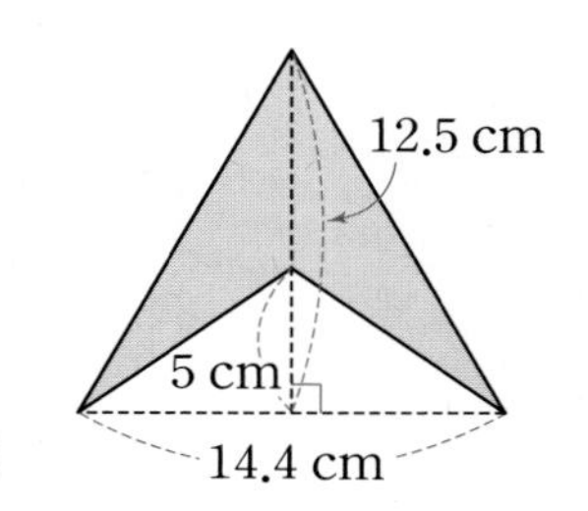

(   )

유형 6 튀어 오른 공의 높이를 구하는 문제

예제 6-1 떨어진 높이의 0.75만큼 튀어 오르는 공이 있습니다. 이 공을 8 m 높이에서 떨어뜨렸을 때 세 번째로 튀어 오른 공의 높이는 몇 m입니까?

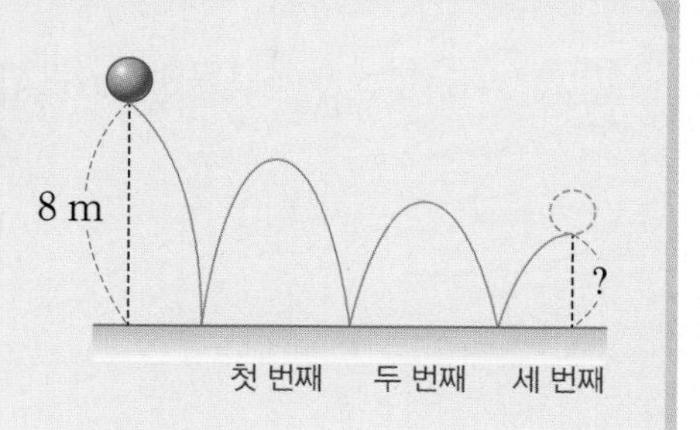

문제해결 Key

(튀어 오른 공의 높이)
=(떨어진 높이)×0.75

풀이

❶ 첫 번째로 튀어 오른 공의 높이 구하기

❷ 두 번째로 튀어 오른 공의 높이 구하기

❸ 세 번째로 튀어 오른 공의 높이 구하기

답

예제 6-2 떨어진 높이의 0.6만큼 튀어 오르는 공이 있습니다. 이 공을 5 m 높이에서 떨어뜨렸을 때 세 번째로 튀어 오른 공의 높이는 처음에 떨어뜨린 높이보다 몇 m 더 낮습니까?

( )

응용 6-3 떨어진 높이의 0.85만큼 튀어 오르는 공이 있습니다. 이 공을 120 cm 높이에서 떨어뜨렸을 때 세 번째로 땅에 닿을 때까지 공이 움직인 거리는 모두 몇 cm입니까?

(단, 공은 땅과 수직으로만 움직입니다.)

( )

유형 7 규칙을 찾아 소수 몇째 자리 숫자를 구하는 문제

예제 7-1 다음을 보고 규칙을 찾아 0.3을 30번 곱했을 때 곱의 소수 30째 자리 숫자는 무엇인지 구하시오.

$$0.3=0.3$$
$$0.3\times0.3=0.09$$
$$0.3\times0.3\times0.3=0.027$$
$$0.3\times0.3\times0.3\times0.3=0.0081$$
$$0.3\times0.3\times0.3\times0.3\times0.3=0.00243$$
$$0.3\times0.3\times0.3\times0.3\times0.3\times0.3=0.000729$$
$$\vdots$$

문제해결 Key

0.■×0.■×……×0.■ (★번)
⇨ 곱은 소수 ★ 자리 수

풀이

❶ 0.3을 30번 곱했을 때 곱의 자릿수 알아보기

0.3을 30번 곱하면 곱은 소수 [ ]자리 수가 되므로 소수 30째 자리 숫자는 소수점 아래 끝자리 숫자입니다.

❷ 곱의 소수점 아래 끝자리 숫자의 규칙 찾기

❸ 0.3을 30번 곱했을 때 곱의 소수 30째 자리 숫자 구하기

답

응용 7-2 다음과 같이 0.9를 45번 곱했을 때 곱의 소수 45째 자리 숫자는 무엇인지 구하시오.

$$\underbrace{0.9\times0.9\times0.9\times\cdots\cdots\times0.9}_{45번}$$

( )

창의·융합 유형 8 소수의 곱셈을 활용한 문제

예제 8-1 [수학+사회]

전기 요금은 사용량이 많으면 기준 가격도 더 높아지는 누진세이기 때문에 사용량이 많을수록 더 많은 요금을 내야 합니다. 다음 표와 전기 요금 계산 방법을 보고 재용이네 집 3월의 전기 사용량이 340*kWh라면 전기 요금은 얼마인지 구하시오.

주택용 전력(저압) 사용량별 전기 요금 (2016년 12월 기준)

기본요금(원/호)		전력량 요금(원/kWh)	
200 kWh 이하 사용	910	처음 200 kWh까지	93.3
201 kWh~400 kWh 사용	1600	다음 200 kWh까지	187.9
400 kWh 초과 사용	7300	400 kWh 초과	280.6

전기 요금 계산 방법

(전기 요금)=(기본요금)+(전력량 요금)

문제해결 Key

기본요금과 전력량 요금을 각각 구하여 더합니다.

예 (전기 사용량이 120 kWh일 때 전기 요금)
$=910+120\times93.3$ (910 → 기본요금, 120×93.3 → 전력량 요금)
$=12106$(원)

*kWh: 전기 에너지의 단위, 킬로와트시라고 읽음.

풀이

❶ 기본요금 구하기

❷ 전력량 요금 구하기

❸ 재용이네 집의 3월의 전기 요금 구하기

답 ________

예제 8-2 [수학+사회]

우리나라 돈의 화폐 단위는 원인데 미국은 달러, 중국은 위안, 일본은 엔, 러시아는 루블을 사용합니다. 이렇게 각 나라가 사용하는 화폐가 다르기 때문에 한 나라의 돈을 외국 돈으로 바꿀 때에는 *환율을 알아야 합니다. 어느 날 환율이 오른쪽과 같을 때 중국 돈 8위안과 러시아 돈 65루블은 우리나라 돈으로 얼마 차이가 납니까?

*환율: 외국 돈과 우리나라 돈의 교환 비율

오늘의 환율

나라	환율
미국(1달러)	1150.5원
중국(1위안)	173.6원
일본(1엔)	10.23원
러시아(1루블)	19.02원

( )

문제 풀이 동영상

01 가◎나$=$(가$\times 0.001$)$\times$(나$\times 100$)이라고 약속할 때, 다음을 계산하시오.

$$2600 ◎ 0.15$$

( )

유형 ❶ □ 안에 들어갈 수 있는 수를 구하는 문제

02 □ 안에 들어갈 수 있는 자연수 중에서 가장 큰 수와 가장 작은 수의 곱을 구하시오.

$$4.17 \times 15 < \square < 16.8 \times 22.4$$

( )

성대 경시 유형 유형 ❷ 곱의 소수점 위치를 활용한 문제

03 24×36은 0.24×3.6의 ㉠배입니다. ㉠$\div 100$은 얼마입니까?

( )

04 한 변의 길이가 5.8 cm인 정삼각형이 있습니다. 이 정삼각형의 둘레와 한 변의 길이가 같은 정육각형의 둘레는 몇 cm인지 구하시오.

( )

해법 경시 유형

05 키에 알맞은 체중을 표준체중이라 하고 다음과 같이 구합니다.

(표준체중)=(키−100)×0.9

건욱이의 키는 146 cm이고 체중은 43 kg입니다. 건욱이가 표준체중이 되려면 체중을 몇 kg 줄여야 합니까?

( )

유형 ❸ 시간을 소수로 고쳐서 구하는 문제

06 1분에 25.9 L의 물이 나오는 수도로 물탱크에 물을 받고 있습니다. 이 물탱크에서 1분에 6.9 L의 물을 빼낸다면 7분 24초 동안 물탱크에 받을 수 있는 물은 몇 L입니까? (단, 수도에서 나오는 물과 물탱크에서 빼내는 물의 양은 각각 일정합니다.)

( )

07 은수는 한 시간에 2.5 km를 걷습니다. 은수, 미나, 영은 세 사람이 한 시간 동안 걸었을 때 미나는 은수의 0.8배만큼 걸었고, 영은이는 미나의 1.2배만큼 걸었습니다. 은수, 미나, 영은이가 각각 일정한 빠르기로 세 시간 동안 걸은 거리의 합은 몇 km입니까?

( )

창의 융합

[수학 + 과학] 유형 8 소수의 곱셈을 활용한 문제

08 대기의 온도인 기온은 지상에서 높이가 1000 m씩 높아질 때마다 6 ℃씩 낮아지고, 잔디나 풀밭 위에 바람이 잘 통하도록 만들어진 흰색 상자인 백엽상에 온도계를 넣고 측정합니다. 연우가 어느 날 같은 곳에서 높이만 다르게 하여 기온을 재려고 합니다. 높이가 1.5 m인 곳에서 잰 기온이 21.4 ℃였다면 높이가 13.5 m인 곳에서 잰 기온은 몇 ℃입니까? (단, 기온은 높이가 높아질 때마다 일정하게 낮아집니다.)

(　　　　　　　　　)

▲ 백엽상

유형 5 도형의 넓이를 구하는 문제

09 오른쪽 도형의 넓이는 몇 cm^2입니까?

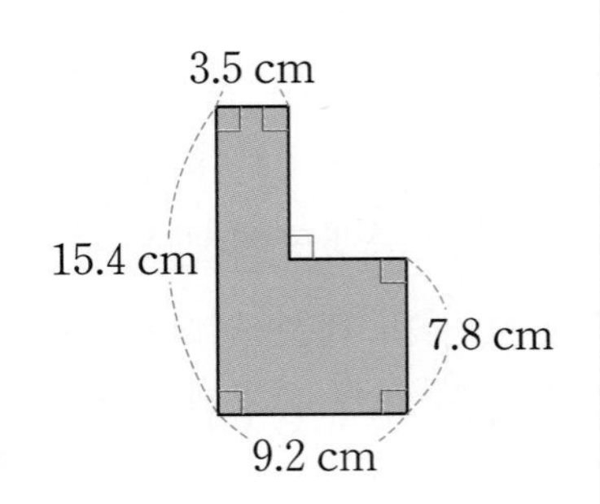

(　　　　　　　　　)

유형 8 소수의 곱셈을 활용한 문제

10 그림과 같이 길이가 32.5 cm인 색 테이프 27장을 4.55 cm씩 겹쳐지게 한 줄로 길게 이어 붙였습니다. 이어 붙인 색 테이프의 전체 길이는 몇 cm입니까?

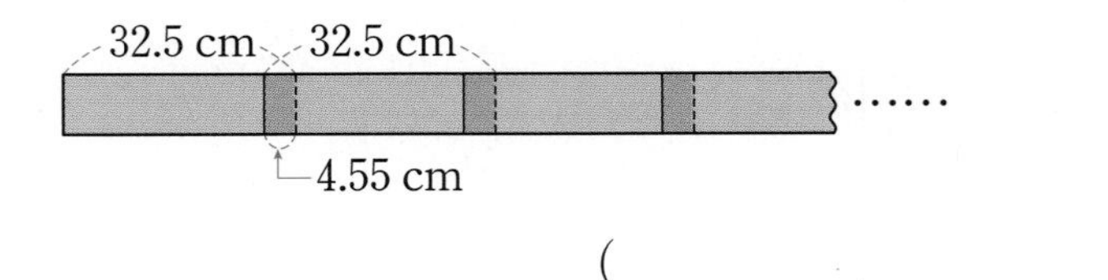

(　　　　　　　　　)

11 보람이는 올해 들어 지금까지 작년 저금액의 0.75배를 저금했습니다. 보람이의 올해 목표 저금액이 작년 저금액의 1.4배이고 작년 저금액이 98000원일 때 올해 목표 저금액을 채우려면 얼마를 더 저금해야 합니까?

( )

유형 ❺ 도형의 넓이를 구하는 문제

12 똑같은 평행사변형 16개를 그림과 같이 5.2 cm씩 겹쳐서 이어 붙였습니다. 이어 붙인 전체 도형의 넓이는 몇 cm^2입니까?

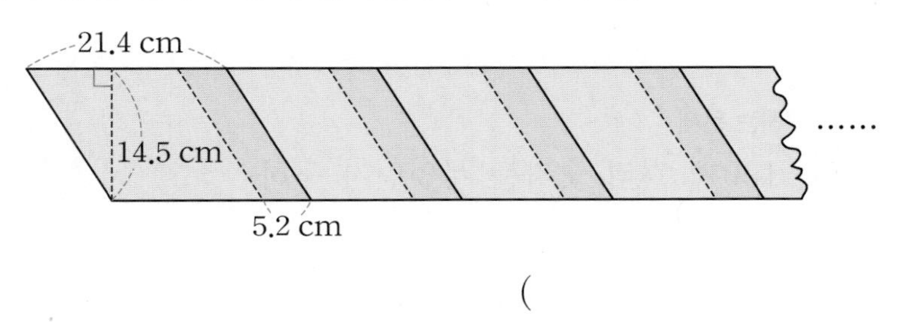

( )

유형 ❸ 시간을 소수로 고쳐서 구하는 문제

13 일정한 빠르기로 1분에 1.6 km를 달리는 기차가 터널을 완전히 통과하는 데 1분 15초가 걸렸습니다. 기차의 길이가 150 m일 때 터널의 길이는 몇 km입니까?

( )

고대 경시 유형

14 ■와 ●가 1부터 9까지의 자연수를 나타낼 때 다음 식의 계산 결과가 될 수 있는 것을 찾아 기호를 쓰시오.

1.5■7 × 3.●4

㉠ 6.1768	㉡ 5.22374
㉢ 5.14188	㉣ 2.68248

(　　　　　　　　)

유형 ❼ 규칙을 찾아 소수 몇째 자리 숫자를 구하는 문제

15 0.8을 100번 곱했을 때 곱의 소수 100째 자리 숫자는 무엇인지 구하시오.

(　　　　　　　　)

16 식용유 2.8 L가 들어 있는 병의 무게를 재어 보았더니 3.86 kg이었습니다. 이 병에 들어 있는 식용유 250 mL를 사용한 후 다시 무게를 재어 보니 3.63 kg이 되었습니다. 빈 병의 무게는 몇 kg입니까?

(　　　　　　　　)

17 다음 도형은 크기가 같은 정사각형 10개를 겹치지 않게 맞붙여 놓은 것입니다. 선분 ㄱㄴ의 길이가 6.4 cm일 때, 이 도형의 넓이는 몇 cm^2입니까?

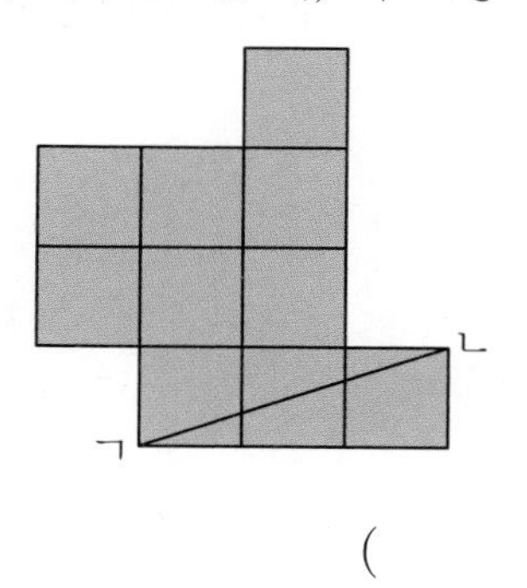

( )

유형 ❻ 튀어 오른 공의 높이를 구하는 문제

18 떨어진 높이의 0.8만큼 튀어 오르는 공이 있습니다. 이 공을 5 m 높이에서 떨어뜨렸더니 바닥에 두 번 닿고 계단 위로 튀어 올라갔습니다. 두 번째로 튀어 올랐을 때 공의 높이와 계단 사이의 거리는 몇 m입니까?

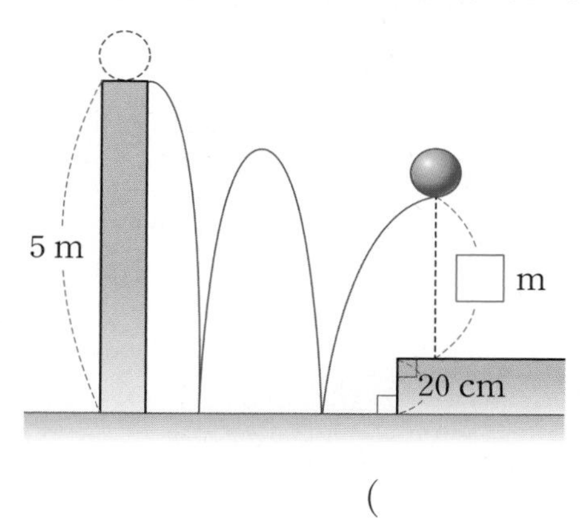

( )

성대 경시 유형 유형 ❸ 시간을 소수로 고쳐서 구하는 문제

19 재용이는 10분 동안 1.1 km를 걷고, 민정이는 한 시간 동안 5.2 km를 걷는다고 합니다. 두 사람이 동시에 출발하여 20 km의 거리를 서로 마주 보고 걸으면 2시간 30분 후에 두 사람 사이의 거리는 몇 km입니까? (단, 두 사람이 걷는 빠르기는 각각 일정합니다.)

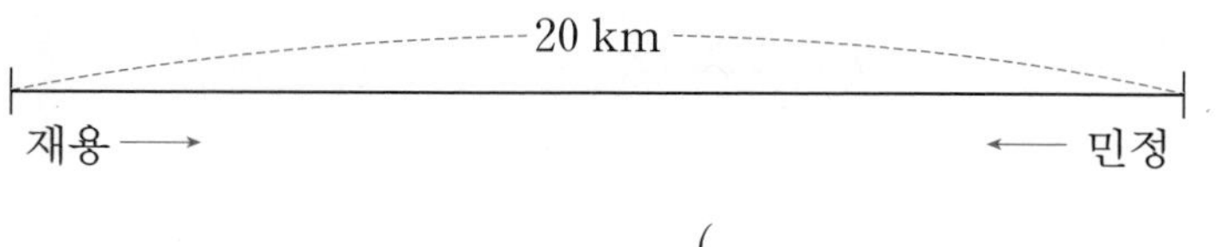

( )

문제 풀이 동영상

01 오른쪽 직사각형 ㄱㄴㄷㄹ에서 색칠한 부분의 넓이는 몇 cm^2입니까?

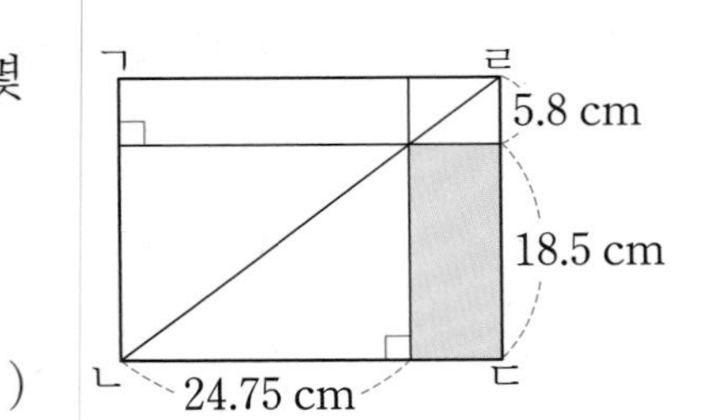

(   )

02 소연이네 학교 학생 600명 중 남학생은 전체의 0.55이고 수학을 좋아하는 학생은 전체의 0.4입니다. 수학을 좋아하는 여학생이 전체 여학생의 0.3일 때 수학을 좋아하는 남학생은 몇 명인지 구하시오.

(   )

성대 경시 유형

03 일정한 빠르기로 1분에 2.4 km를 달리는 기차가 있습니다. 이 기차가 그림과 같이 첫째 터널에 들어가기 시작하여 길이가 800 m인 4개의 터널을 완전히 통과하는 데 1분 48초가 걸렸습니다. 기차의 길이가 160 m일 때 4개의 터널 사이의 거리의 합은 몇 km입니까?

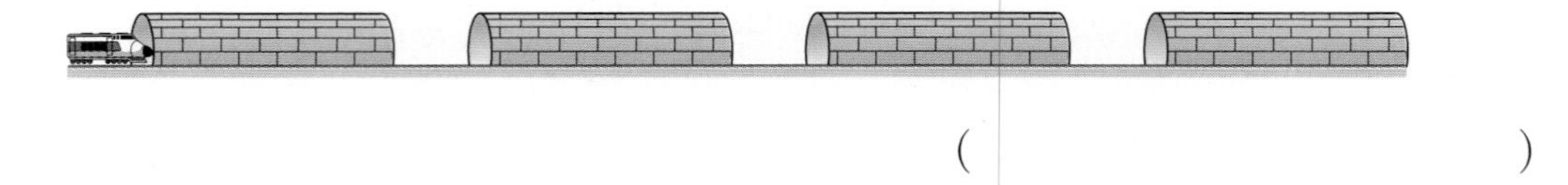

(   )

해법 경시 유형

04 건욱이는 ㉮ 도시에서 자동차로 오전 9시 30분에 출발하여 약속 시각까지 ㉯ 도시로 가려고 합니다. 한 시간에 60 km를 가는 빠르기로 달리면 15분 늦게 도착하고, 한 시간에 75 km를 가는 빠르기로 달리면 48분 일찍 도착한다고 합니다. 약속 시각은 오후 몇 시 몇 분이고, 두 도시 사이의 거리는 몇 km인지 구하시오.

( ), ( )

창의 융합

05 시어핀스키 삼각형은 폴란드의 수학자 시어핀스키의 이름을 딴 프랙탈 도형입니다. 프랙탈 도형은 부분의 모양이 전체의 모양을 닮은 도형으로 다음은 시어핀스키 삼각형을 만드는 방법입니다. 첫 번째 정삼각형의 넓이가 400 cm^2라면 다섯 번째 그림에서 색칠되지 않은 정삼각형 중 크기가 가장 작은 것의 넓이의 합은 몇 cm^2인지 소수로 나타내시오.

방법

① 정삼각형을 1개 그린 다음, 색칠합니다.
② 정삼각형의 세 변의 중심을 모두 잇습니다.
③ 한가운데 있는 정삼각형 1개의 색을 지웁니다.
④ 색칠된 각각의 정삼각형에 대해서 ②와 ③을 되풀이합니다.

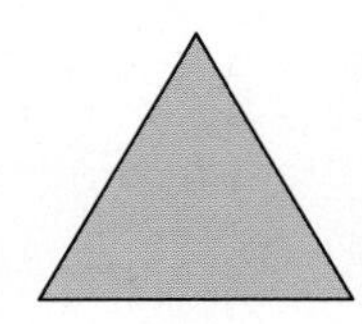
첫 번째

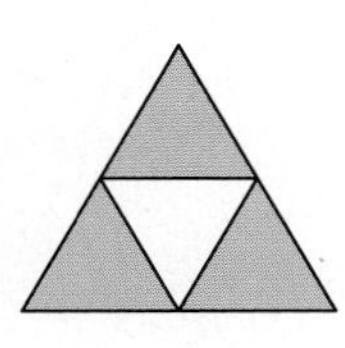
두 번째

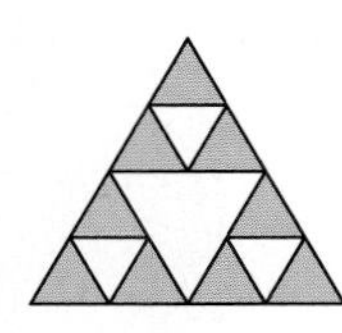
세 번째

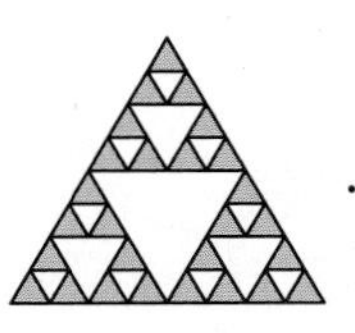
네 번째

……

( )

생각하기

소수를 처음 사용한 수학자 스테빈

소수를 처음 사용한 사람은 네덜란드 수학자 시몬 스테빈(Simon Stevin, 1548년~1620년)입니다. 소수가 처음 탄생한 것은 16세기 후반 스페인의 식민지였던 네덜란드가 독립전쟁을 하는 도중 생겨났습니다.

네덜란드 군대의 재정에 관한 일을 하던 스테빈은 이자를 계산하는 일에 골머리를 앓게 됩니다. 이자가 $\frac{1}{10}$이면 계산이 편리하지만 $\frac{1}{11}$이나 $\frac{1}{12}$이면 이자 계산이 복잡하고 곤란했기 때문입니다. 여기서 스테빈은 $\frac{1}{11}$은 *근삿값인 $\frac{9}{100}$로, $\frac{1}{12}$은 근삿값인 $\frac{8}{100}$로 고쳐서 계산하면 이자를 쉽게 계산할 수 있다는 생각을 하게 됩니다.

이런 내용들을 정리하여 이자 계산표에 대한 책을 출판하고 소수의 계산에 관하여 최초로 해설을 했습니다.

*근삿값: 어떤 값에 아주 가까운 값

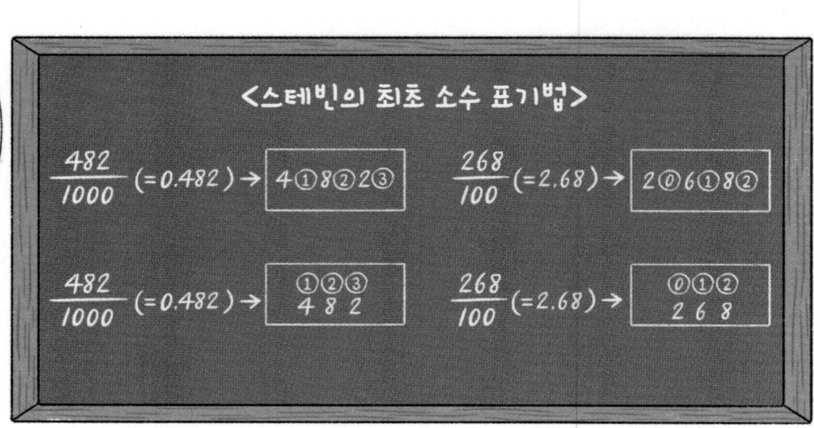

5 직육면체

꼭! 알아야 할 대표 유형

유형 ❶ 모든 모서리의 길이의 합을 이용하는 문제

유형 ❷ 면의 모양을 보고 직육면체를 알아보는 문제

유형 ❸ 상자를 묶는 데 사용한 끈의 길이를 구하는 문제

유형 ❹ 주사위 면의 눈의 수를 구하는 문제

유형 ❺ 색칠된 정육면체의 수를 구하는 문제

유형 ❻ 전개도에서 선분의 길이를 구하는 문제

유형 ❼ [창의·융합] 전개도에 선이 지나간 자리를 그려 넣는 문제

단계	쪽수	공부한 날	점수
1단계 START 개념	104～109	월 일	O X
2단계 JUMP 유형	110～116	월 일	O X
3단계 MASTER 심화	117～121	월 일	O X
4단계 TOP 최고수준	122～123	월 일	O X

※ O에는 맞힌 개수, X에는 틀린 개수를 써넣으세요.

STEP 1 START 개념

1. 직육면체, 정육면체

1 직육면체, 정육면체

• 직육면체: 직사각형 6개로 둘러싸인 도형

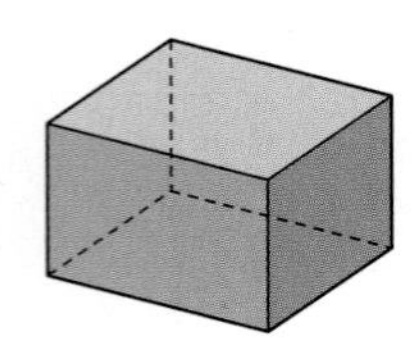

• 직육면체의 구성 요소

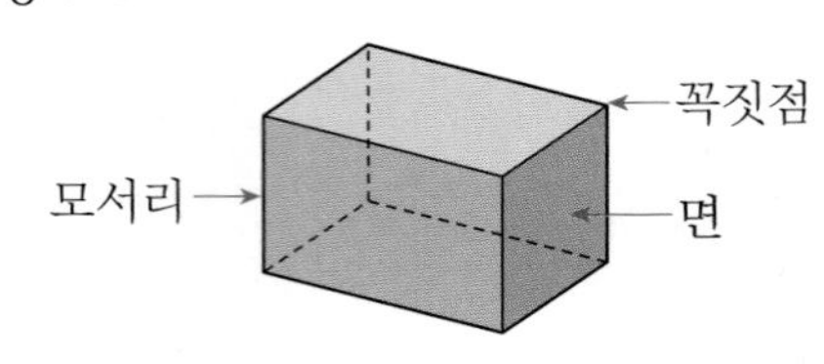

- 면: 선분으로 둘러싸인 부분
- 모서리: 면과 면이 만나는 선분
- 꼭짓점: 모서리와 모서리가 만나는 점

• 정육면체: 정사각형 6개로 둘러싸인 도형

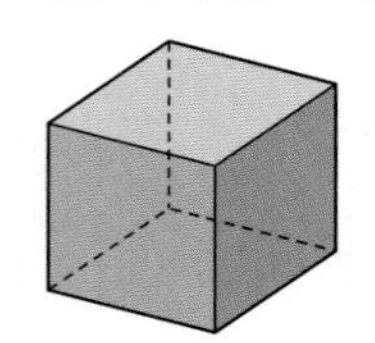

2 직육면체와 정육면체의 비교

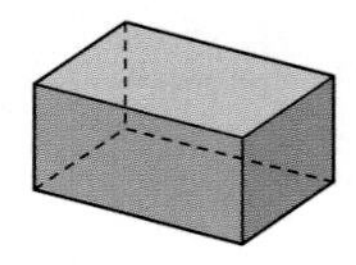
〈직육면체〉

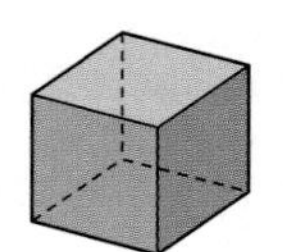
〈정육면체〉

구분	같은 점			다른 점	
	면의 수	모서리의 수	꼭짓점의 수	면의 모양	모서리의 길이
직육면체	6	12	8	직사각형	서로 다름
정육면체				정사각형	모두 같음

참고

도형을 이루는 기본 요소: 점, 선, 면

〈점〉 〈선〉 〈면〉

점이 움직인 자리는 선이 되고, 선이 움직인 자리는 면이 됩니다.

개념 활용 1

직육면체와 정육면체의 관계

정육면체의 면의 모양은 정사각형이고 정사각형은 직사각형이라고 할 수 있으므로 정육면체는 직육면체라고 할 수 있습니다.

정육면체 ⇄ 직육면체 (→ ○, ← ×)

개념 활용 2

직육면체의 면, 모서리, 꼭짓점의 수

(면의 수)$=$(한 면의 변의 수)$+2$
$=4+2=6$

(모서리의 수)$=$(한 면의 변의 수)$\times 3$
$=4\times 3=12$

(꼭짓점의 수)$=$(한 면의 변의 수)$\times 2$
$=4\times 2=8$

미리보기 중1

오일러의 정리

다각형인 면으로만 둘러싸인 입체도형에서

(면의 수)$+$(꼭짓점의 수)$-$(모서리의 수)$=2$인 관계가 성립합니다.

예 직육면체에서
(면의 수)$+$(꼭짓점의 수)$-$(모서리의 수)$=6+8-12=2$

1 ㉠과 ㉡에 알맞은 수를 각각 구하시오.

> 직육면체에서 한 개의 모서리는 ㉠ 개의 면이 만나서 생기고, 한 꼭짓점에서 만나는 모서리는 ㉡ 개입니다.

㉠ (　　　　)
㉡ (　　　　)

2 정육면체와 직육면체에 대한 설명이 맞으면 ○표, 틀리면 ×표 하시오.

(1) 직육면체는 정육면체라고 할 수 있습니다. ……………… (　　)

(2) 정육면체의 모서리의 길이는 모두 같습니다. ……………… (　　)

3 도형은 직육면체가 아닙니다. 그 이유를 쓰시오.

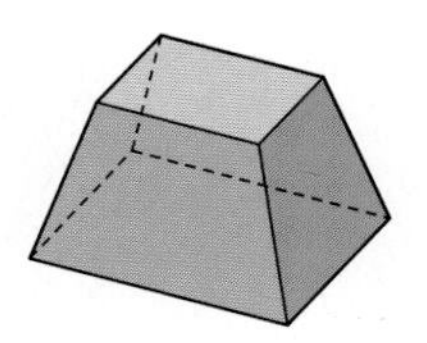

이유 ______________________

4 직육면체와 정육면체의 다른 점을 찾아 기호를 쓰시오.

> ㉠ 면은 6개입니다.
> ㉡ 모서리는 12개입니다.
> ㉢ 모서리의 길이가 모두 같습니다.
> ㉣ 꼭짓점은 8개입니다.

(　　　　)

5 다음은 모든 모서리의 길이의 합이 108 cm인 정육면체입니다. 이 정육면체의 한 모서리의 길이는 몇 cm입니까?

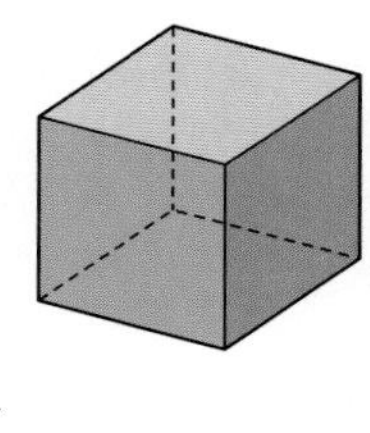

(　　　　)

6 직육면체의 면, 모서리, 꼭짓점의 수의 관계를 나타낸 것입니다. □ 안에 알맞은 수를 써넣으시오.

> (모서리의 수)
> ＝(면의 수)＋(꼭짓점의 수)－□

5 직육면체

2. 직육면체의 성질, 직육면체의 겨냥도

1 직육면체의 성질

- 직육면체의 밑면: 직육면체에서 평행한 두 면

→ 계속 늘여도 만나지 않는 두 면

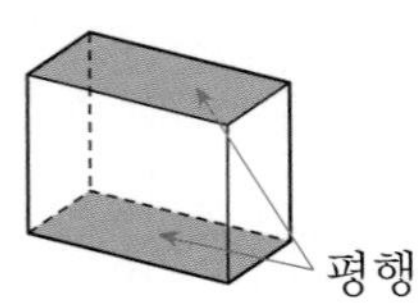

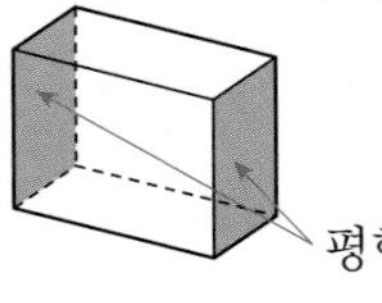
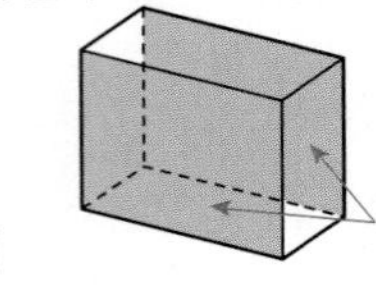

서로 마주 보고 있는 면은 평행하고, 모두 3쌍이며 각각은 모두 밑면이 될 수 있습니다.

- 직육면체의 옆면: 직육면체에서 밑면과 수직인 면

→ 평행한 면을 제외한 나머지 면

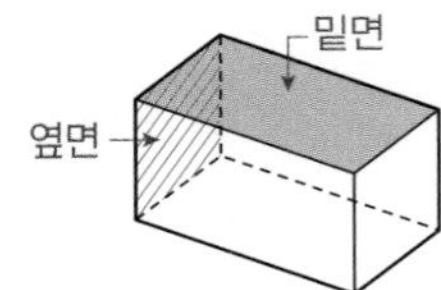

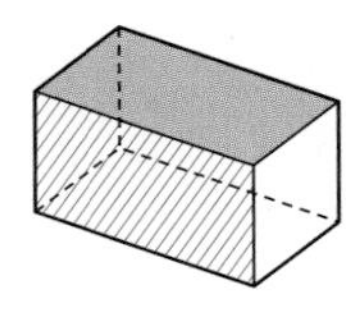
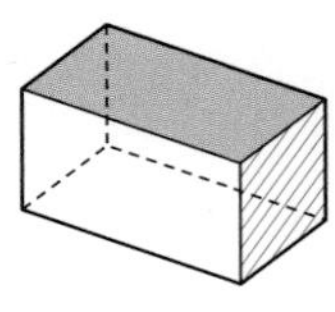
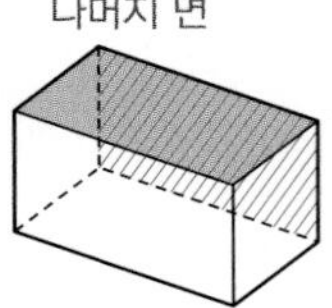

서로 만나는 면은 수직이고, 한 면과 수직인 면은 모두 4개입니다.

- 꼭짓점을 중심으로 만나는 면

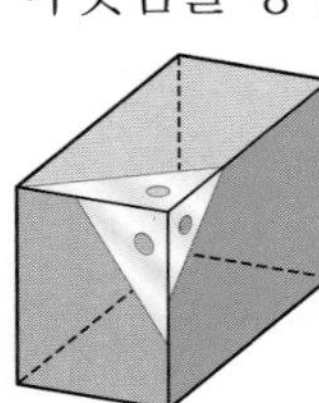

한 꼭짓점을 중심으로 만나는 3개의 면은 모두 수직입니다.

2 직육면체의 겨냥도

- 직육면체의 겨냥도: 직육면체 모양을 잘 알 수 있도록 보이는 모서리는 실선으로, 보이지 않는 모서리는 점선으로 나타낸 그림

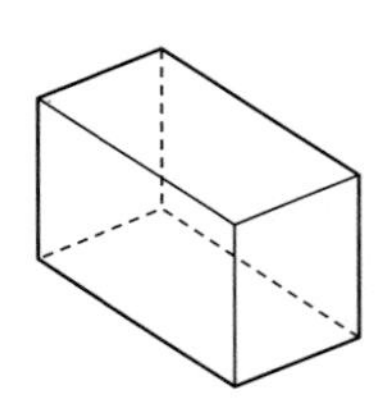

- 직육면체의 겨냥도에서 보이는 부분과 보이지 않는 부분 알아보기

구분	보이는 부분	보이지 않는 부분	전체
면의 수	3	3	6
모서리의 수	9 (실선)	3 (점선)	12
꼭짓점의 수	7	1	8

개념 활용 1

평행한 두 면은 모양과 크기가 같습니다.

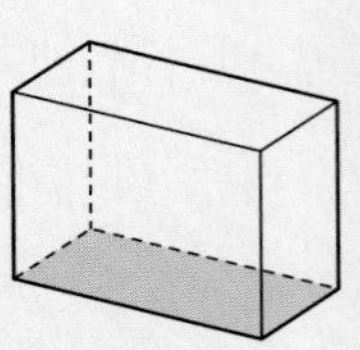

(색칠한 면과 평행한 면의 둘레)
=(색칠한 면의 둘레)

개념 활용 2

직육면체에서 서로 평행한 모서리의 길이는 각각 같습니다.

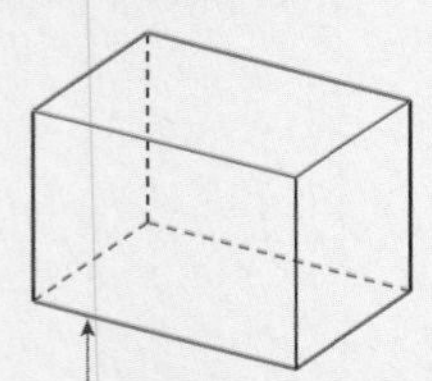

1 빠진 부분을 그려 넣어 직육면체의 겨냥도를 완성하시오.

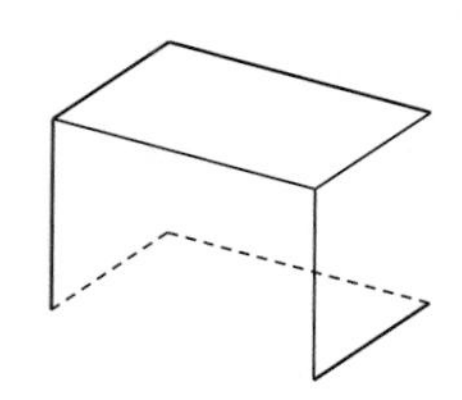

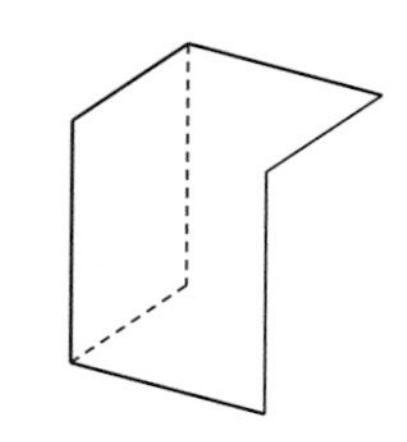

2 직육면체에서 면 ㄴㅂㅅㄷ과 수직인 면을 모두 찾아 쓰시오.

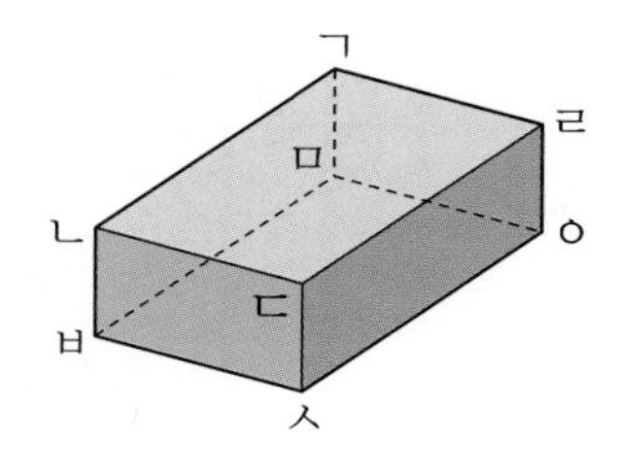

3 직육면체의 겨냥도에 대한 설명으로 틀린 것을 찾아 기호를 쓰시오.

㉠ 보이는 면은 3개입니다.
㉡ 보이지 않는 꼭짓점은 1개입니다.
㉢ 보이는 모서리는 점선으로 그립니다.
㉣ 보이지 않는 모서리는 3개입니다.

( )

4 직육면체에서 보이지 않는 모서리의 길이의 합은 몇 cm입니까?

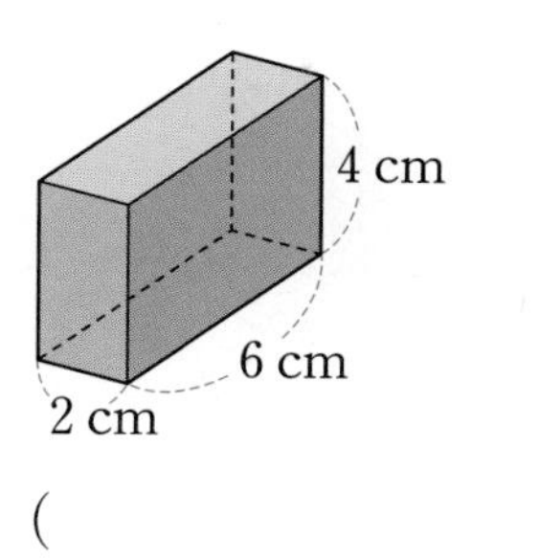

( )

5 직육면체에서 색칠한 면과 평행한 면의 둘레는 몇 cm입니까?

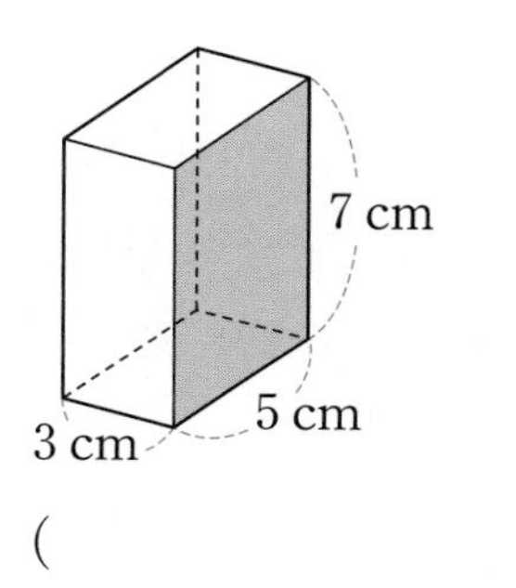

( )

6 다음 직육면체에서 모양과 크기가 같은 면끼리만 같은 색을 칠하려고 합니다. 필요한 색은 모두 몇 가지입니까?

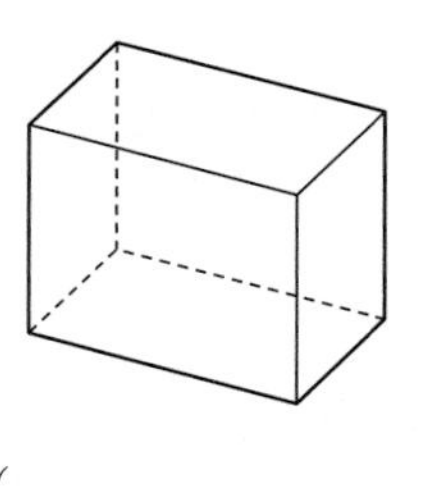

( )

3. 정육면체, 직육면체의 전개도

1 정육면체의 전개도

• 정육면체의 전개도: 정육면체의 모서리를 잘라서 펼친 그림

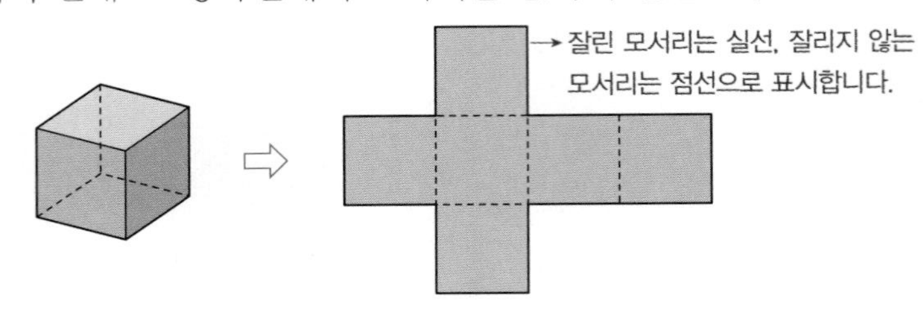

2 직육면체의 전개도 그리기

① 잘린 모서리는 실선으로, 잘리지 않는 모서리는 점선으로 그립니다.

② 접었을 때 서로 마주 보는 면은 모양과 크기가 같게 그립니다.

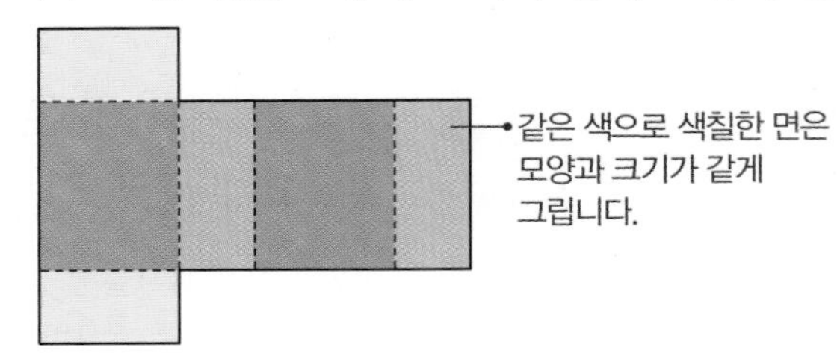

③ 접었을 때 서로 만나는 모서리의 길이가 같게 그립니다.

참고 직육면체의 전개도는 밑에 놓일 면을 어디로 정하는지에 따라, 모서리를 어떤 방법으로 자르는지에 따라 여러 가지 방법으로 그릴 수 있습니다.

3 정육면체의 전개도

정육면체의 전개도는 그림과 같이 모두 11가지가 있습니다.

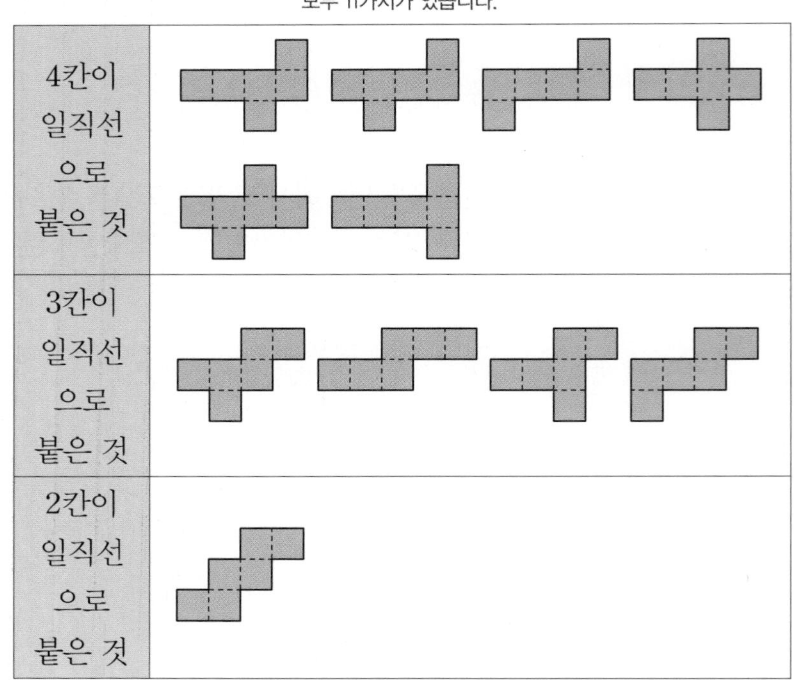

개념 활용 1

전개도를 접었을 때 평행한 면과 수직인 면 찾기

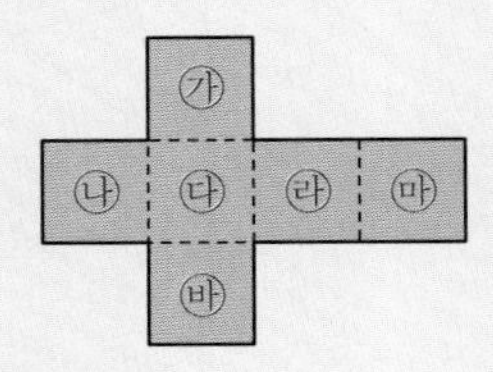

• 서로 평행한 면:
면 ㉮와 면 ㉳, 면 ㉯와 면 ㉱, 면 ㉰와 면 ㉲

• 면 ㉮와 수직인 면:
면 ㉯, 면 ㉰, 면 ㉱, 면 ㉲ — 면 ㉮와 평행한 면을 제외한 나머지 면

개념 활용 2

직육면체의 전개도를 접었을 때 서로 만나는 모서리의 길이는 같습니다.

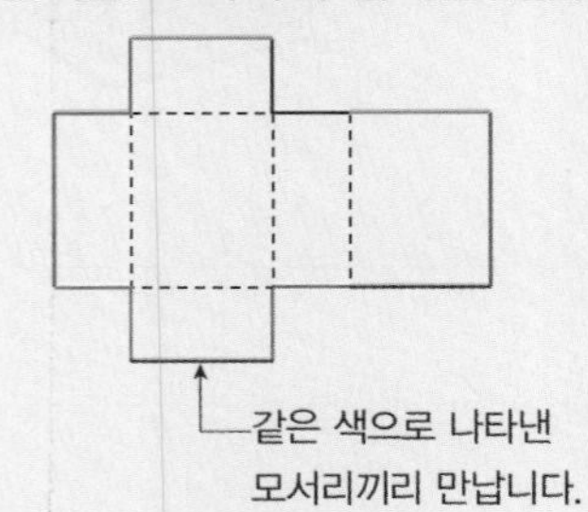

개념 활용 3

주사위의 전개도

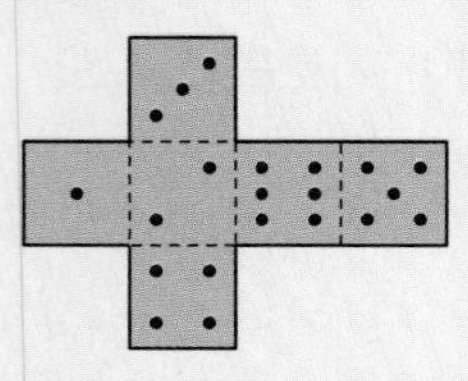

① 서로 마주 보는 두 면의 눈의 수의 합은 7입니다.

② 눈의 수가 1과 6, 2와 5, 3과 4인 면은 서로 평행합니다.

1 정육면체의 전개도를 접었을 때 다음 선분과 겹치는 선분을 각각 찾아 쓰시오.

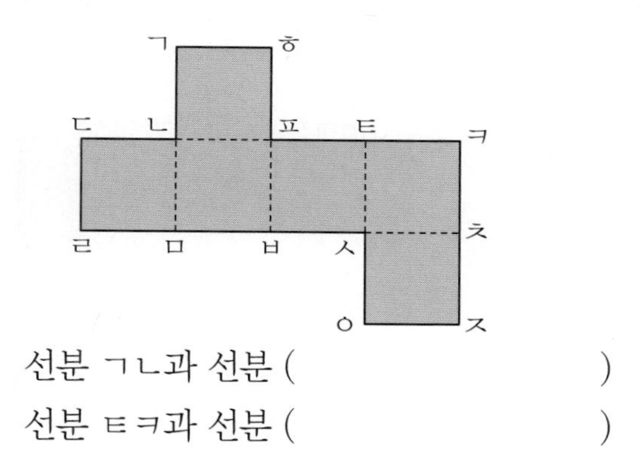

선분 ㄱㄴ과 선분 (　　　　　　)
선분 ㅌㅋ과 선분 (　　　　　　)

2 직육면체의 전개도입니다. □ 안에 알맞은 수를 써넣으시오.

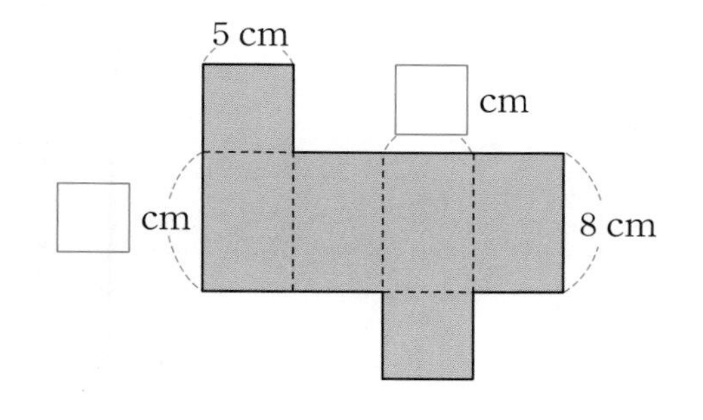

3 정육면체의 전개도가 아닌 것을 찾아 기호를 쓰시오.

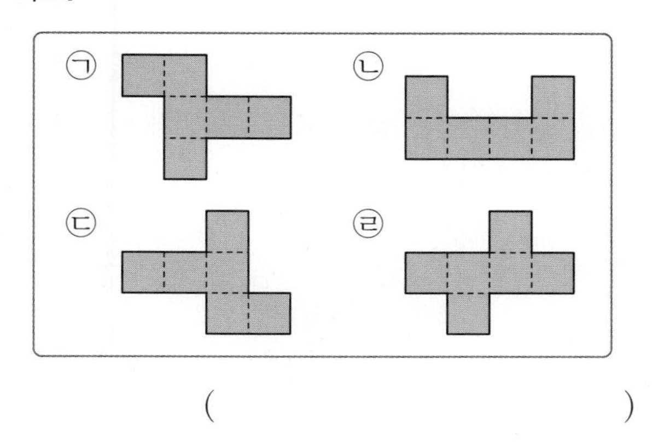

(　　　　　　)

4 정육면체의 전개도를 접었을 때 면 ㉣와 수직인 면을 모두 찾아 쓰시오.

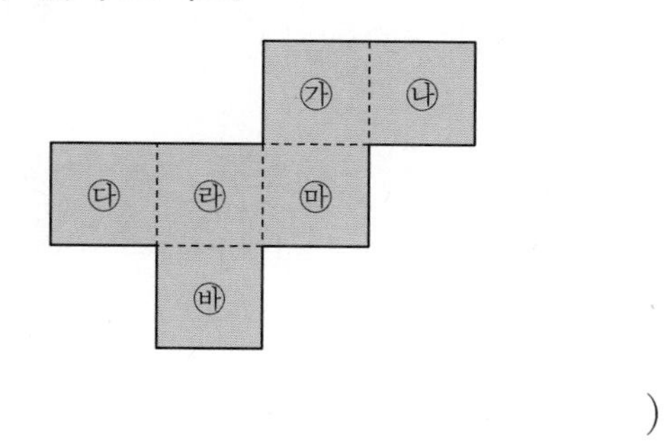

(　　　　　　)

5 오른쪽 직육면체의 전개도를 그려 보시오.

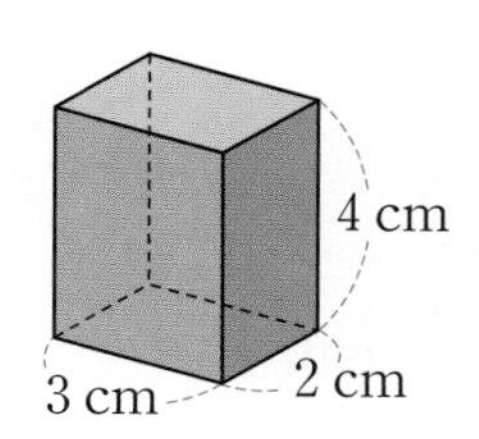

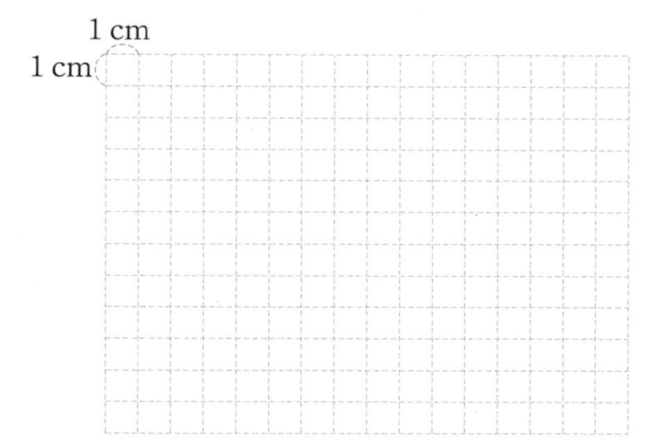

6 다음 전개도로 주사위를 만들려고 합니다. 주사위에서 서로 평행한 두 면의 눈의 수의 합은 7이 되도록 전개도의 빈 곳에 주사위의 눈을 알맞게 그려 넣으시오.

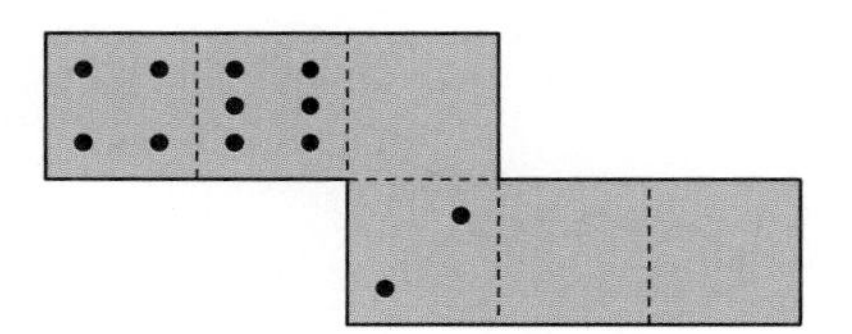

STEP 2 JUMP 유형

유형 ❶ 모든 모서리의 길이의 합을 이용하는 문제

예제 1-1 오른쪽 직육면체의 모든 모서리의 길이의 합은 144 cm입니다. ㉠에 알맞은 수를 구하시오.

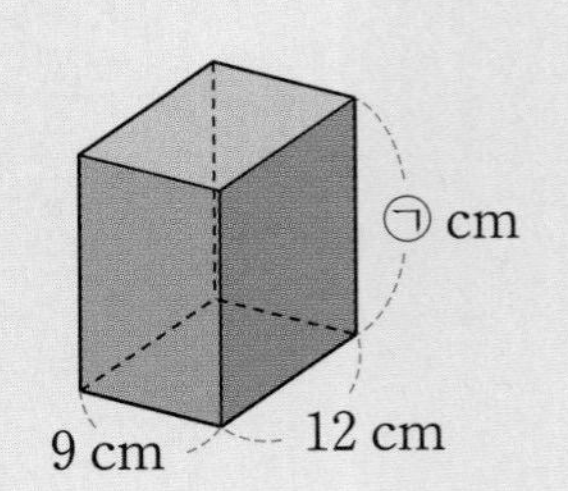

문제해결 Key

직육면체에는 길이가 같은 모서리가 4개씩 3쌍 있습니다.

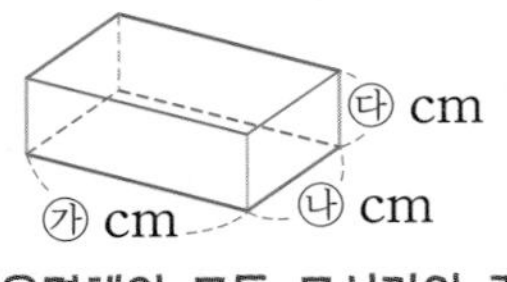

(직육면체의 모든 모서리의 길이의 합)
=(㉮+㉯+㉰)×4

풀이

❶ 모든 모서리의 길이의 합을 식으로 나타내기

❷ ㉠에 알맞은 수 구하기

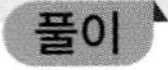

답

예제 1-2 오른쪽 직육면체의 모든 모서리의 길이의 합은 112 cm입니다. ㉠에 알맞은 수를 구하시오.

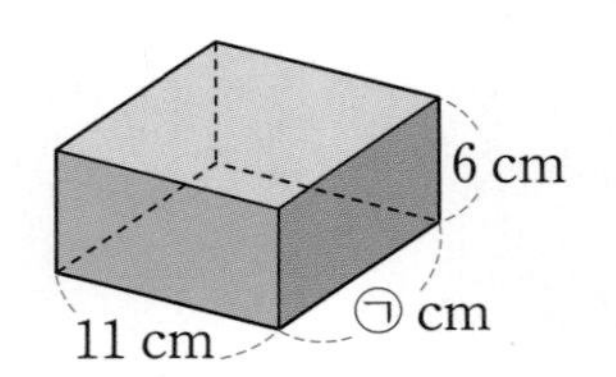

(　　　　　　　　　　)

응용 1-3 직육면체 ㉮와 정육면체 ㉯의 모든 모서리의 길이의 합은 같습니다. 정육면체 ㉯의 한 모서리의 길이는 몇 cm입니까?

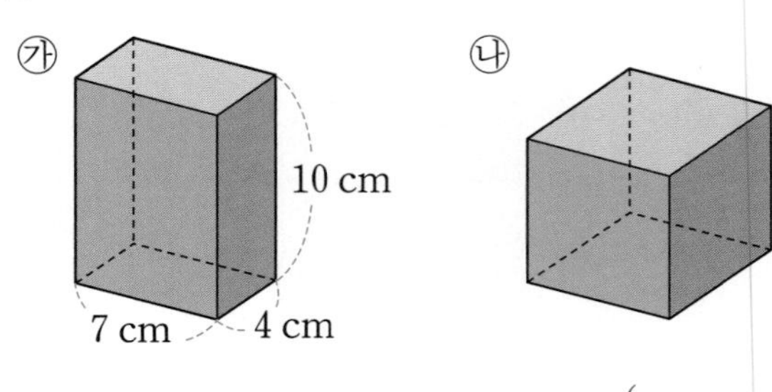

(　　　　　　　　　　)

유형 2 면의 모양을 보고 직육면체를 알아보는 문제

예제 2-1 오른쪽은 어떤 직육면체를 앞과 옆에서 각각 본 모양입니다. 이 직육면체를 위에서 본 모양의 둘레는 몇 cm입니까?

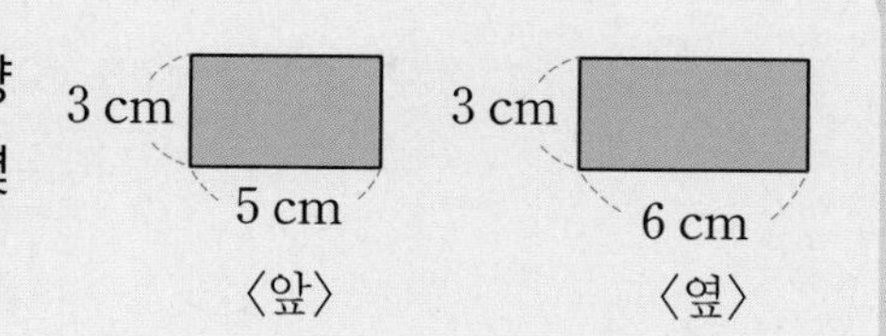

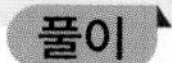
문제해결 Key

직육면체의 겨냥도를 그려서 서로 다른 세 모서리의 길이를 알아봅니다.

풀이

❶ 직육면체의 겨냥도 그리기

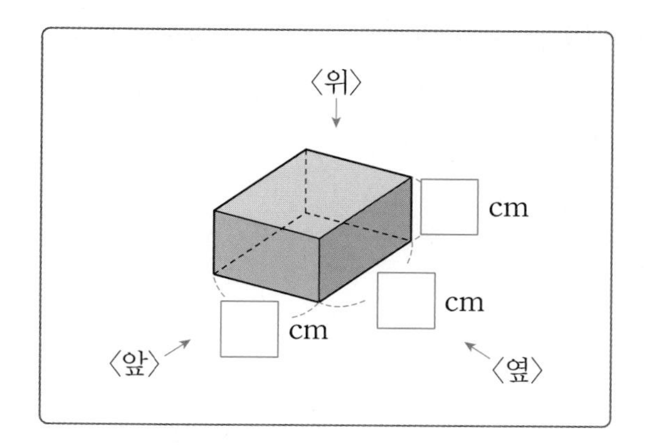

❷ 위에서 본 모양의 둘레 구하기

답 ______

예제 2-2 오른쪽은 어떤 직육면체를 앞과 옆에서 각각 본 모양입니다. 이 직육면체를 위에서 본 모양의 둘레는 몇 cm입니까?

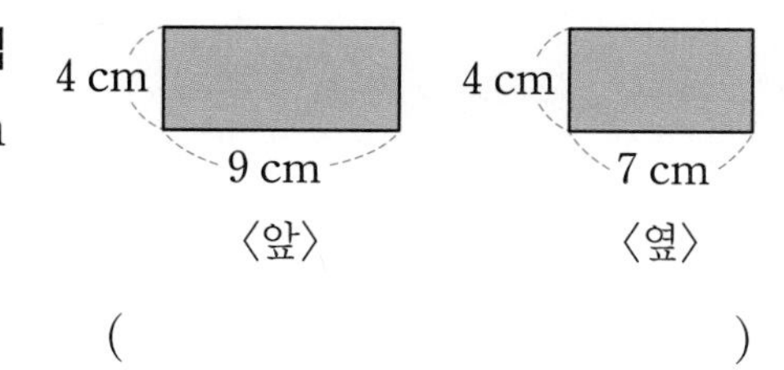

(　　　　　　　　)

응용 2-3 오른쪽과 같은 두 가지 모양의 종이가 각각 2장씩 있습니다. 모양과 크기가 같은 종이 2장을 더 사용하여 직육면체 모양의 상자를 만들었을 때 상자의 모든 모서리의 길이의 합은 몇 cm입니까? (단, 종이를 겹치지 않게 이어 붙여 만듭니다.)

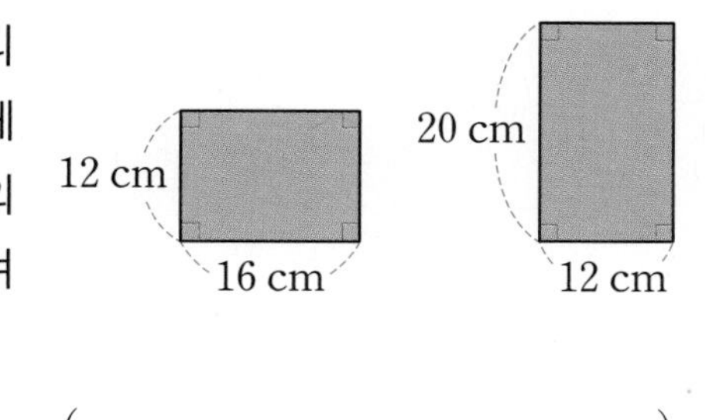

(　　　　　　　　)

유형 3 상자를 묶는 데 사용한 끈의 길이를 구하는 문제

예제 **3-1** 오른쪽 그림과 같이 직육면체 모양의 상자를 끈으로 묶었습니다. 사용한 끈의 길이는 적어도 몇 cm입니까?

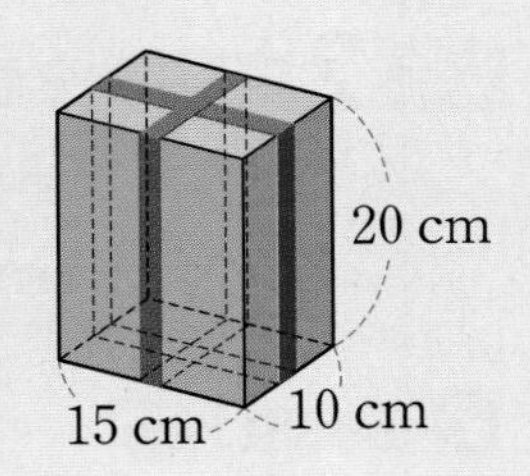

문제해결 Key

(면을 가로지르는 끈의 길이)
=(평행한 모서리의 길이)

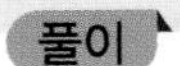

➊ 끈의 길이가 15 cm, 10 cm, 20 cm인 부분이 각각 몇 군데인지 알아보기

➋ 사용한 끈의 길이는 적어도 몇 cm인지 구하기

예제 **3-2** 오른쪽 그림과 같이 직육면체 모양의 상자를 끈으로 묶었습니다. 사용한 끈의 길이는 적어도 몇 cm입니까?

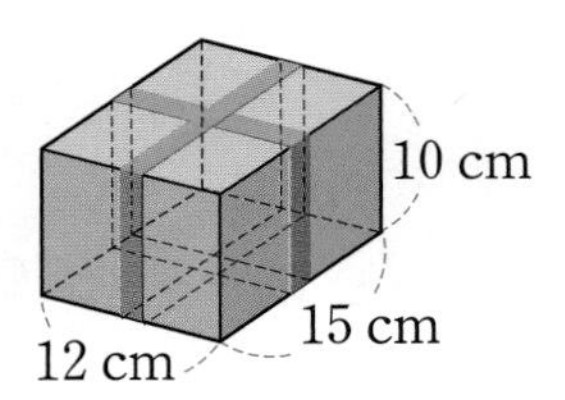

( )

응용 **3-3** 오른쪽 그림과 같이 한 모서리의 길이가 15 cm인 정육면체 모양의 상자를 끈으로 묶었습니다. 사용한 끈이 140 cm일 때, 매듭으로 사용한 끈은 몇 cm입니까?

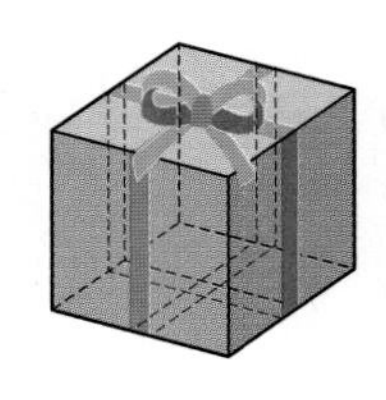

( )

유형 4 주사위 면의 눈의 수를 구하는 문제

예제 4-1 오른쪽 그림과 같이 마주 보는 두 면의 눈의 수의 합이 7인 주사위 3개를 서로 맞닿는 면의 눈의 수의 합이 8이 되도록 쌓았습니다. 바닥과 맞닿는 면의 주사위의 눈의 수는 얼마입니까?

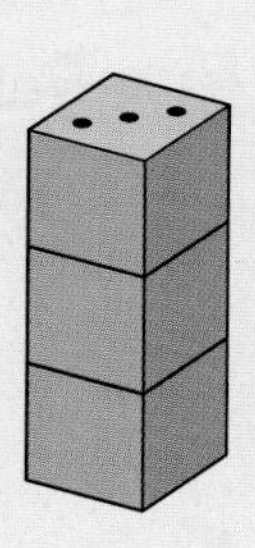

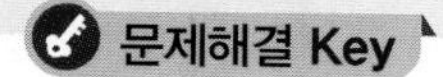

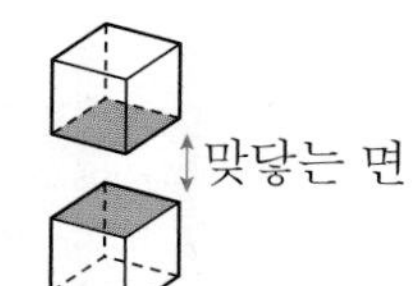

• (주사위의 마주 보는 두 면의 눈의 수의 합)=7
• (주사위가 서로 맞닿는 면의 눈의 수의 합)=8

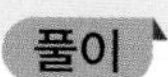

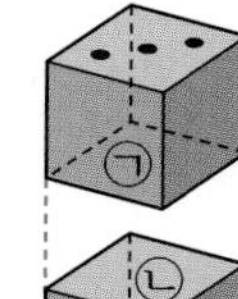

❶ ㉠의 눈의 수 구하기

❷ ㉡과 ㉢의 눈의 수 각각 구하기

❸ ㉣과 ㉤의 눈의 수 각각 구하기

예제 4-2 오른쪽 그림과 같이 마주 보는 두 면의 눈의 수의 합이 7인 주사위 3개를 서로 맞닿는 면의 눈의 수의 합이 5가 되도록 쌓았습니다. 바닥과 맞닿는 면의 주사위의 눈의 수는 얼마입니까?

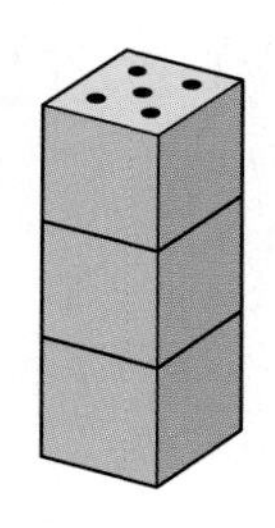

( )

응용 4-3 오른쪽 그림과 같이 1부터 6까지의 눈이 그려져 있고, 마주 보는 두 면의 눈의 수의 합이 7인 주사위 2개를 쌓았습니다. 바닥을 포함하여 겉면의 눈의 수의 합이 가장 크게 되는 경우의 합은 얼마입니까?

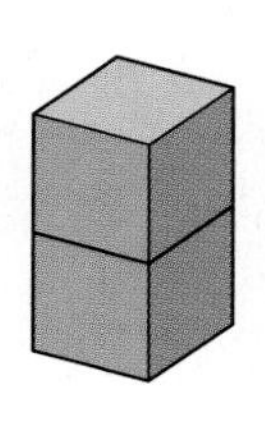

( )

유형 5 색칠된 정육면체의 수를 구하는 문제

예제 5-1 똑같은 정육면체 27개를 오른쪽 그림과 같이 정육면체 모양으로 쌓은 후 바닥을 포함하여 모든 겉면에 색칠하였습니다. 정육면체를 다시 떼어 놓았을 때 한 면에만 색칠된 정육면체는 모두 몇 개입니까?

문제해결 Key

큰 정육면체에서 한 면만 보이는 작은 정육면체를 찾습니다.

풀이

❶ 정육면체를 다시 떼어 놓았을 때 한 면에만 색칠된 정육면체에 표 하기

❷ 한 면에만 색칠된 정육면체의 개수 구하기

답 ______________

예제 5-2 똑같은 정육면체 64개를 오른쪽 그림과 같이 정육면체 모양으로 쌓은 후 바닥을 포함하여 모든 겉면에 색칠하였습니다. 정육면체를 다시 떼어 놓았을 때 세 면에만 색칠된 정육면체는 모두 몇 개입니까?

( )

응용 5-3 한 모서리의 길이가 8 cm인 정육면체를 바닥을 포함하여 모든 겉면에 색칠하였습니다. 이것을 한 모서리의 길이가 2 cm인 정육면체 64개로 잘랐을 때, 두 면에만 색칠된 정육면체는 모두 몇 개입니까?

( )

유형 6 전개도에서 선분의 길이를 구하는 문제

예제 6-1 오른쪽 직육면체의 전개도에서 사각형 ㄱㄴㅅㅊ의 둘레는 몇 cm입니까?

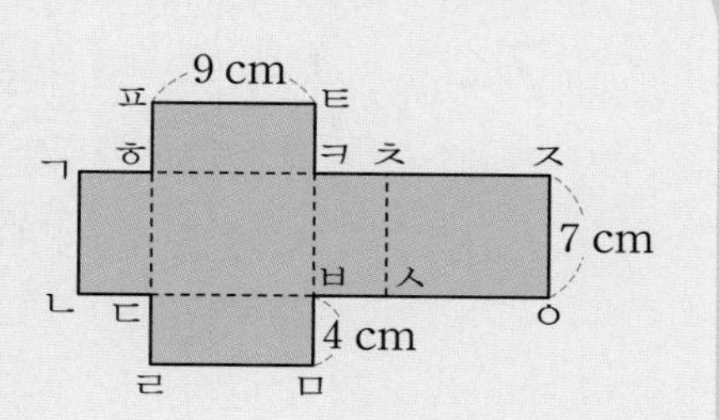

문제해결 Key

• 전개도를 접었을 때 만나는 모서리의 길이가 같습니다.

풀이

❶ 선분 ㄴㅅ의 길이 구하기

❷ 선분 ㄱㄴ의 길이 구하기

❸ 사각형 ㄱㄴㅅㅊ의 둘레 구하기

답

예제 6-2 오른쪽 직육면체의 전개도에서 사각형 ㅎㅁㅇㅈ의 둘레는 몇 cm입니까?

( )

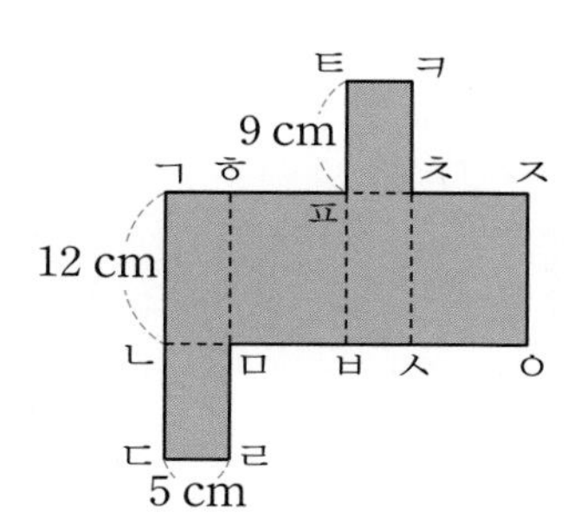

응용 6-3 오른쪽 직육면체의 전개도의 둘레는 몇 cm입니까?

( )

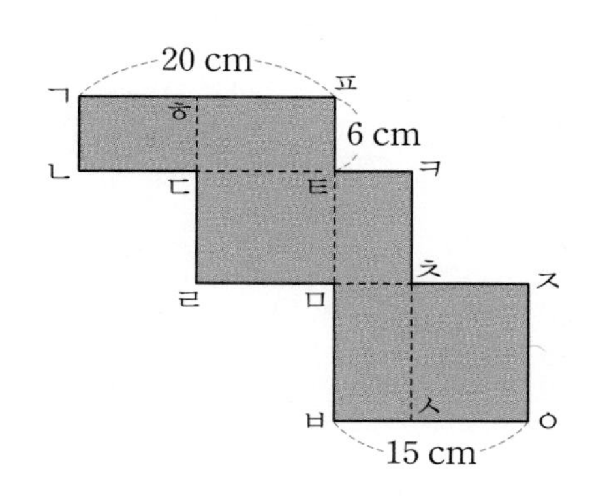

창의·융합

유형 7 전개도에 선이 지나간 자리를 그려 넣는 문제

[수학 + 미술]

예제 7-1 한지는 닥나무로 만든 우리나라의 전통 종이로 한지를 사용하여 생활용품을 만드는 것을 한지 공예라고 합니다. 은수는 한지 공예품으로 다음과 같은 직육면체 모양의 상자를 만들려고 합니다. ❶의 전개도에 선이 지나간 자리를 그려 넣으시오.

▲ 한지 공예

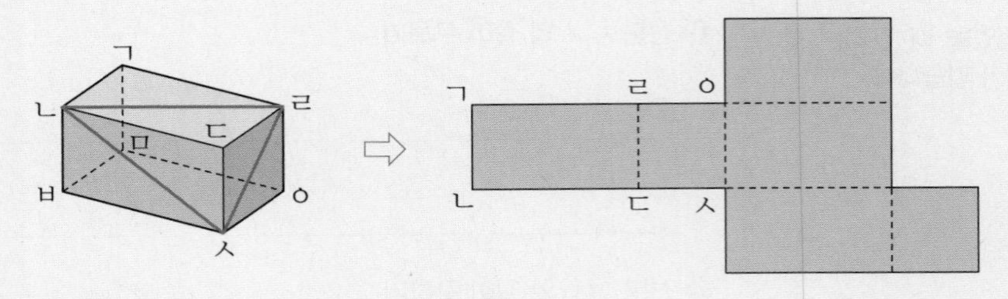

문제해결 Key

전개도를 접었을 때 만나는 점에 같은 기호를 써넣습니다.

풀이

❶ 전개도에 각 꼭짓점 표시하기

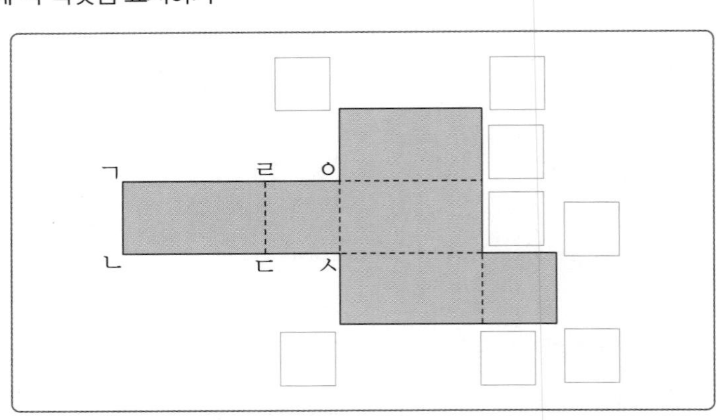

❷ ❶의 전개도에 선이 지나간 자리를 그려 넣기

[수학 + 미술]

예제 7-2 가정용품의 제작, 수리, 장식을 직접 하는 것을 간단하게 줄여서 DIY라고 합니다. 선우는 두꺼운 종이로 정육면체 모양의 정리함을 만들고 끈을 둘러 꾸몄습니다. 선우가 만든 정리함의 전개도에 끈이 지나간 자리를 그려 넣으시오.

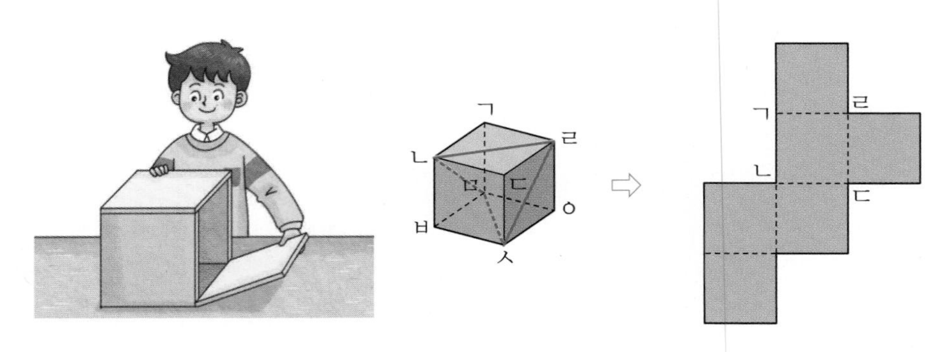

유형 ❷ 면의 모양을 보고 직육면체를 알아보는 문제

01 다음은 직육면체를 여러 방향에서 본 모양입니다. □ 안에 알맞은 수를 써넣으시오.

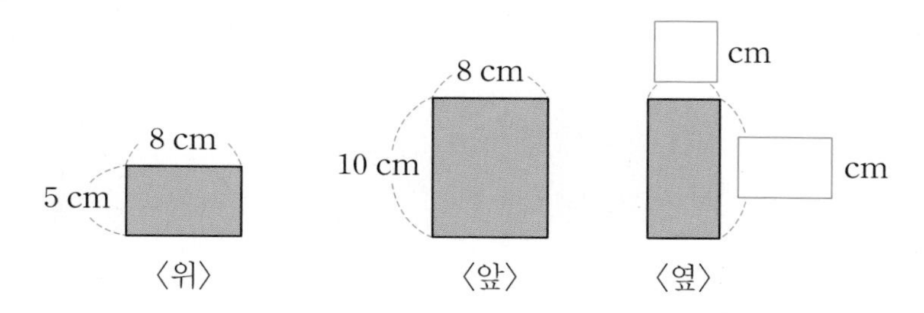

창의 융합

[수학 + 미술]

02 지기구조는 포장상자의 전개도를 뜻합니다. 끼워 넣기 지기구조는 튼튼하고 접착 부분이 없어 제작 비용이 적게 든다는 장점이 있습니다. 또 구조를 살펴보면 접었을 때 앞면과 옆면이 겹치는 부분이 있어 운반 시 충격을 덜 받아 전자제품 등의 고가 제품을 보관하는 상자로 많이 사용되고 있습니다. 다음은 지기구조로 종이를 접어 직육면체 모양의 상자를 만드는 과정입니다. 이때 상자의 각 면은 전개도의 ①~⑫ 중 어느 면에 해당되는지 골라 써넣으시오.

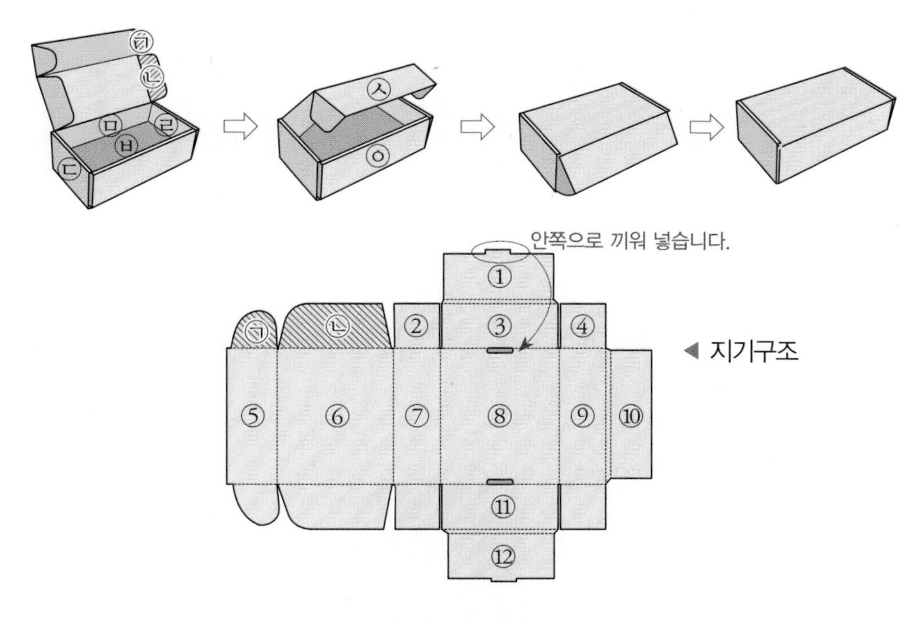

상자의 면	㉢	㉣	㉤	㉥	㉦	㉧
전개도의 면						

성대 경시 유형

03 오른쪽과 같은 전개도를 접어 정육면체를 만들 때, 마주 보는 면에 적힌 두 수의 곱 중 가장 큰 값을 구하시오.

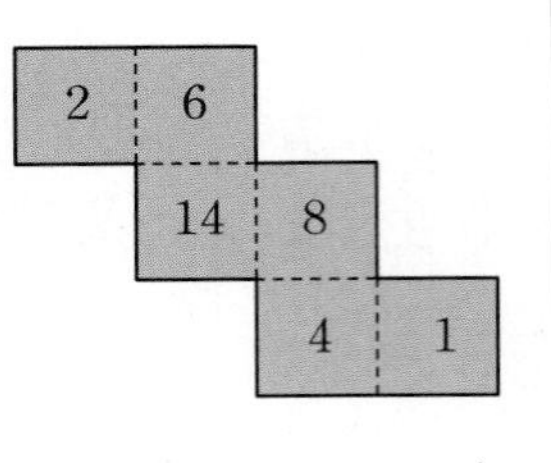

( )

유형 6 전개도에서 선분의 길이를 구하는 문제

04 오른쪽 직육면체의 전개도에서 사각형 ㄱㄴㄷㄹ의 둘레는 몇 cm입니까?

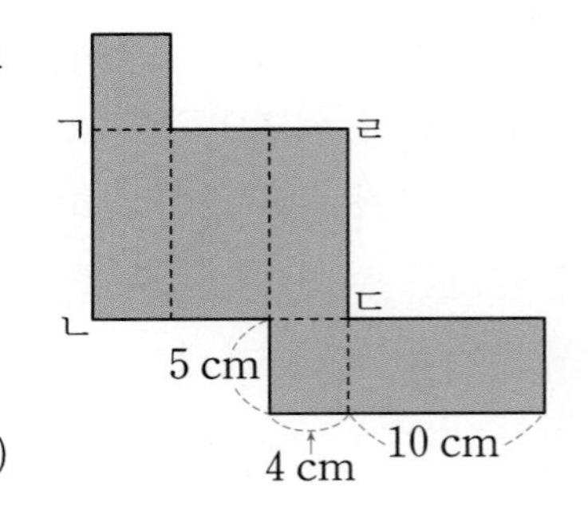

( )

유형 3 상자를 묶는 데 사용한 끈의 길이를 구하는 문제

05 오른쪽 그림과 같이 직육면체 모양의 상자를 끈으로 묶었습니다. 사용한 끈의 길이는 적어도 몇 cm입니까?

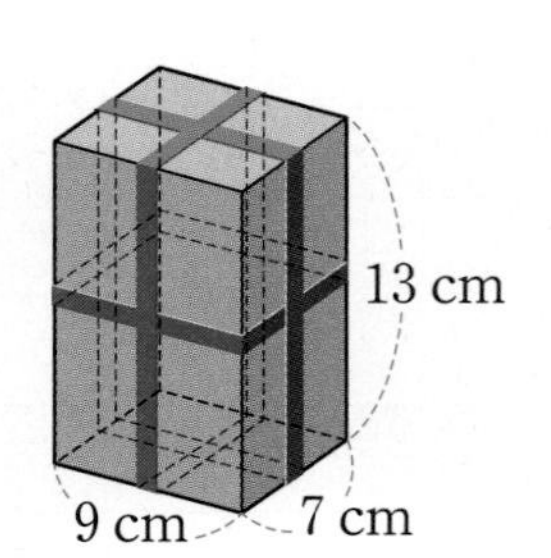

( )

유형 ⑦ 전개도에 선이 지나간 자리를 그려 넣는 문제

06 왼쪽 그림과 같이 정육면체의 전개도에 선을 그었습니다. 이 전개도를 접어서 만든 오른쪽 정육면체의 겨냥도에 선이 지나간 자리를 그려 넣으시오.

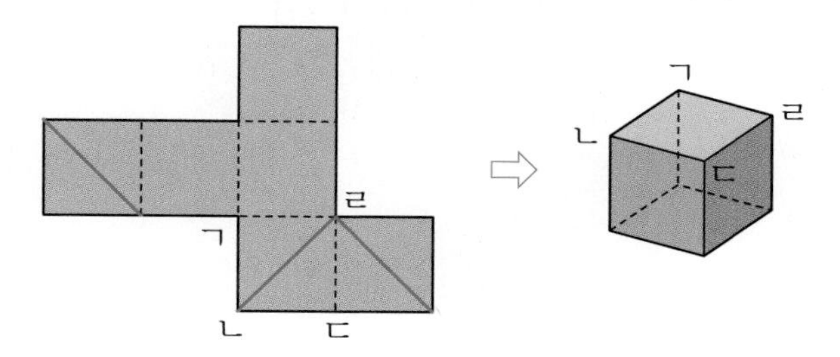

유형 ① 모든 모서리의 길이의 합을 이용하는 문제

07 철사를 겹치지 않게 사용하여 오른쪽과 같은 직육면체를 만들었습니다. 이 직육면체를 만드는 데 사용한 철사와 길이가 같은 철사로 가장 큰 정육면체를 한 개 만든다면, 만든 정육면체의 한 모서리의 길이는 몇 cm입니까?

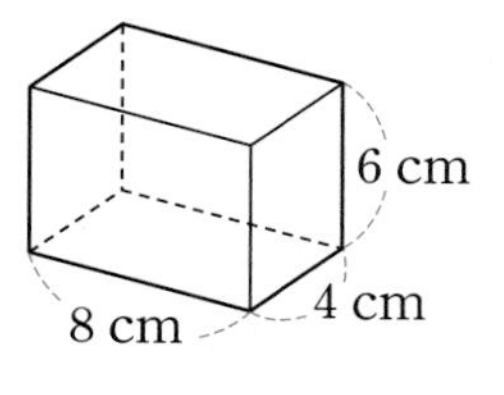

( )

08 오른쪽 그림과 같은 직육면체를 빈틈없이 여러 개 쌓아서 가장 작은 정육면체를 만들었습니다. 만든 정육면체의 모든 모서리의 길이의 합은 몇 cm입니까?

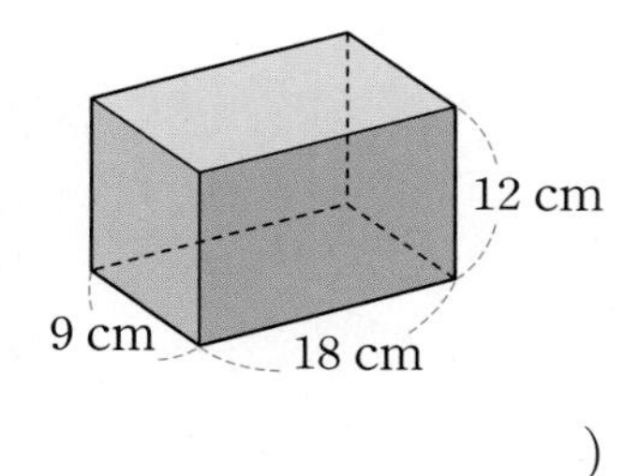

( )

09 정육면체 모양의 상자 4개를 오른쪽 그림과 같이 쌓았습니다. 바닥을 포함한 정사각형 모양의 겉면은 모두 몇 개인지 구하시오.

( )

성대 경시 유형 유형 ❶ 모든 모서리의 길이의 합을 이용하는 문제

10 한 모서리의 길이가 10 cm인 정육면체를 오른쪽 그림과 같이 똑같은 4개의 직육면체로 잘랐습니다. 잘린 직육면체 4개의 모든 모서리의 길이의 합은 몇 cm입니까?

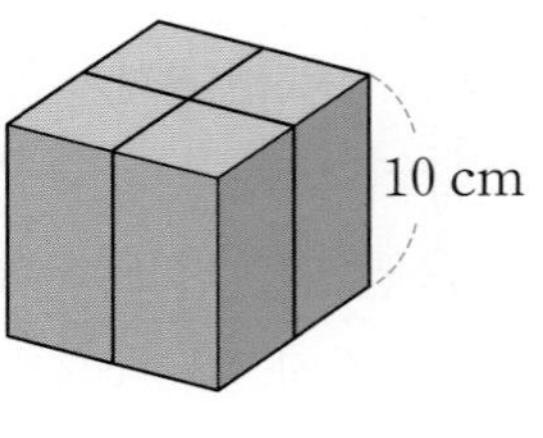

( )

11 각 면에 노랑, 초록, 파랑, 빨강, 보라, 주황이 칠해진 정육면체를 여러 방향에서 본 것입니다. 초록색이 칠해진 면과 평행한 면에 칠해진 색을 구하시오.

( )

해법 경시 유형

12 오른쪽 그림에서 색칠한 5개의 면과 ①부터 ⑩까지의 면 중 1개를 골라 정육면체의 전개도를 만들려고 합니다. 고를 수 있는 면은 모두 몇 개입니까?

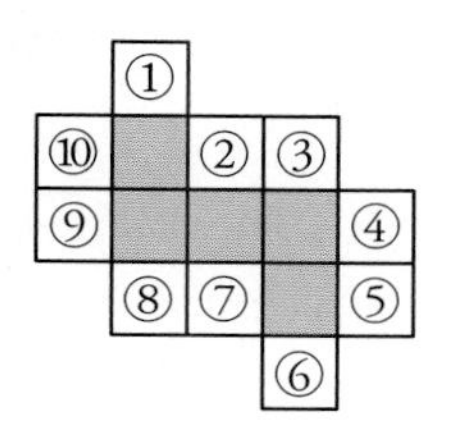

(　　　　　　　　)

고대 경시 유형 **유형 5** 색칠된 정육면체의 수를 구하는 문제

13 한 모서리의 길이가 5 cm인 정육면체를 바닥을 포함하여 모든 겉면에 색칠하였습니다. 이것을 오른쪽 그림과 같이 한 모서리의 길이가 1 cm인 정육면체로 잘랐을 때 한 면도 색칠되지 않은 정육면체는 모두 몇 개입니까?

(　　　　　　　　)

해법 경시 유형 **유형 4** 주사위 면의 눈의 수를 구하는 문제

14 1부터 6까지의 눈이 그려져 있고 마주 보는 두 면의 눈의 수의 합이 7인 왼쪽 주사위 2개를 오른쪽과 같이 붙여 놓았습니다. 서로 맞닿는 면의 눈의 수의 합이 4가 되도록 하였을 때, ㉠과 ㉡에 올 눈의 수의 합은 얼마입니까?

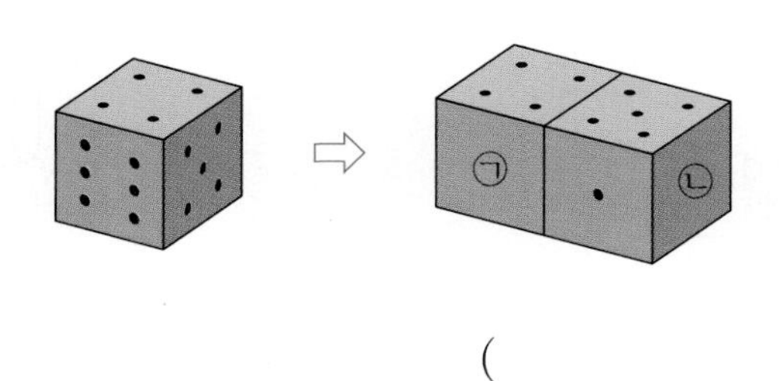

(　　　　　　　　)

5 직육면체

고대 경시 유형

01 1부터 6까지의 눈이 그려져 있고 마주 보는 두 면의 눈의 수의 합이 7인 주사위를 오른쪽 그림과 같이 화살표 방향으로 굴렸습니다. 빗금친 자리에서 주사위의 윗면에 오는 눈의 수는 얼마인지 구하시오.

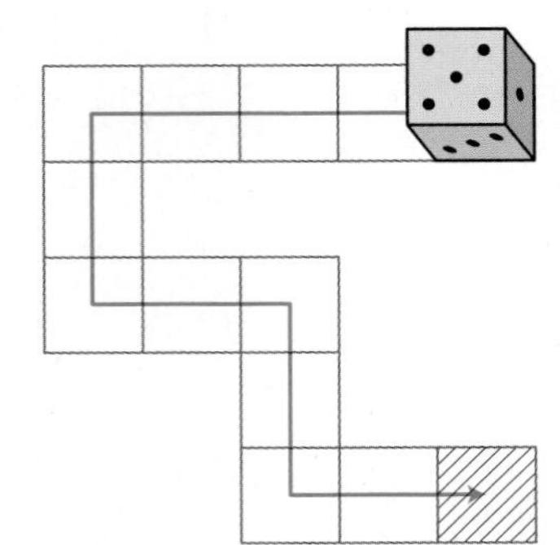

(　　　　　　　　　　)

02 오른쪽 직육면체의 꼭짓점 ㉠에서 모서리를 따라 꼭짓점 ㉡까지 가는 가장 가까운 길은 모두 몇 가지입니까?

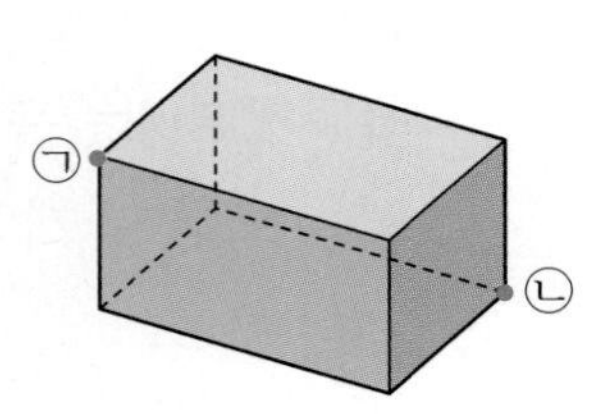

(　　　　　　　　　　)

해법 경시 유형

03 한 변의 길이가 60 cm인 정사각형 모양의 종이에서 색칠한 부분을 잘라낸 후 남은 종이를 접어 직육면체를 만들었습니다. 만든 직육면체에서 보이는 모든 모서리의 길이의 합은 몇 cm입니까?

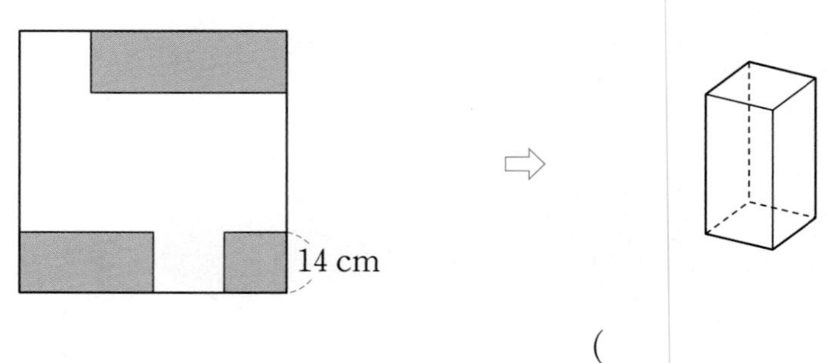

(　　　　　　　　　　)

04 왼쪽 그림은 크기가 같은 정육면체의 서로 다른 모양의 전개도 2개를 붙여 놓은 것입니다. 이 전개도를 접어 오른쪽 그림과 같이 '최고'가 앞에서 보이게 놓았을 때, 두 정육면체가 서로 겹쳐지는 두 면을 찾아 기호를 쓰시오.

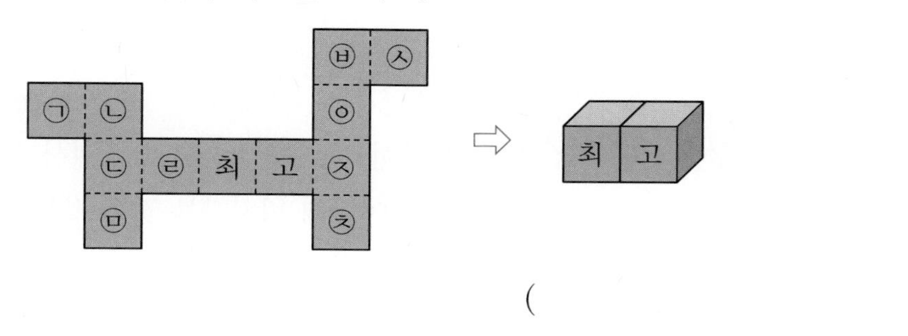

( )

해법 경시 유형

05 똑같은 정육면체를 오른쪽 그림과 같이 정육면체 모양으로 쌓았습니다. 큰 정육면체의 면에 수직으로 반대 면까지 12개의 구멍을 뚫었을 때, 구멍이 뚫리지 않은 작은 정육면체는 모두 몇 개입니까?

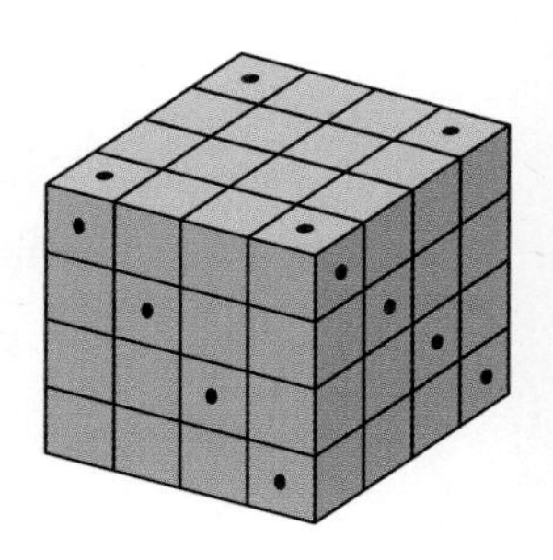

( )

창의 융합

[수학 + 게임]

06 소마큐브는 덴마크의 수학자인 피에트 하인이 '공간은 어떻게 정육면체들로 잘게 쪼개졌을까?'에 대한 강의를 듣던 중 생각해 낸 퍼즐입니다. 다음 7개의 소마큐브 조각을 한 번씩 모두 사용하여 정육면체를 만들었습니다. 정육면체에 적힌 숫자는 소마큐브 조각 숫자를 나타낼 때, 빈칸에 각 층에 놓인 소마큐브 조각 숫자를 써넣으시오.

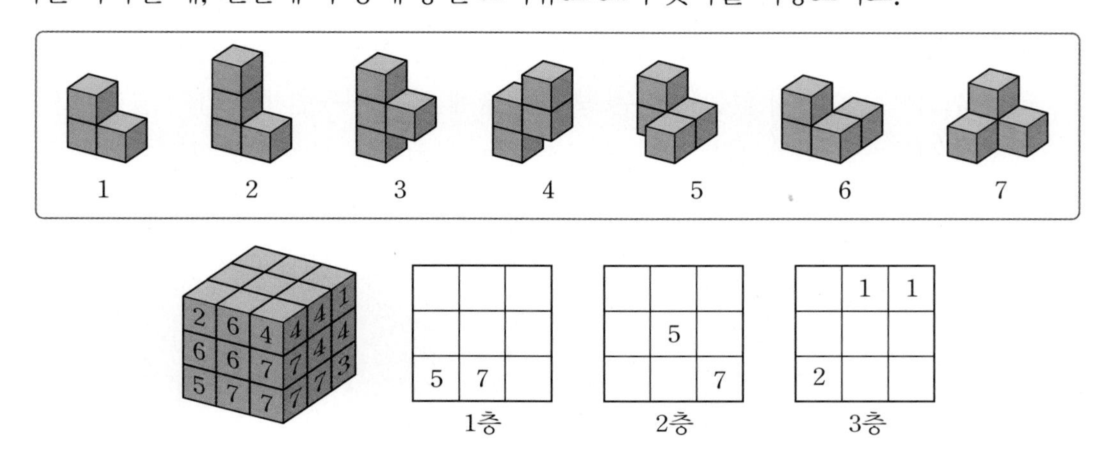

생각하기

눈의 착각

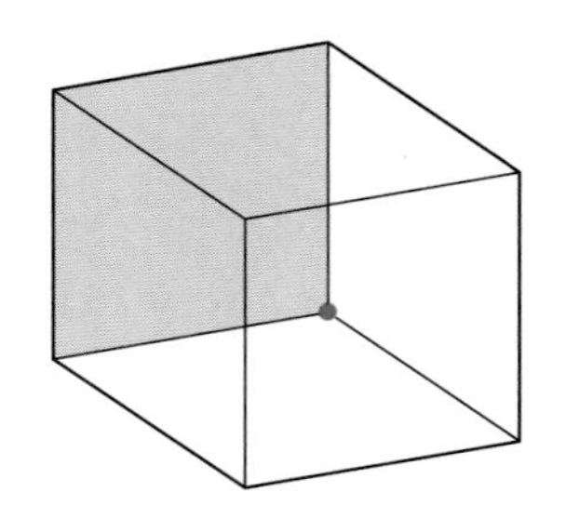

왼쪽은 실선으로 이어진*네커가 제시한 정육면체입니다.
빨간 점이 어디에 위치하는 것으로 보입니까?
색칠한 면을 보이지 않는 면이라고 보면 빨간 점은 정육면체의 보이지 않는 꼭짓점처럼 보이기도 하고 색칠한 면을 앞에서 보이는 면이라고 하면 오른쪽 아래 꼭짓점처럼 보이기도 합니다.

*네커: 스위스 수학자

오른쪽 그림에서 보이는 정육면체는 몇 개일까요?
색칠한 면을 정육면체의 위에 있는 면이라고 보면 정육면체가 7개처럼 보이기도 하고 색칠한 면을 정육면체의 아래에 있는 면이라고 보면 6개처럼 보이기도 합니다.

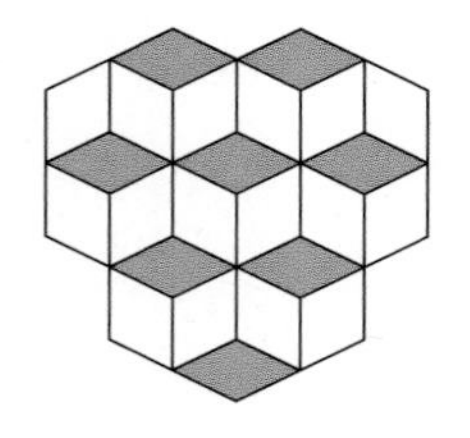

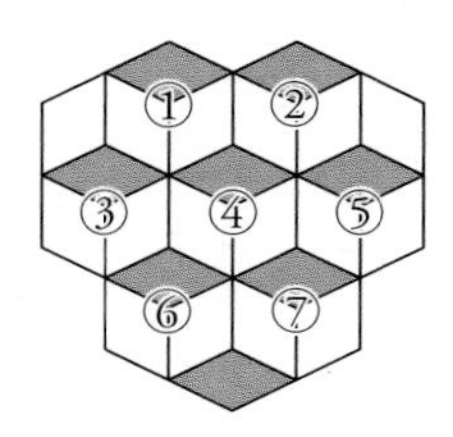

7개로 보일 때

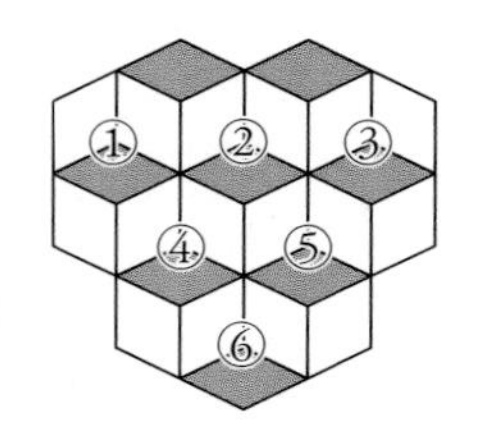

6개로 보일 때

이처럼 보이는 관점에 따라 그림이 달리 보입니다. 이렇게 직육면체의 겨냥도를 그릴 때 모든 모서리를 실선으로 그리지 않는 이유는 보는 관점에 따라 직육면체 모양이 달리 보이기 때문입니다. 따라서 보이는 모서리는 실선으로, 보이지 않는 모서리는 점선으로 그려서 혼동을 방지할 수 있답니다.

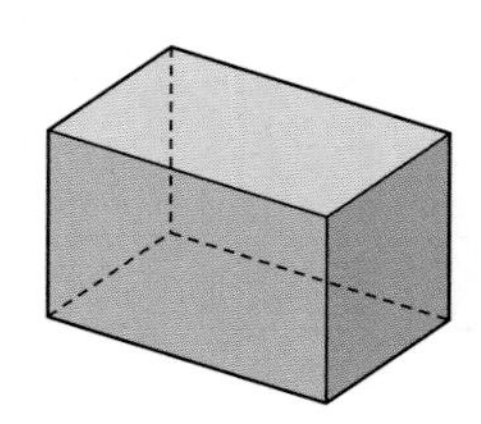
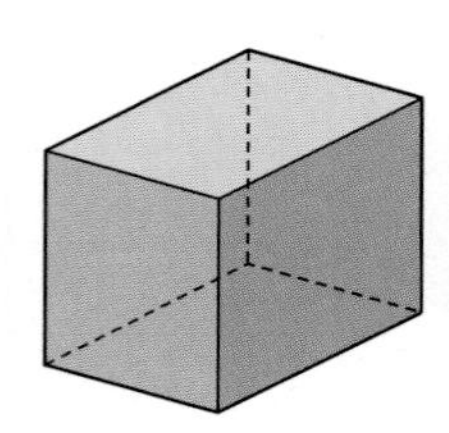
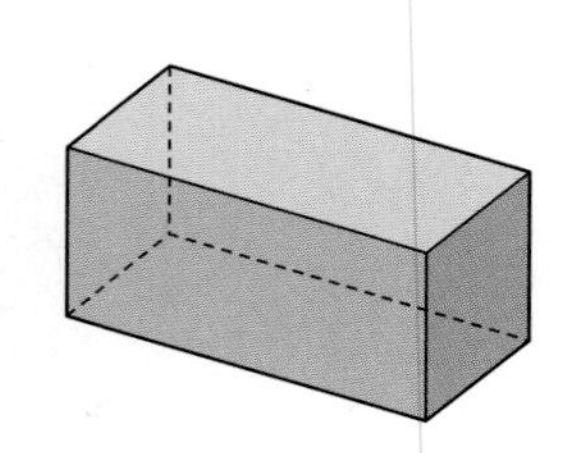

6 평균과 가능성

꼭! 알아야 할 대표 유형

유형 ❶ 일이 일어날 가능성을 수로 표현하는 문제

유형 ❷ 일이 일어날 가능성을 비교하는 문제

유형 ❸ 평균이 같은 경우 모르는 자료의 값을 구하는 문제

유형 ❹ 평균을 이용한 두 자료의 값을 구하는 문제

유형 ❺ 평균을 이용한 조건에 맞는 자료의 값을 구하는 문제

유형 ❻ 평균을 이용하여 그림그래프를 완성하는 문제

유형 ❼ [창의·융합] 평균을 활용한 문제

단계	쪽수	공부한 날	점수
1단계 START 개념	126~129	월 일	O X
2단계 JUMP 유형	130~136	월 일	O X
3단계 MASTER 심화	137~141	월 일	O X
4단계 TOP 최고수준	142~143	월 일	O X

※ O에는 맞힌 개수, X에는 틀린 개수를 써넣으세요.

STEP 1 START 개념 1. 평균

1 평균

• 평균: 자료의 값을 모두 더해 자료의 수로 나눈 값

(평균)=(자료의 값을 모두 더한 수)÷(자료의 수)

• 평균 구하기

예 수아 점수의 평균 구하기

수아의 점수

과목	국어	수학	영어	사회	과학
점수(점)	92	80	84	88	76

방법 1 평균을 84점으로 예상한 후 84, (92, 76), (80, 88)로 수를 짝지어 자료의 값을 고르게 하여 구하면 수아 점수의 평균은 84점이 됩니다.
(92−8, 76+8) ⇨ (84, 84)

방법 2 (수아 점수의 평균)=(92+80+84+88+76)÷5 =84(점)
(92+80+84+88+76) → 자료의 값의 합, 5 → 자료의 수

2 평균을 이용하여 문제 해결하기

두 집단의 자료의 개수가 다를 때는 평균을 구해 비교해요.

• 두 집단의 자료 비교

예 읽은 책의 수의 평균이 더 많은 모둠 구하기

1모둠: 4권, 7권, 5권, 4권　2모둠: 4권, 6권, 8권, 5권, 7권

1모둠이 읽은 책의 수의 평균: (4+7+5+4)÷4=5(권)

2모둠이 읽은 책의 수의 평균: (4+6+8+5+7)÷5=6(권)

⇨ 5<6이므로 읽은 책의 수의 평균이 더 많은 모둠은 2모둠입니다.

• 평균을 이용하여 모르는 값 구하기

예 상민이네 학교 5학년 학생 수 구하기

상민이네 학교 학생 수

학년	1	2	3	4	5	6	평균
학생 수(명)	132	134	139	135		136	135

(전체 학생 수)=135×6=810(명)
(135 → 평균, 6 → 자료의 수, 810 → 자료의 값의 합)

(5학년 학생 수)=810−(132+134+139+135+136) =134(명)

미리보기 중3

대푯값

자료 전체의 특징을 하나의 수로 나타낸 값

① 평균: 자료의 값의 합을 자료의 수로 나눈 값

② 중앙값: 자료를 크기 순서로 놓을 때 중앙에 위치한 값

③ 최빈값: 자료 중 가장 많이 나타난 값

참고

• (자료의 값의 합) =(평균)×(자료의 수)

• (모르는 자료의 값) =(평균)×(자료의 수) −(나머지 자료의 값의 합)

개념 활용

부분의 평균이 주어졌을 때 전체 평균 구하기

먼저 부분의 합을 구해 전체 자료의 값의 합을 전체 자료의 수로 나눕니다.

예 남학생 2명의 수학 점수의 평균이 80점이고 여학생 3명의 수학 점수의 평균이 75점인 건욱이네 모둠 학생들의 수학 점수의 평균 구하기

⇨ (남학생 2명의 수학 점수의 합) =80×2=160(점)

(여학생 3명의 수학 점수의 합) =75×3=225(점)

(건욱이네 모둠 학생들의 수학 점수의 평균) =(160+225)÷(2+3) =77(점)

1 평균을 2가지 방법으로 구하시오.

10 5 19 12 14

방법 1 평균을 예상하여 자료의 값을 고르게 하기
예상한 평균 (   )

방법 2 자료의 값의 합을 자료의 수로 나누기

2 수현이가 매달 저금한 금액을 나타낸 표입니다. 수현이가 세 달 동안 저금한 금액의 평균은 얼마입니까?

저금한 금액

월	8	9	10
금액(원)	5200	3400	4900

(   )

3 창섭이가 6일 동안 읽은 동화책 쪽수의 평균이 27쪽이 되게 하려고 합니다. 토요일에는 몇 쪽을 읽어야 합니까?

읽은 동화책의 쪽수

요일	월	화	수	목	금	토
쪽수(쪽)	29	30	16	35	14	

(   )

4 가은이네 모둠 5명이 가지고 있는 공책 수는 다음과 같습니다. 공책을 평균보다 더 많이 가지고 있는 사람은 모두 몇 명입니까?

가지고 있는 공책 수

이름	가은	영준	다혜	수빈	은석
공책 수(권)	6	10	9	3	7

(   )

5 현수네 모둠과 은광이네 모둠이 4회까지 넘은 단체 줄넘기 기록입니다. 어느 모둠의 단체 줄넘기 기록의 평균이 더 많습니까?

현수네 모둠	은광이네 모둠
34번, 25번, 13번, 16번	28번, 32번, 18번, 14번

(   )

6 남학생 5명의 100 m 달리기 기록의 평균은 20초, 여학생 5명의 100 m 달리기 기록의 평균은 22초인 지혜네 모둠의 100 m 달리기 기록의 평균은 몇 초입니까?

(   )

2. 일이 일어날 가능성

1 일이 일어날 가능성을 말로 표현하기

- 가능성: 어떠한 상황에서 특정한 일이 일어나길 기대할 수 있는 정도
- 가능성의 정도는 불가능하다, ~아닐 것 같다, 반반이다, ~일 것 같다, 확실하다 등으로 표현할 수 있습니다.

2 일이 일어날 가능성을 비교하기

예 친구들이 말한 일이 일어날 가능성 비교하기

은지: 해가 서쪽에서 뜰 거야. → 해는 동쪽에서 뜨므로 불가능합니다.
지후: 오늘은 수요일이니 내일은 목요일일거야. → 확실합니다.
혁진: 동전을 던지면 숫자 면이 나올 거야. → 동전은 숫자 면과 그림 면으로 되어 있으므로 반반입니다.

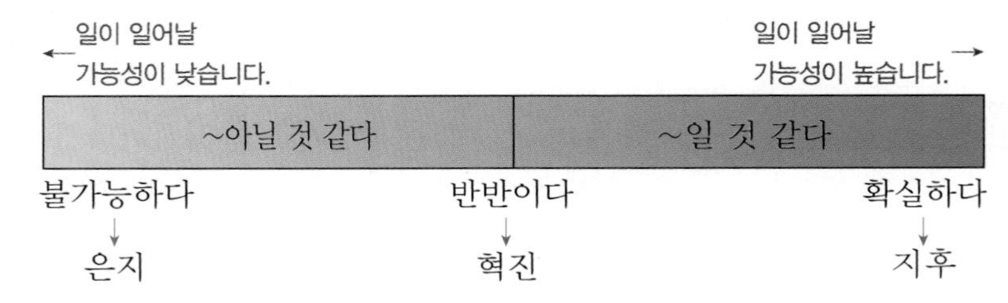

⇨ 친구들이 말한 일이 일어날 가능성이 높은 순서대로 이름을 쓰면 지후, 혁진, 은지입니다.

3 일이 일어날 가능성을 수로 표현하기

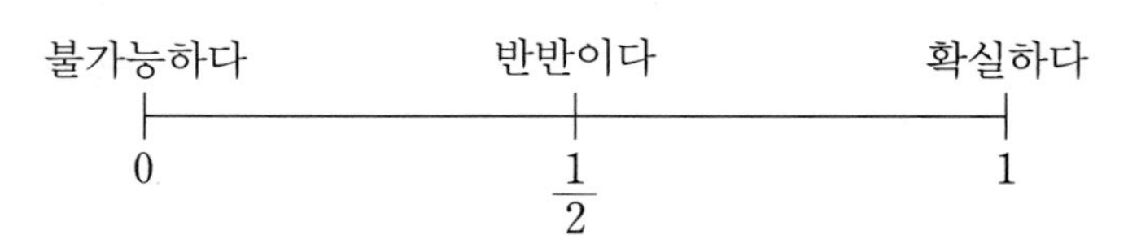

가능성은 0, $\frac{1}{2}$, 1과 같은 수로 표현할 수 있어요.

예 4장의 수 카드 1, 2, 3, 4 중에서 한 장을 뽑을 때 가능성을 0부터 1까지의 수로 표현하기

① 뽑은 카드가 홀수일 가능성

⇨ 홀수는 1, 3 이고 4장 중 2장이므로 가능성을 수로 표현하면 $\frac{1}{2}\left(=\frac{2}{4}\right)$입니다.

② 뽑은 카드가 5 일 가능성

⇨ 5 를 뽑을 수는 없으므로 가능성을 수로 표현하면 0입니다.

미리보기 중2

확률

- 경우의 수: 어떤 일이 일어날 수 있는 경우의 가짓수 또는 방법의 수
- 확률: 모든 경우의 수에 대한 어떤 일이 일어날 경우의 수의 비율

(확률)=(일이 일어날 경우의 수)÷(모든 경우의 수)

참고

일이 일어날 가능성을 0부터 1까지의 수로 표현할 때 가능성이 0, 1인 경우
절대 일어나지 않을 경우의 가능성: 0
반드시 일어날 경우의 가능성: 1

1 일이 일어날 가능성을 찾아 선으로 이어 보시오.

		• 확실하다
2월이 3월보다 빨리 올 것입니다. •		
		• 반반이다
2와 4를 곱하면 10이 될 것입니다. •		
		• 불가능하다

2 일이 일어날 가능성이 높은 순서대로 기호를 쓰시오.

> ㉠ 오후 3시에서 1시간 후에는 오후 5시가 될 것입니다.
> ㉡ 은행에서 뽑은 대기 번호표의 번호는 짝수일 것입니다.
> ㉢ 1부터 6까지 써 있는 주사위를 굴리면 모두 7보다 작은 수가 나올 것입니다.

( )

3 오른쪽 주머니 속에 검은색 공이 4개 있습니다. 공 1개를 꺼낼 때 꺼낸 공이 검은색이 아닐 가능성을 0부터 1까지의 수로 표현하시오.

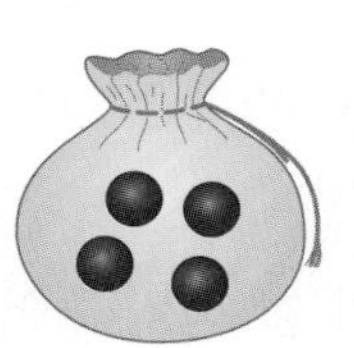

( )

4 연수가 회전판 돌리기를 하고 있습니다. 일이 일어날 가능성이 '불가능하다'이면 0, '반반이다'이면 $\frac{1}{2}$, '확실하다'이면 1로 표현할 때 회전판을 돌려 화살이 노란색에 멈출 가능성을 수직선에 ↓로 나타내시오. (단, 경계선에 멈추는 경우는 생각하지 않습니다.)

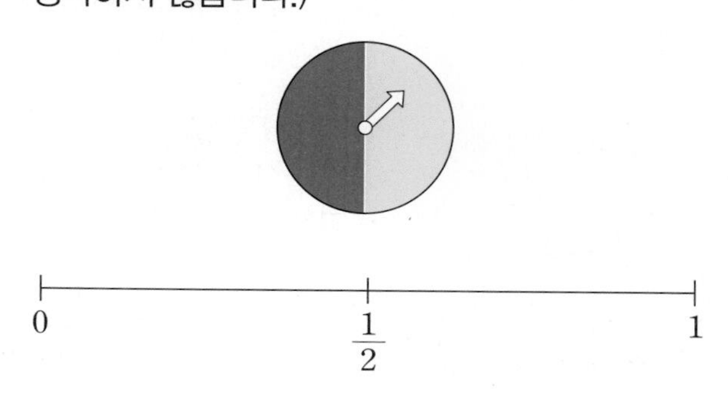

5 다음과 같은 상자 속에서 각각 바둑돌 1개를 꺼낼 때 꺼낸 바둑돌이 흰색일 가능성을 비교하여 ○ 안에 >, =, <를 알맞게 써넣으시오.

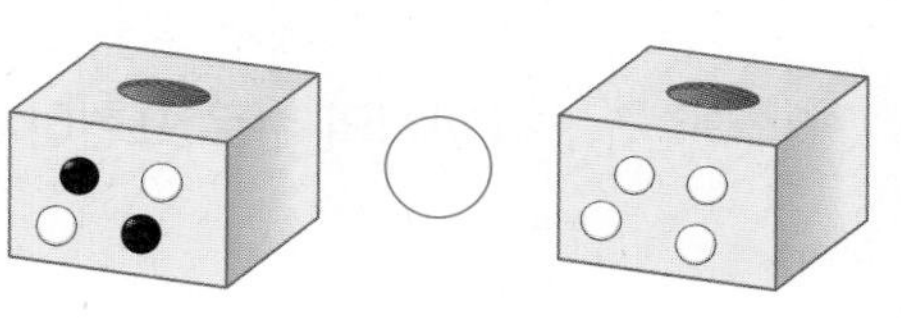

6 주머니 안에 1부터 4까지의 수 카드가 한 장씩 들어 있습니다. 이 중에서 한 장을 꺼낼 때 꺼낸 카드가 2의 배수일 가능성을 0부터 1까지의 수로 표현하시오.

( )

6 평균과 가능성

STEP 2 JUMP 유형

유형 1 일이 일어날 가능성을 수로 표현하는 문제

예제 1-1 상자 안에 크기가 같은 파란색 공이 4개, 초록색 공이 4개 들어 있습니다. 상자에서 공을 한 개 꺼낼 때 꺼낸 공이 초록색일 가능성을 0부터 1까지의 수로 표현하시오.

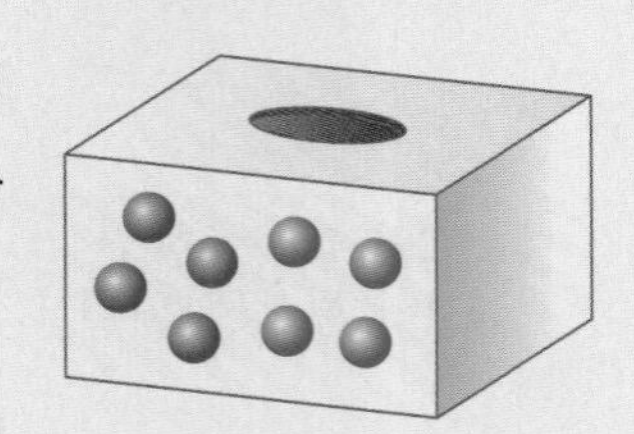

문제해결 Key

일이 일어날 가능성을 수로 표현할 때 '확실하다'이면 '1'로, '반반이다'이면 '$\frac{1}{2}$'로, '불가능하다'이면 '0'으로 표현할 수 있습니다.

풀이

❶ 상자 안에 들어 있는 전체 공의 수 구하기

❷ 상자에서 공을 한 개 꺼낼 때 꺼낸 공이 초록색일 가능성을 수로 표현하기

답

예제 1-2 상자 안에 크기가 같은 검은색 공이 6개, 흰색 공이 6개 들어 있습니다. 상자에서 공을 한 개 꺼낼 때 꺼낸 공이 흰색일 가능성을 0부터 1까지의 수로 표현하시오.

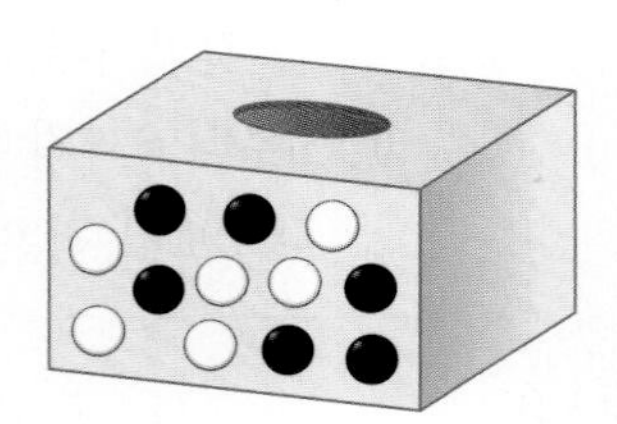

(　　　　　　　　)

응용 1-3 주머니 안에 1부터 10까지의 수 카드가 한 장씩 들어 있습니다. 주머니에서 수 카드 한 장을 꺼낼 때, 꺼낸 카드가 10보다 큰 수일 가능성을 0부터 1까지의 수로 표현하시오.

(　　　　　　　　)

유형 2 일이 일어날 가능성을 비교하는 문제

예제 2-1 주머니 안에 바둑돌이 6개 들어 있습니다. 그중에서 4개는 흰색 바둑돌이고 나머지는 검은색 바둑돌입니다. 첫 번째로 재하가 검은색 바둑돌 1개를 꺼냈고, 두 번째로 지호가 검은색 바둑돌 1개를 꺼냈습니다. 세 번째로 은수가 바둑돌 한 개를 꺼내려고 합니다. 흰색과 검은색 바둑돌 중 어떤 색 바둑돌을 꺼낼 가능성이 더 높은지 구하시오. (단, 꺼낸 바둑돌은 다시 넣지 않습니다.)

문제해결 Key

바둑돌 6개 중에서 2개를 꺼내면 남는 바둑돌은 4개입니다.

풀이

❶ 재하와 지호가 꺼낸 후 주머니 안에 남아 있는 흰색 바둑돌과 검은색 바둑돌 수 구하기

❷ 은수가 바둑돌 한 개를 꺼낼 때 꺼낸 바둑돌이 흰색일 가능성과 검은색일 가능성을 각각 0부터 1까지의 수로 표현하기

❸ 흰색과 검은색 바둑돌 중 어떤 색 바둑돌을 꺼낼 가능성이 더 높은지 구하기

답

예제 2-2 상자 안에 크기가 같은 노란색과 초록색 쌓기나무가 각각 3개씩 들어 있습니다. 첫 번째로 성재가 초록색 쌓기나무 2개를 꺼냈고, 두 번째로 민정이가 초록색 쌓기나무 1개를 꺼냈습니다. 세 번째로 진욱이가 쌓기나무 한 개를 꺼내려고 합니다. 노란색과 초록색 쌓기나무 중 어떤 색 쌓기나무를 꺼낼 가능성이 더 높은지 구하시오. (단, 꺼낸 쌓기나무는 다시 넣지 않습니다.)

( )

응용 2-3 주머니 안에 크기가 같은 파란색 구슬 6개, 초록색 구슬 3개, 보라색 구슬 1개가 들어 있습니다. 첫 번째로 일훈이가 파란색 구슬 3개를 꺼냈고, 두 번째로 수호가 보라색 구슬 1개를 꺼냈습니다. 세 번째로 민지가 구슬 한 개를 꺼내려고 합니다. 파란색, 초록색, 보라색 구슬 중 어떤 색 구슬을 꺼낼 가능성이 가장 낮은지 구하시오. (단, 꺼낸 구슬은 다시 넣지 않습니다.)

( )

유형 3 평균이 같은 경우 모르는 자료의 값을 구하는 문제

예제 3-1 성재와 민호의 윗몸 말아 올리기 기록을 나타낸 표입니다. 두 사람의 윗몸 말아 올리기 기록의 평균이 같을 때 민호는 3회에 윗몸 말아 올리기를 몇 번 했습니까?

성재의 윗몸 말아 올리기 기록

회	1회	2회	3회	4회
기록(번)	42	88	56	62

민호의 윗몸 말아 올리기 기록

회	1회	2회	3회	4회	5회
기록(번)	39	48		79	57

문제해결 Key

(민호의 윗몸 말아 올리기 기록의 합)
=(성재의 윗몸 말아 올리기 기록의 평균)×(민호가 윗몸 말아 올리기를 한 횟수)

풀이

❶ 성재의 윗몸 말아 올리기 기록의 평균 구하기

❷ 민호의 윗몸 말아 올리기 기록의 합 구하기

❸ 민호의 3회의 윗몸 말아 올리기 기록 구하기

답

예제 3-2 은광이와 창섭이의 제기차기 기록을 나타낸 표입니다. 두 사람의 제기차기 기록의 평균이 같을 때 은광이는 5회에 제기차기를 몇 개 했습니까?

은광이의 제기차기 기록

회	1회	2회	3회	4회	5회
기록(개)	20	32	28	40	

창섭이의 제기차기 기록

회	1회	2회	3회	4회
기록(개)	29	33	36	38

( )

응용 3-3 현수네 모둠과 민혁이네 모둠 학생들이 자전거를 탄 시간을 나타낸 것입니다. 두 모둠의 자전거를 탄 시간의 평균이 같을 때 두 모둠에서 자전거를 1시간 이상 탄 학생은 모두 몇 명입니까?

현수네 모둠

55분 50분 □분 65분

민혁이네 모둠

67분 46분 50분 57분 70분

( )

유형 4 평균을 이용한 두 자료의 값을 구하는 문제

예제 4-1 현우네 모둠의 몸무게를 나타낸 표입니다. 다섯 명의 몸무게의 평균이 45.4 kg일 때 창민이와 은성이의 몸무게는 각각 몇 kg입니까?

현우네 모둠의 몸무게

이름	현우	창민	은성	현식	동근
몸무게(kg)	46	5■	●9	36	42

문제해결 Key

(자료의 값의 합)
=(평균)×(자료의 수)

풀이

❶ 다섯 명의 몸무게의 합 구하기

❷ 창민이와 은성이의 몸무게의 합 구하기

❸ 창민이와 은성이의 몸무게 각각 구하기

답 창민:

은성:

예제 4-2 도현이가 넘은 줄넘기 기록을 나타낸 표입니다. 도현이가 넘은 줄넘기 기록의 평균이 72번일 때 3회와 5회에 각각 몇 번 넘었습니까?

줄넘기 기록

회	1회	2회	3회	4회	5회
줄넘기(번)	54	63	7▲	88	★0

3회 ( )

5회 ( )

유형 5 평균을 이용한 조건에 맞는 자료의 값을 구하는 문제

예제 **5-1** 건우네 모둠이 가지고 있는 딱지 수를 나타낸 표입니다. 딱지 수의 평균이 20장 이상이 되려면 해영이는 몇 장 이상 가지고 있어야 합니까?

건우네 모둠이 가지고 있는 딱지 수

이름	건우	민재	수현	동욱	현지	해영
딱지 수(장)	26	28	15	19	21	

문제해결 Key

(자료의 값의 합)
=(평균)×(자료의 수)

풀이

❶ 딱지 수의 평균이 20장이 되려면 6명의 딱지 수의 합이 몇 장이어야 하는지 구하기

❷ 5명의 딱지 수의 합 구하기

❸ 해영이는 딱지를 몇 장 이상 가지고 있어야 하는지 구하기

답

예제 **5-2** 일주일 동안 어느 미술관의 입장객 수를 나타낸 표입니다. 입장객 수의 평균이 125명 미만이라면 토요일에 입장한 사람은 몇 명 미만이어야 합니까?

미술관의 입장객 수

요일	월	화	수	목	금	토	일
입장객 수(명)	95	90	102	110	132		204

( )

응용 **5-3** 은이네 모둠과 승주네 모둠이 한 달 동안 읽은 책의 수를 나타낸 표입니다. 승주네 모둠이 읽은 책의 수의 평균이 은이네 모둠이 읽은 책의 수의 평균보다 2권 이상 많다면 재한이는 적어도 몇 권을 읽었습니까?

은이네 모둠이 읽은 책의 수

이름	은이	해수	지원	민지	일우
책의 수(권)	5	9	7	3	6

승주네 모둠이 읽은 책의 수

이름	승주	은탁	세연	수아	재한
책의 수(권)	6	9	10	8	

( )

유형 6 평균을 이용하여 그림그래프를 완성하는 문제

예제 6-1 오른쪽은 어느 해의 도별 기르는 닭의 수를 나타낸 그림그래프입니다. 8개의 도별 기르는 닭의 수의 평균이 2575000마리이고 경상북도의 닭의 수는 강원도의 닭의 수보다 290만 마리 더 많을 때 그림그래프를 완성하시오.

도별 기르는 닭의 수

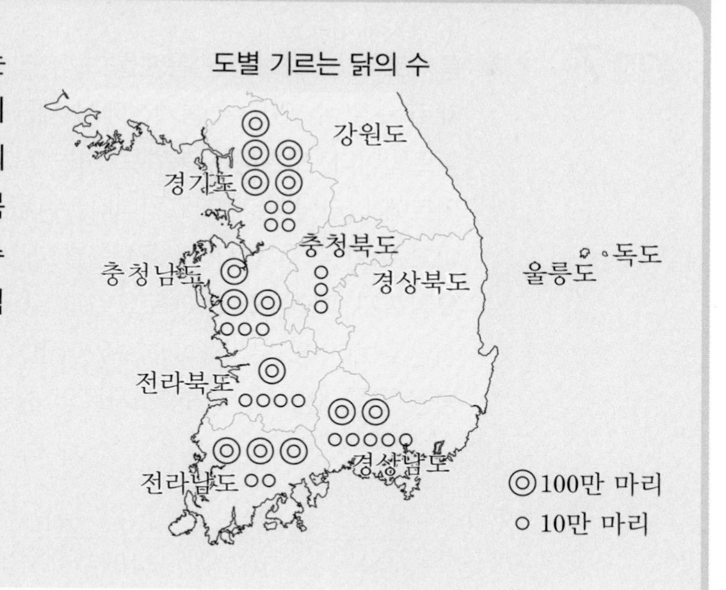

문제해결 Key

모르는 값이 2개인 경우 기준이 되는 것을 □라 놓고 식을 세웁니다.

풀이

❶ 도별 기르는 닭의 수의 합 구하기

❷ 경상북도와 강원도의 닭의 수의 합 구하기

❸ 경상북도와 강원도의 닭의 수 구하기

❹ 그림그래프 완성하기

예제 6-2 오른쪽은 어느 어촌의 연도별 어획량을 나타낸 그림그래프입니다. 2018년의 어획량은 2017년보다 13만 톤 적습니다. 2015년부터 2018년까지 어획량의 평균이 31.25만 톤일 때 그림그래프를 완성하시오.

연도별 어획량

연도(년)	어획량
2015	▣▣□□□□□
2016	▣▣▣□□□
2017	
2018	

▣ 10만 톤
□ 1만 톤

창의·융합 **유형 7 평균을 활용한 문제**

예제 7-1 [수학 + 사회]

*통계로 보는 자화상은 통계를 보다 친숙한 존재로 느낄 수 있도록 통계청에서 제공하는 사이트입니다. 오른쪽은 통계로 보는 자화상 사이트에 나타난 통계 자료입니다. 수아는 12살이고 이번 주 TV시청 시간은 월요일부터 금요일까지 지난주와 같고 토요일과 일요일에는 지난주보다 35분씩 적게 보았다면 이번 주 평균 TV시청 시간과 통계 자료의 하루평균 TV시청 시간의 차는 몇 분입니까?

ㅁ시간활용
초등 여학생의 하루평균 생활시간은 수면 7시간 57분, 학습시간 중 정규수업 4시간 57분, 여가활동 3시간 34분(TV 시청 1시간 11분 포함) 등입니다.
* 2014년 기준

지난주 수아의 TV시청 시간

요일	월	화	수	목	금	토	일
시간	40분	40분	40분	40분	40분	3시간	3시간

문제해결 Key

(TV시청 시간의 평균)
=(TV시청 시간의 합)
÷(날수)

*통계로 보는 자화상: 남녀노소 누구나 자신의 성별, 나이, 키, 몸무게, 혼인여부, 교육 정도에 대한 개인 정보를 입력하면 자신과 동일 연령대의 평균 키와 평균 몸무게와의 차이, 인구, 수면 시간, 결혼 적령기, 스트레스 인지도, 비만도 등에 관한 통계 정보를 알려줍니다. 다만, 4개월에 한 번씩 설문 문항이 변경됩니다.

풀이

❶ 이번 주 TV시청 시간의 합 구하기

❷ 이번 주 TV시청 시간의 평균 구하기

❸ 이번 주 평균 TV시청 시간과 통계 자료의 하루평균 TV시청 시간의 차 구하기

답

응용 7-2 [수학 + 사회]

6월, 7월에 많이 내리는 비를 장마라고 합니다. 장마철 습기 제거를 위해 사용하는 제습기는 실내의 습기를 제거해 쾌적한 실내환경을 만들어주는 기구입니다. 다음은 어느 회사의 대리점별 5월에 판매한 제습기 수를 나타낸 표입니다. 6월에는 대리점 4곳의 판매량의 평균이 5월의 판매량의 평균보다 20대 많게 하려고 합니다. 6월에 대리점 4곳의 총 판매량은 몇 대가 되어야 합니까?

5월에 판매한 제습기 수

대리점	가	나	다	라
판매량(대)	580	270	900	410

(　　　　　　　　　　)

STEP 3 MASTER 심화

문제 풀이 동영상

유형 ① 일이 일어날 가능성을 수로 표현하는 문제

01 수빈이가 구슬 8개가 들어 있는 주머니에서 1개 이상의 구슬을 한 번에 꺼낼 때, 꺼낸 구슬의 개수가 홀수일 가능성을 0부터 1까지의 수로 표현하시오.

( )

창의 융합

[수학+사회]

02 인구주택총조사는 우리나라의 모든 사람과 주택의 규모 및 그 특징을 파악하기 위한 국가기본통계조사입니다. 다음은 2017년도 도별 인구를 조사한 통계청 자료를 보고 어림하여 나타낸 그림그래프입니다. 8개 도의 인구의 평균이 348.75만 명일 때 경상북도의 인구는 몇만 명입니까?

도별 인구

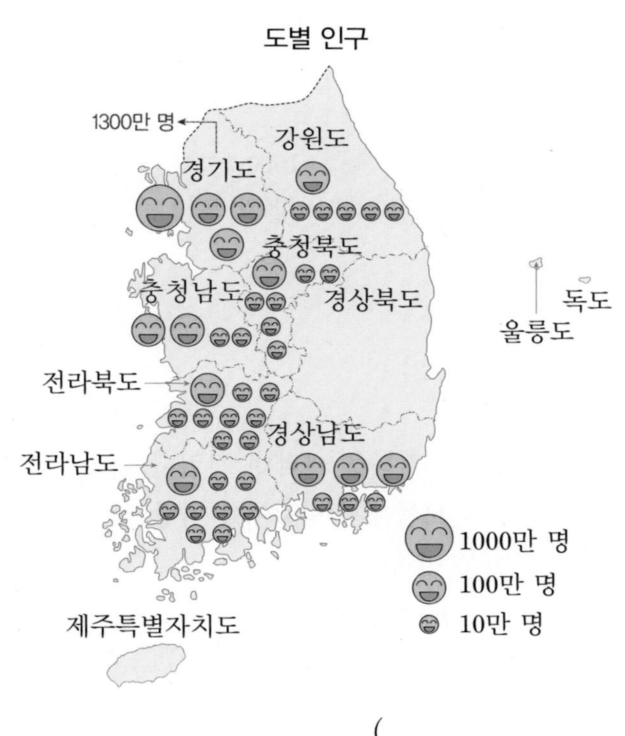

( )

6 평균과 가능성

유형 ② 일이 일어날 가능성을 비교하는 문제

03 일이 일어날 가능성이 높은 순서대로 기호를 쓰시오.

㉠ 검은색 바둑돌 4개가 있는 주머니에서 흰색 바둑돌을 꺼낼 가능성
㉡ 검은색 바둑돌 2개와 흰색 바둑돌 2개가 있는 주머니에서 검은색 바둑돌을 꺼낼 가능성
㉢ 검은색 바둑돌 4개가 있는 주머니에서 검은색 바둑돌을 꺼낼 가능성

( )

유형 ⑥ 평균을 이용하여 그림그래프를 완성하는 문제

04 지역별 쌀 소비량을 나타낸 그림그래프입니다. 라 지역의 쌀 소비량은 가, 나, 다 지역의 쌀 소비량의 평균보다 500가마니 많습니다. 라 지역의 쌀 소비량은 몇 가마니입니까?

지역별 쌀 소비량

지역	소비량
가	
나	
다	
라	

1000가마니
100가마니

( )

유형 ③ 평균이 같은 경우 모르는 자료의 값을 구하는 문제

05 기준이네 모둠과 지성이네 모둠 학생들의 턱걸이 기록을 나타낸 것입니다. 두 모둠의 턱걸이 기록의 평균이 같을 때 두 모둠에서 턱걸이를 가장 많이 한 사람과 가장 적게 한 사람의 기록의 합은 몇 번입니까?

기준이네 모둠

10번 14번 17번 18번 21번

지성이네 모둠

16번 11번 13번 □번

( )

06 어느 동호회에 회원이 58명 있고 평균 나이는 38살입니다. 이번에 신입 회원 4명이 들어와서 회원 전체의 평균 나이가 40살이 되었습니다. 신입 회원 4명의 평균 나이는 몇 살입니까?

( )

07 넓이가 360 m^2인 밭이 있습니다. 이 밭에서 고구마를 캐는 데 첫날은 4명이 6시간씩 일을 하고 다음날은 6명이 8시간씩 일을 해서 모두 끝냈습니다. 한 사람이 한 시간 동안 몇 m^2의 밭에서 고구마를 캔 셈입니까? (단, 밭에 고구마가 일정하게 심어져 있고 한 사람이 한 시간 동안 하는 일의 양은 일정합니다.)

( )

08 다음을 보고 민주, 영은, 지혁 세 사람의 몸무게의 평균은 몇 kg인지 구하시오.

민주와 영은이의 몸무게의 평균	43 kg
영은이와 지혁이의 몸무게의 평균	42.5 kg
민주와 지혁이의 몸무게의 평균	40.5 kg

( )

성대 경시 유형 유형 5 평균을 이용한 조건에 맞는 자료의 값을 구하는 문제

09 창섭이네 반 학생들이 5번씩 공 던지기를 합니다. 창섭이를 제외한 학생들 중 기록이 가장 좋은 학생의 평균 기록은 53.06 m였습니다. 창섭이가 4번까지 던졌을 때의 평균이 52.84 m일 때 창섭이의 평균 기록이 가장 좋으려면 5번째 기록이 50 m보다 적어도 몇 m 초과되게 더 멀리 던져야 합니까?

( )

유형 4 평균을 이용한 두 자료의 값을 구하는 문제

10 서연이네 모둠의 몸무게를 나타낸 표입니다. 몸무게의 평균이 39 kg일 때 가장 무거운 학생과 가장 가벼운 학생의 몸무게의 차는 몇 kg입니까?

서연이네 모둠의 몸무게

이름	서연	선우	수호	가은	민재	지아
몸무게(kg)	■8	42	40	37	4▲	36

( )

유형 5 평균을 이용한 조건에 맞는 자료의 값을 구하는 문제

11 현식이의 수학 단원평가 점수를 나타낸 표입니다. 5회까지의 점수의 평균을 4회까지의 점수의 평균보다 적어도 2점 이상 높이려고 합니다. 3회까지의 점수의 평균이 84점이라면 5회에서는 최소 몇 점을 받아야 합니까?

수학 단원평가 점수

회	1회	2회	3회	4회
점수(점)	90	88		80

( )

12 민혁이의 어느 달의 봉사활동 시간은 76시간인데 잘못하여 52시간으로 계산하였더니 월 봉사활동 시간의 평균이 84시간이 되었습니다. 실제 민혁이의 월 봉사활동 시간의 평균이 96시간일 때 민혁이는 봉사활동을 몇 개월 동안 하였습니까?

( )

13 다음은 어린이 합창단 오디션에 나간 수현이 점수의 평균을 나타낸 표입니다. 심사위원에게 받은 가장 높은 점수가 26점일 때, 어린이 합창단 오디션의 심사위원은 모두 몇 명입니까?

수현이 점수의 평균

	전체 점수의 평균	가장 높은 점수를 제외한 점수의 평균
점수(점)	18	16

( )

고대 경시 유형

14 은광이네 모둠 5명이 시험을 보았습니다. 보기 를 보고 현식이의 점수는 몇 점인지 구하시오.

보기

- 5명의 점수의 평균은 84점입니다.
- 5명 중 가장 낮은 점수는 72점입니다.
- 성재의 점수는 창섭이보다 낮고 은광이보다 높습니다.
- 창섭이의 점수는 민혁이보다 낮고 성재의 점수는 현식이보다 8점 낮습니다.
- 현식이의 점수는 창섭이와 민혁이 점수의 평균과 같습니다.

( )

6 평균과 가능성

문제 풀이 동영상

창의 융합

01 [수학 + 과학]

우리나라의 2016년 평균 기온은 평년보다 1.1 ℃ 높았고 특히 7월 후반부터 8월까지 북태평양고기압 및 중국 대륙에서 발달한 고기압의 영향으로 기온이 큰 폭으로 상승, 지속되면서 폭염 및 *열대야가 연일 발생됐습니다. 다음은 2016년의 가장 더웠던 8월 첫째 주 서울의 최고기온을 나타낸 표입니다. 5일은 가장 더운 날이었고 6일의 최고기온은 5일과 7일의 최고기온의 평균이었습니다. 8월 첫째 주 최고기온의 평균이 34 ℃일 때 8월 1일의 최고기온은 몇 ℃입니까?

→지난 30년간의 기후의 평균적 상태

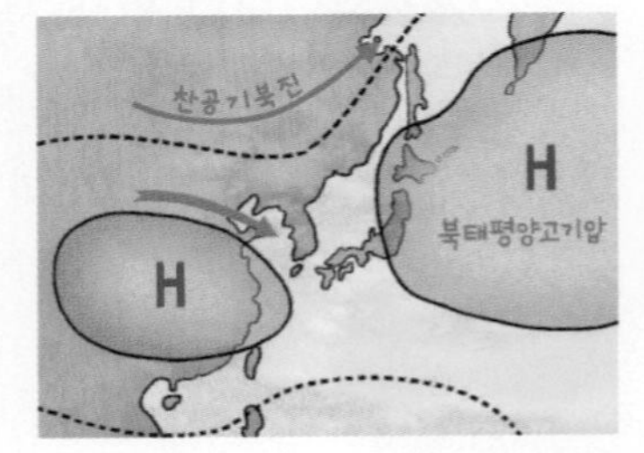

*열대야: 한여름의 밤에 제일 낮은 기온이 25 ℃ 이상인 무더위로 잠들기 어려운 밤

8월 첫째 주 최고기온

날짜(일)	1	2	3	4	5	6	7
최고기온(℃)		31	34	35		35	34

( )

02 다음은 여객선별 태울 수 있는 사람 수를 나타낸 그림그래프입니다. 한 여객선에 태울 수 있는 사람 수의 평균은 4425명이고 나 여객선에 태울 수 있는 사람 수는 다 여객선에 태울 수 있는 사람 수의 2배입니다. 태울 수 있는 사람 수가 많은 여객선부터 차례로 기호를 쓰시오.

여객선별 태울 수 있는 사람 수

여객선	사람 수	여객선	사람 수
가		다	
나		라	

1000명
100명

( )

해법 경시 유형

03 어떤 시험에 200명이 응시하여 140명이 합격했습니다. 합격한 사람의 점수의 평균과 불합격한 사람의 점수의 평균의 차가 9.5점이고, 200명 전체의 점수의 평균이 71.15점일 때, 합격한 사람의 점수의 평균은 몇 점입니까?

( )

성대 경시 유형

04 다음은 건우의 1단원부터 6단원까지의 단원평가 점수를 낮은 것부터 차례로 늘어놓은 것입니다. 건우가 1단원부터 6단원까지 차례로 시험을 볼 때마다 1단원부터 시험을 본 단원까지의 점수의 평균이 항상 자연수가 되었습니다. 6단원의 점수는 몇 점입니까?

건우의 단원평가 점수

72점 79점 84점 88점 90점 91점

( )

05 성재네 반 학생 25명이 세 문제짜리 시험을 보고 시험 점수에 따른 학생 수를 나타낸 표입니다. 1번은 2점, 2번은 3점, 3번은 5점이고 성재네 반 점수의 평균은 5.6점이었습니다. 2번을 맞힌 학생이 15명일 때 3번을 맞힌 학생은 몇 명입니까?

시험 점수

점수(점)	0	2	3	5	7	8	10
학생 수(명)		1	1	11	4		2

( )

생각하기

평균의 함정

일반적으로 통계에서는 자료를 대표하는 대푯값을 중요시합니다. 평균은 이러한 자료를 표현하는 대푯값 중의 하나입니다. 때문에 평균은 전체 집단의 수준이나 정도를 손쉽게 나타낼 수 있는 좋은 방법입니다. 만약에 100만 개의 자료가 있다고 가정할 때 100만 개의 자료를 하나씩 확인하는 것은 많은 시간과 노력을 필요로 하지만 하나의 값을 통해 100만 개의 자료를 대표해서 표현할 수 있다면 많은 시간과 노력을 줄일 수 있습니다.

그러나 어떤 자료를 조사하여 실행에 옮길 때 평균에만 의지하기에는 위험한 면이 많습니다.

다음은 평균이 잘못 쓰인 경우입니다.

100명의 병사들이 강을 건너려고 합니다. 병사들의 키는 모두 165 cm 이상, 강의 평균 수심은 140 cm입니다. 병사들이 모두 강을 건널 수 있다고 생각했지만 강을 건너다 70명의 병사가 빠졌습니다.

왜 모든 병사들이 강을 건널 수 없었을까요?
바로 평균값만 생각했기 때문입니다. 강의 평균 수심이 140 cm라고 하여 모든 곳이 140 cm인 것은 아니지요. 강의 수심은 평균 140 cm이므로 140 cm보다 얕은 곳도 있고 140 cm보다 깊은 곳도 있음을 간과한 것입니다.
이렇게 평균값이라고 하면 무조건 균일한 것으로 생각하는 오류를 범할 수 있습니다.

초등 수학 라인업

난이도

최상

최강 TOT

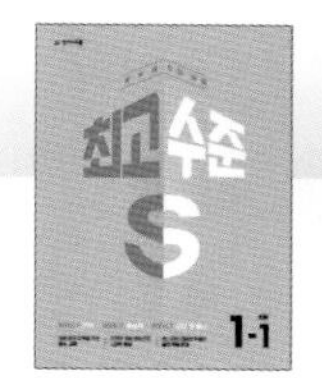
최고 수준 S

최고 수준

심화

초등 문해력
독해가 힘이다
[문장제 수학편]

수학도
독해가 힘이다

일등전략

응용 해결의 법칙

유형

수학 전략

유형 해결의 법칙

우등생 해법수학

개념

개념클릭

개념 해결의 법칙

똑똑한 하루 시리즈 [수학/계산/도형/사고력]

기초
연산

계산박사

빅터연산

최하

수학 단원평가

해법수학
경시대회 기출문제

해법 예비 중학
신입생 수학

상위권 실력 완성
최고수준

꼼꼼 풀이집

상위권 실력 완성

최고수준

초등수학

5-2

천재교육

상위권 실력 완성
최고수준

스피드 정답표

1 수의 범위와 어림하기

STEP 1 START 개념 6~9쪽

1. 수의 범위 7쪽

1 ②, ⑤ **2** 선우

3 35 36 37 38 39 40 41

4 7개 **5** ㉠, ㉢

6 윤성, 동현

2. 어림 알아보기 9쪽

1 4800, 5000 ; 50500, 50000

2 ①, ⑤ **3** >

4 3400 **5** 6000원, 550원

6 10개

STEP 2 JUMP 유형 10~19쪽

1-1 ❶ 예 버스 요금은 주아가 4800원, 동생이 3400원, 아버지가 6800원, 어머니가 6800원입니다.
❷ 예 (주아네 가족 4명의 버스 요금)
$=4800+3400+6800\times2=21800$(원)
; 21800원

1-2 226000원

2-1 ❶ 38, 39, 40, 41, 42, 43, 44
❷ 예 ㉠ 미만인 수에는 ㉠이 포함되지 않으므로 ㉠에 알맞은 자연수는 44보다 1 큰 수인 45입니다.
; 45

2-2 54 **2-3** 46

3-1 ❶ 예 $57\div3=19$ (cm)
❷ 예 $78\div3=26$ (cm)
❸ 예 한 변의 길이의 범위는 19 cm 초과 26 cm 이하입니다.
; 19 cm 초과 26 cm 이하

3-2 12 cm 이상 19 cm 미만

3-3 169명 이상 180명 이하

4-1 ❶ 28, 30
❷ 예 28 이상 30 이하인 자연수: 28, 29, 30
; 28, 29, 30

4-2 36, 37 **4-3** 26명, 27명

5-1 ❶ 예 $500\times20+100\times35+10\times17=13670$(원)
❷ 예 13670을 버림하여 천의 자리까지 나타내면 13670 → 13000이므로 13000원까지 바꿀 수 있습니다.
⇨ 1000원짜리 지폐로 최대 $13000\div1000=13$(장)까지 바꿀 수 있습니다.
; 13장

5-2 29장 **5-3** 22장

6-1 ❶ 예 528을 버림하여 십의 자리까지 나타내면 528 → 520이므로 팔 수 있는 감자는 최대 520 kg, 즉 최대 10 kg씩 52상자입니다.
❷ 예 $15000\times52=780000$(원)
; 780000원

6-2 425000원 **6-3** 384000원

7-1 ❶ 351, 354, 357, 371, 374, 375
❷ 413, 415, 417 ❸ 예 $6+3=9$(개)
; 9개

7-2 9개 **7-3** 456, 461, 463

8-1 ❶ 850, 840, 830, 830, 840
❷
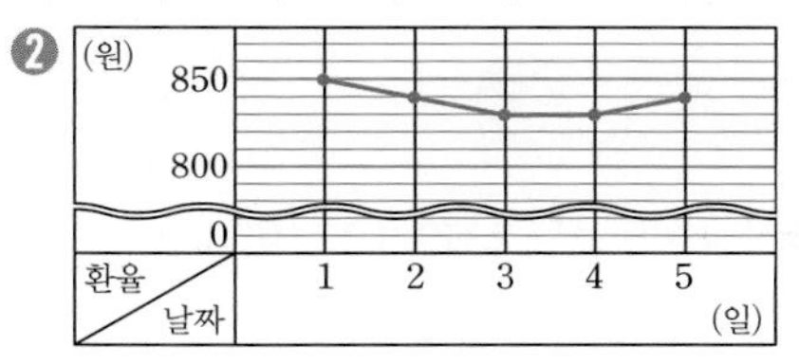

8-2
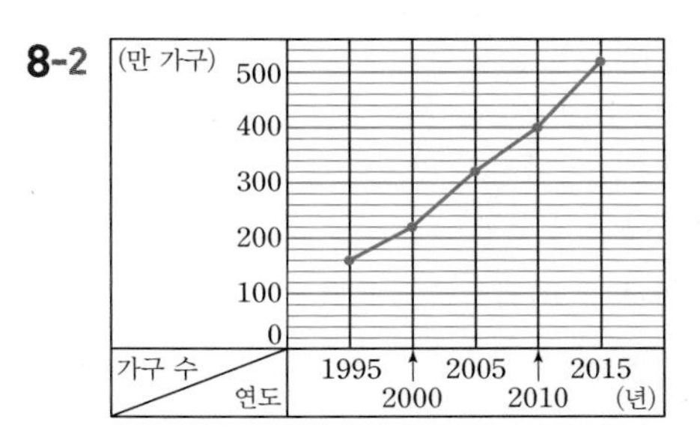

9-1 ❶ 예 3190 초과 3200 이하인 수
❷ 예 어떤 자연수가 될 수 있는 가장 큰 수는 3200이고, 가장 작은 수는 3191이므로 합은 $3200+3191=6391$입니다.
; 6391

9-2 99 **9-3** 2445, 2446, 2447, 2448, 2449

9-4 5600

10-1 ❶ 예 소수 첫째 자리 숫자는 3이고, 소수 둘째 자리 숫자는 6이므로 오존 농도는 0.36 ppm입니다.

❷ 예 0.36 ppm은 0.3 ppm 이상 0.5 ppm 미만에 속하므로 발령된 경보 단계는 오존 경보입니다.
; 오존 경보

10-2 과체중

STEP 3 MASTER 심화 20~25쪽

01 700 **02** 22 초과인 수 **03** 8개

04 (수직선: 1990, 2000, 2010)

05 ㉢ **06** 87점 이상

07 0, 1, 2, 3, 4 **08** 134상자

09 525 이상 595 미만인 수 **10** 86

11 37명 **12** 41200원

13 40130 **14** 4개

15 1661명 이상 1670명 이하, 1571명 이상 1580명 이하

16 300개 **17** 320명 초과 325명 미만

18 ㉯ 문구점, 2600원

STEP 4 TOP 최고수준 26~27쪽

01 8명 이상 19명 미만 **02** 1374999명

03 24개 **04** 13가지

05 15800원 이상 16200원 이하

2 분수의 곱셈

STEP 1 START 개념 30~35쪽

1. 분수와 자연수의 곱셈 31쪽

1 $10\times\frac{4}{5}$, $10\times\frac{3}{4}$에 ○표 **2** ㉡, $5\frac{1}{2}$

3 $14\frac{1}{2}$ cm **4** ㉠, ㉢, ㉡

5 $46\frac{3}{4}$ kg **6** 선우

2. 진분수의 곱셈 33쪽

1 <

2 방법 1 예 $\frac{4}{5}\times\frac{3}{8}=\frac{4\times3}{5\times8}=\frac{\overset{3}{\cancel{12}}}{\underset{10}{\cancel{40}}}=\frac{3}{10}$

방법 2 예 $\frac{4}{5}\times\frac{3}{8}=\frac{\overset{1}{\cancel{4}}\times3}{5\times\underset{2}{\cancel{8}}}=\frac{3}{10}$

3 ㉡ **4** $\frac{9}{25}$ m

5 $\frac{1}{20}$ **6** $\frac{1}{7}$

3. 대분수의 곱셈 35쪽

1 $7\frac{1}{2}$

2 예 대분수를 가분수로 나타내지 않고, 약분하여 계산하였습니다. ;
예 $1\frac{4}{9}\times2\frac{1}{2}=\frac{13}{9}\times\frac{5}{2}=\frac{65}{18}=3\frac{11}{18}$

3 ㉡ **4** $11\frac{5}{7}$ kg

5 $20\frac{1}{4}$ cm^2 **6** $6\frac{7}{18}$ cm^2

STEP 2 JUMP 유형 36~43쪽

1-1 ❶ 예 $\frac{5}{\underset{3}{\cancel{18}}}\times\frac{\overset{1}{\cancel{6}}}{7}=\frac{5}{21}$

❷ 예 $\frac{5}{21}>\frac{\square}{21}$ ⇨ $\square=1, 2, 3, 4$

; 1, 2, 3, 4

1-2 1, 2, 3

1-3 3, 4, 5

2-1 ❶ 예 $\left(3\frac{3}{4}-1\frac{1}{2}\right)\times\frac{1}{3}=2\frac{1}{4}\times\frac{1}{3}$
$=\frac{\overset{3}{\cancel{9}}}{4}\times\frac{1}{\underset{1}{\cancel{3}}}=\frac{3}{4}$

❷ 예 $\square=1\frac{1}{2}+\frac{3}{4}=1\frac{2}{4}+\frac{3}{4}=1\frac{5}{4}=2\frac{1}{4}$

; $2\frac{1}{4}$

2-2 $2\frac{11}{24}$

2-3 $3\frac{7}{60}$

3-1 ❶ 예 4분 16초$=4\frac{16}{60}$분$=4\frac{4}{15}$분

❷ 예 $1\frac{3}{4}-\frac{3}{8}=1\frac{6}{8}-\frac{3}{8}=1\frac{3}{8}$ (L)

❸ 예 $1\frac{3}{8}\times 4\frac{4}{15}=\frac{11}{\underset{1}{\cancel{8}}}\times\frac{\overset{8}{\cancel{64}}}{15}=\frac{88}{15}=5\frac{13}{15}$ (L)

; $5\frac{13}{15}$ L

3-2 $18\frac{2}{3}$ L　　**3-3** 108 km

4-1 ❶ 예 $\overset{8}{\cancel{24}}\times\frac{2}{\underset{1}{\cancel{3}}}=16$ (m)

❷ 예 $16\times\frac{2}{3}=\frac{32}{3}=10\frac{2}{3}$ (m)

; $10\frac{2}{3}$ m

4-2 $22\frac{1}{2}$ m　　**4-3** $58\frac{4}{5}$ m

5-1 ❶ 예 자연수 부분에 가장 큰 수인 6을 놓고 나머지 수 카드로 진분수를 만들면 $6\frac{2}{5}$입니다.

❷ 예 자연수 부분에 가장 작은 수인 1을 놓고 나머지 수 카드로 진분수를 만들면 $1\frac{2}{3}$입니다.

❸ 예 (가장 큰 대분수)×(가장 작은 대분수)

$=6\frac{2}{5}\times 1\frac{2}{3}=\frac{32}{\underset{1}{\cancel{5}}}\times\frac{\overset{1}{\cancel{5}}}{3}=\frac{32}{3}=10\frac{2}{3}$

; $10\frac{2}{3}$

5-2 17　　**5-3** $5\frac{7}{8}\times 3$; $17\frac{5}{8}$

6-1 ❶ 예 $\left(1-\frac{2}{5}\right)\times\left(1-\frac{2}{3}\right)=\frac{\overset{1}{\cancel{3}}}{5}\times\frac{1}{\underset{1}{\cancel{3}}}=\frac{1}{5}$

❷ 예 $\overset{1000}{\cancel{5000}}\times\frac{1}{\underset{1}{\cancel{5}}}=1000$(원)

; 1000원

6-2 60쪽　　**6-3** 20 m

7-1 ❶ 예 $1\frac{3}{5}\times 2\frac{6}{7}\times\frac{7}{\square}=\frac{8}{\underset{1}{\cancel{5}}}\times\frac{\overset{4}{\cancel{20}}}{\underset{1}{\cancel{7}}}\times\frac{\overset{1}{\cancel{7}}}{\square}=\frac{32}{\square}$

❷ 예 $\frac{32}{\square}$가 자연수가 되려면 □ 안에 들어갈 수 있는 자연수는 32의 약수인 1, 2, 4, 8, 16, 32입니다.

⇨ $\frac{7}{\square}$이 진분수이므로 □ 안에 들어갈 수 있는 자연수는 7보다 큰 8, 16, 32입니다.

; 8, 16, 32

7-2 5　　**7-3** $7\frac{1}{3}$

8-1 ❶ 예 $2500\times 200=500000$(원)

❷ 예 (자동차세)$\times\frac{10}{100}=\overset{5000}{\cancel{500000}}\times\frac{10}{\underset{1}{\cancel{100}}}$

$=50000$(원)

⇨ $500000-50000=450000$(원)

❸ 예 $\overset{45000}{\cancel{450000}}\times\frac{3}{\underset{1}{\cancel{10}}}=135000$(원)

❹ 예 $450000+135000=585000$(원)

; 585000원

STEP 3 MASTER 심화 44~49쪽

01 $2\frac{1}{4}$　　**02** $\frac{9}{25}$ cm²

03 5　　**04** 45호

05 $9\frac{8}{15}$ km　　**06** 오전 9시 45분

07 $10\frac{3}{40}$ cm　　**08** 70 cm

09 $\frac{1}{101}$　　**10** $3\frac{5}{8}$

11 $29\frac{1}{3}$ km　　**12** $6\frac{1}{4}$ kg

13 194 m　　**14** $\frac{5}{6}$

15 $9\frac{5}{8}\times\frac{2}{3}$; $6\frac{5}{12}$　　**16** $\frac{1}{8}$

17 $\frac{35}{256}$　　**18** 4쌍

STEP 4 TOP 최고수준 50~51쪽

01 $\frac{49}{100}$　　**02** 3시 36분

03 50 m　　**04** 11개

05 18 m　　**06** $7\frac{1}{8}$ L

3 합동과 대칭

STEP 1 START 개념 54~59쪽

1. 도형의 합동과 그 성질 55쪽

1 가와 나, 라와 바
2 ㉡
3 60°
4

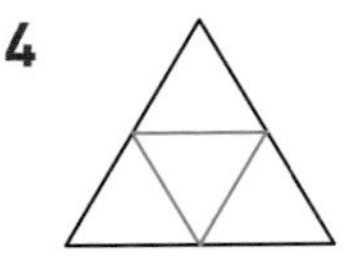

5 13 cm
6 50°

2. 선대칭도형과 그 성질 57쪽

1

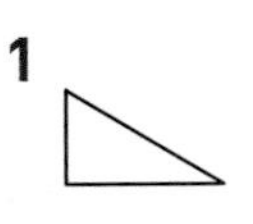
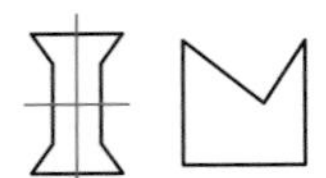
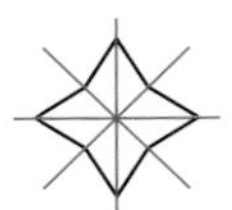

2

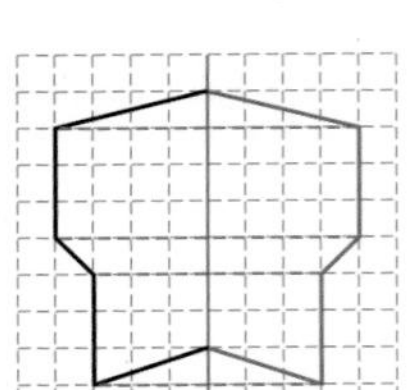

3 15 cm
4 40°
5 25 cm
6 488 cm^2

3. 점대칭도형과 그 성질 59쪽

1 ③, ⑤
2 ㉡
3
4 135°
5 45 cm
6 16 cm

STEP 2 JUMP 유형 60~69쪽

1-1 ❶ 예 (변 ㄱㄷ)=(변 ㄴㅁ)=10 cm
❷ 예 (변 ㄴㄹ)=(변 ㄱㄴ)=8 cm이므로
(변 ㄴㄷ)=8−2=6 (cm)
❸ 예 8+6+10=24 (cm)
; 24 cm

1-2 36 cm
1-3 578 cm^2

2-1 ❶ 예 (각 ㄴㄷㄱ)=(각 ㄹㅁㄱ)이므로
사각형 ㄱㅁㅂㄷ에서
(각 ㄴㄷㄱ)=(360°−90°−140°)÷2=65°
❷ 예 삼각형 ㄱㄴㄷ에서
(각 ㄱㄴㄷ)=180°−90°−65°=25°
; 25°

2-2 64°
2-3 35°

3-1 ❶ 예 한 직선이 이루는 각의 크기는 180°이므로
(각 ㅁㄹㄷ)=180°−55°=125°
❷ 예 (각 ㅁㄱㄴ)=(각 ㅁㄹㄷ)=125°
❸ 예 (각 ㄱㄴㅂ)=(각 ㄹㄷㅂ)이므로
(각 ㄱㄴㅂ)=(360°−125°−125°)÷2=55°
; 55°

3-2 100°
3-3 40°

4-1 ❶ 예 선분 ㄱㅇ과 선분 ㄴㅇ이 원의 반지름으로 길이가 같으므로 삼각형 ㄱㄴㅇ은 이등변삼각형입니다.
⇨ (각 ㅇㄱㄴ)=(각 ㅇㄴㄱ)=52°이므로
(각 ㄱㅇㄴ)=180°−52°−52°=76°
❷ 예 각 ㄷㅇㄹ의 대응각은 각 ㄱㅇㄴ이므로
(각 ㄷㅇㄹ)=(각 ㄱㅇㄴ)=76°
; 76°

4-2 50°
4-3 70°

5-1 ❶
❷ 예 (완성한 점대칭도형의 넓이)
=(삼각형 ㄱㄴㄷ의 넓이)×2
=(7×4÷2)×2=28 (cm^2)
; 28 cm^2

5-2 36 cm^2
5-3 2 cm

6-1 ❶ 예 (①, ③), (②, ④) ⇨ 2쌍
❷ 예 (①+②, ③+④), (①+④, ②+③)
⇨ 2쌍
❸ 예 2+2=4(쌍)
; 4쌍

6-2 5쌍
6-3 7쌍

7-1 ❶

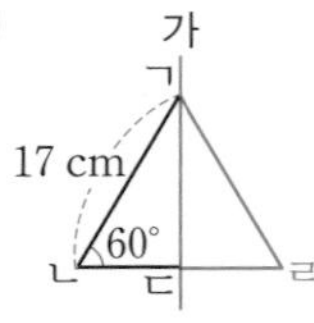

❷ 예 (각 ㄱㄹㄷ)=(각 ㄱㄴㄷ)=60°이고
(각 ㄴㄱㄹ)=180°−60°−60°=60°이므로
삼각형 ㄱㄴㄹ은 정삼각형입니다.
⇨ (완성한 선대칭도형의 둘레)
=17×3=51 (cm)
; 51 cm

7-2 36 cm^2 **7-3** 54 cm

8-1 ❶ 예 (선분 ㄱㅁ)=(선분 ㄹㄴ)=25 cm이고
(선분 ㅁㅅ)=(선분 ㄴㅅ)=7 cm이므로
(변 ㄱㄴ)=25−7−7=11 (cm)
❷ 예 (변 ㄴㄷ)=(변 ㅁㅂ)=18 cm,
(변 ㄷㄹ)=(변 ㅂㄱ)=16 cm,
(변 ㄹㅁ)=(변 ㄱㄴ)=11 cm이므로
(점대칭도형의 둘레)=(11+16+18)×2
=45×2=90 (cm)
; 90 cm

8-2 56 cm **8-3** 140 cm

9-1 ❶ 예 사각형 ㅁㅈㄷㄹ과 사각형 ㅁㅈㅇㅅ은 서로 합동이므로
(각 ㄹㅁㅈ)=(각 ㅅㅁㅈ)
$=(180°-84°)\div 2=48°$
❷ 예 사각형 ㅁㅈㄷㄹ에서
㉠$=360°-48°-90°-90°=132°$
; 132°

9-2 40° **9-3** 10°

10-1 ❶ 선대칭도형: ㉠, ㉡, ㉢, ㉤, ㉥, ㉧
점대칭도형: ㉢, ㉥, ㉦
❷ ㉢, ㉥
; ㉢, ㉥

10-2 2개

STEP
3 MASTER 심화 70~75쪽

01 가 **02** 16 cm
03 146° **04** 4개
05 60° **06** 3 cm
07 302 cm^2 **08** 칠각형
09 8쌍 **10** 120 m
11 12 cm^2 **12** 55 cm
13 90 cm^2 **14** 75°
15 10개 **16** 34°
17 210 cm^2

STEP
4 TOP 최고수준 76~77쪽

01 96° **02** 40 cm
03 근, 늑 **04** 72 cm^2
05 36° **06** 7개, 5개

4 소수의 곱셈

STEP
1 START 개념 80~85쪽

1. 소수와 자연수의 곱셈 81쪽

1 (　)(　)(○)
2 3.6 m
3 예 1.23은 소수 두 자리 수이므로 $\frac{123}{100}$으로 고쳐야 하는데 $\frac{123}{1000}$으로 잘못 고쳐서 계산했습니다. ;
예 $1.23\times 7=\frac{123}{100}\times 7=\frac{861}{100}=8.61$
4 1.7 km
5 23
6 75.6 kg

2. 소수의 곱셈 83쪽

1 = **2** 0.272 m^2
3 7.35 **4** 6.48 cm
5 8, 9 **6** 0.27 L

3. 곱의 소수점 위치 85쪽

1 43, 4.3, 0.43 **2** 334.1, 3341, 33410
3 ㉡ **4** (1) 100 (2) 0.1
5 ㉡ **6** 7230

STEP
2 JUMP 유형 86~93쪽

1-1 ❶ 예 $8.16\times 15=\frac{816}{100}\times 15=\frac{12240}{100}$
$=122.4$
❷ 예 $17\times 9.2=17\times\frac{92}{10}=\frac{1564}{10}=156.4$
❸ 예 8.16×15<□<17×9.2는
122.4<□<156.4이므로 □ 안에 들어갈 수 있는 가장 큰 자연수는 156이고, 가장 작은 자연수는 123입니다.
; 156, 123

1-2 322, 229 **1-3** 49

2-1 ❶ 예 $1.63\times㉠=16.3$
⇨ 1.63에서 소수점을 오른쪽으로 1칸 옮겨야 16.3이 되므로 ㉠=10입니다.
❷ 예 $47.32\times㉡=0.4732$
⇨ 47.32에서 소수점을 왼쪽으로 2칸 옮겨야 0.4732가 되므로 ㉡=0.01입니다.
❸ 예 10은 0.01에서 소수점을 오른쪽으로 3칸 옮긴 수이므로 ㉠은 ㉡의 1000배입니다.
; 1000배

2-2 0.001배 **2-3** 10000배

3-1 ❶ 예 1분 30초$=1\frac{30}{60}$분$=1\frac{5}{10}$분$=1.5$분
❷ 예 (1분 30초 동안 받는 물의 양)
=(1분 동안 나오는 물의 양)×(물을 받는 시간)
$=9.5\times1.5=14.25$ (L)
; 14.25 L

3-2 193.44 km **3-3** 51.051 L

4-1 ❶ 예 $8>5>3>2$이므로 8과 5를 일의 자리에 놓아야 합니다.
❷ 예 $8.3\times5.2=43.16$, $8.2\times5.3=43.46$
❸ 예 $43.16<43.46$이므로 곱이 가장 클 때의 곱은 43.46입니다.
; 43.46

4-2 0.069 **4-3** 39.493

5-1 ❶ 예 $(9.5+15.5)\times5.6\div2=25\times5.6\div2$
$=70\ (cm^2)$
❷ 예 $15.5\times12\div2=93\ (cm^2)$
❸ 예 (도형의 넓이)
=(사다리꼴의 넓이)+(삼각형의 넓이)
$=70+93=163\ (cm^2)$
; 163 cm^2

5-2 832.36 cm^2 **5-3** 54 cm^2

6-1 ❶ 예 $8\times0.75=6$ (m)
❷ 예 $6\times0.75=4.5$ (m)
❸ 예 $4.5\times0.75=3.375$ (m)
; 3.375 m

6-2 3.92 m **6-3** 497.4 cm

7-1 ❶ 30
❷ 예 0.3을 계속 곱하면 곱의 소수점 아래 끝자리 숫자는 3, 9, 7, 1이 반복됩니다.
❸ 예 $30\div4=7$ … 2이므로 0.3을 30번 곱했을 때 곱의 소수 30째 자리 숫자는 0.3을 2번 곱했을 때의 소수점 아래 끝자리 숫자와 같은 9입니다.
; 9

7-2 9

8-1 ❶ 예 340 kWh는 201 kWh~400 kWh에 속하므로 기본요금은 1600원입니다.
❷ 예 $200\times93.3+140\times187.9=44966$(원) (340=200+140)
❸ 예 (기본요금)+(전력량 요금)
$=1600+44966=46566$(원)
; 46566원

8-2 152.5원

STEP 3 MASTER 심화 94~99쪽

01 39 **02** 23688
03 10 **04** 104.4 cm
05 1.6 kg **06** 140.6 L
07 20.7 km **08** 21.328 ℃
09 98.36 cm^2 **10** 759.2 cm
11 63700원 **12** 3833.8 cm^2
13 1.85 km **14** ㉢
15 6 **16** 1.284 kg
17 40.96 cm^2 **18** 3 m
19 9.5 km

STEP 4 TOP 최고수준 100~101쪽

01 143.55 cm^2 **02** 159명
03 0.96 km **04** 오후 2시 30분, 315 km
05 42.1875 cm^2

5 직육면체

STEP 1 START 개념 104~109쪽

1. 직육면체, 정육면체 105쪽

1 ㉠ 2, ㉡ 3
2 (1) × (2) ○
3 예 직육면체는 직사각형 6개로 둘러싸인 도형인데 주어진 도형에는 직사각형이 아닌 면이 있기 때문입니다.
4 ㉢
5 9 cm
6 2

2. 직육면체의 성질, 직육면체의 겨냥도 107쪽

1
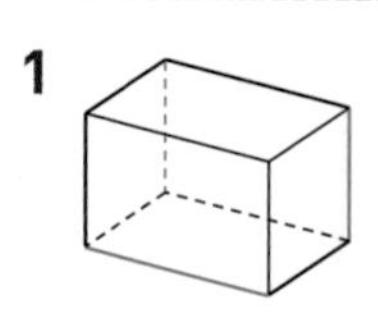
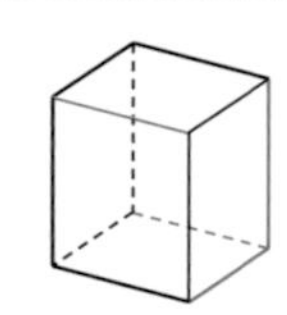

2 면 ㄱㄴㄷㄹ, 면 ㄹㄷㅅㅇ, 면 ㅁㅂㅅㅇ, 면 ㄱㄴㅂㅁ
3 ㉢
4 12 cm
5 24 cm
6 3가지

3. 정육면체, 직육면체의 전개도 109쪽

1 ㄷㄴ, ㅎㄱ
2 (왼쪽부터) 8, 5
3 ㉡
4 면 ㉮, 면 ㉰, 면 ㉲, 면 ㉳
5
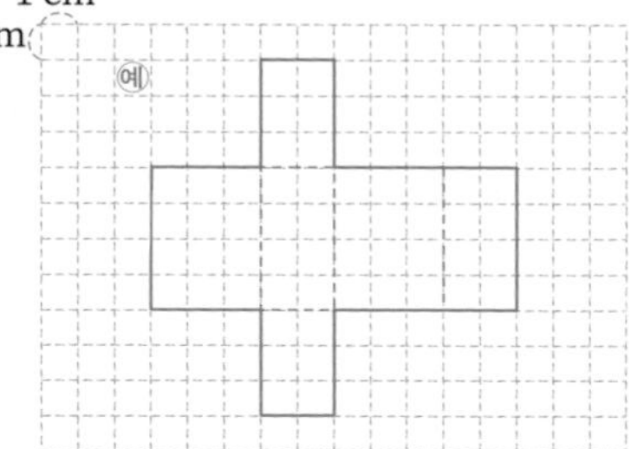

6
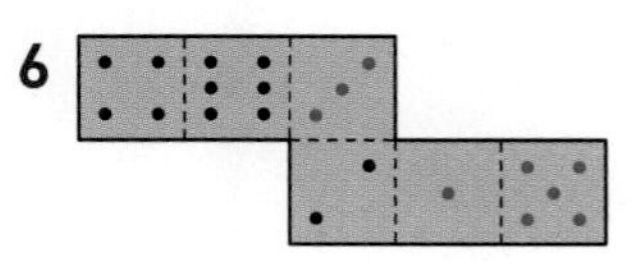

STEP 2 JUMP 유형 110~116쪽

1-1 ❶ 예 $(9+12+㉠)\times4=144$
❷ 예 $(9+12+㉠)\times4=144$,
$9+12+㉠=144\div4$, $9+12+㉠=36$,
$21+㉠=36$, $㉠=36-21=15$
; 15

1-2 11
1-3 7 cm

2-1 ❶ (왼쪽부터) 5, 6, 3
❷ 예 $5+6+5+6=22$ (cm)
; 22 cm

2-2 32 cm
2-3 192 cm

3-1 ❶ 예 끈으로 둘러싼 부분은 길이가 15 cm인 부분이 2군데, 10 cm인 부분이 2군데, 20 cm인 부분이 4군데입니다.
❷ 예 $(15\times2)+(10\times2)+(20\times4)$
$=30+20+80=130$ (cm)
; 130 cm

3-2 94 cm
3-3 20 cm

4-1 ❶ 예 $3+㉠=7$ ⇨ $㉠=7-3=4$
❷ 예 $4+㉡=8$ ⇨ $㉡=8-4=4$,
$4+㉢=7$ ⇨ $㉢=7-4=3$
❸ 예 $3+㉣=8$ ⇨ $㉣=8-3=5$,
$5+㉤=7$ ⇨ $㉤=7-5=2$
; 2

4-2 6
4-3 40

5-1 ❶

❷ 예 큰 정육면체의 한 면에 1개씩 6개의 면에 있으므로 모두 $1\times6=6$(개)입니다.
; 6개

5-2 8개
5-3 24개

6-1 ❶ 예 (선분 ㄴㄷ)=(선분 ㄷㄹ)=(선분 ㅂㅁ)
=(선분 ㅂㅅ)=4 cm,
(선분 ㄷㅂ)=(선분 ㅍㅌ)=9 cm이므로
(선분 ㄴㅅ)=4+9+4=17 (cm)입니다.
❷ 예 (선분 ㄱㄴ)=(선분 ㅈㅇ)=7 cm
❸ 예 (사각형 ㄱㄴㅅㅊ의 둘레)
$=17+7+17+7=48$ (cm)
; 48 cm

6-2 70 cm
6-3 122 cm

7-1 ❶ ❷ 

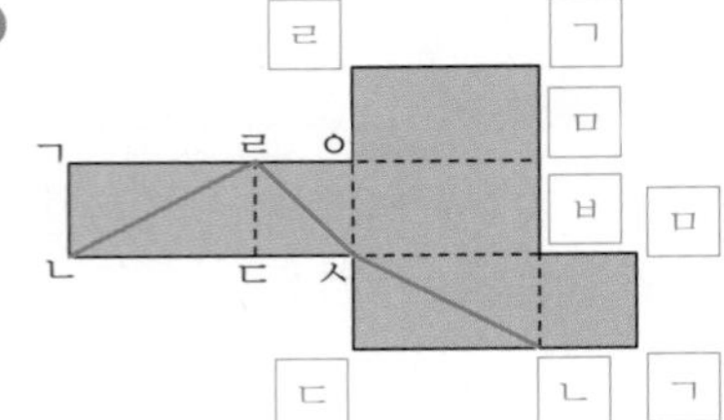

7-2

ㄱ ㄹ ㄴ ㄷ

STEP 3 MASTER 심화 117~121쪽

01 (위쪽부터) 5, 10
02 ⑪, ①, ⑦, ⑧, ⑤, ⑨
03 24
04 46 cm
05 116 cm
06 ㄱ ㄹ ㄴ ㄷ
07 6 cm
08 432 cm
09 18개
10 320 cm
11 보라
12 4개
13 27개
14 9

STEP 4 TOP 최고수준 122~123쪽

01 5
02 6가지
03 186 cm
04 ㉠, ㉥
05 26개
06

1층

3	3	3
5	3	7
5	7	7

2층

2	1	4
5	5	4
6	6	7

3층

2	1	1
2	6	4
2	6	4

6 평균과 가능성

STEP 1 START 개념 126~129쪽

1. 평균 127쪽

1 방법1 예 12 ;
예 평균을 12로 예상한 후 12, (10, 14), (5, 19)로 수를 짝지어 자료의 값을 고르게 하여 구하면 평균은 12입니다.
방법2 예 (평균)$=(10+5+19+12+14)\div5$
$=60\div5=12$

2 4500원
3 38쪽
4 2명
5 은광이네 모둠
6 21초

2. 일이 일어날 가능성 129쪽

1
2 ㉢, ㉡, ㉠
3 0
4 0, $\frac{1}{2}$, 1
5 <
6 $\frac{1}{2}\left(=\frac{2}{4}\right)$

STEP 2 JUMP 유형 130~136쪽

1-1 ❶ 예 (상자 안에 들어 있는 전체 공의 수)
$=4+4=8$(개)
❷ 예 8개의 공 중 초록색 공이 4개이므로 꺼낸 공이 초록색일 가능성은 반반으로 가능성을 수로 표현하면 $\frac{1}{2}\left(=\frac{4}{8}\right)$입니다.
; $\frac{1}{2}\left(=\frac{4}{8}\right)$

1-2 $\frac{1}{2}\left(=\frac{6}{12}\right)$
1-3 0

2-1 ❶ 예 주머니 안에는 흰색 바둑돌 4개, 검은색 바둑돌은 남은 것이 없습니다.
❷ 예 꺼낸 바둑돌이 흰색일 가능성은 1, 검은색일 가능성은 0입니다.
❸ 예 $1>0$이므로 흰색 바둑돌을 꺼낼 가능성이 더 높습니다.
; 흰색 바둑돌

2-2 노란색 쌓기나무

2-3 보라색 구슬

3-1 ❶ 예 $(42+88+56+62)\div4=248\div4$
$=62$(번)
❷ 예 $62\times5=310$(번)
❸ 예 $310-(39+48+79+57)=87$(번)
; 87번

3-2 50개　　**3-3** 4명

4-1 ❶ 예 (다섯 명의 몸무게의 합)
$=45.4\times5=227$ (kg)
❷ 예 (창민이와 은성이의 몸무게의 합)
$=227-(46+36+42)=103$ (kg)
❸ 예 5■+●9=103이므로 일의 자리 계산에서
■+9=13, ■=4이고, 십의 자리 계산에서
1+5+●=10, ●=4
⇨ 창민: 54 kg, 은성: 49 kg
; 54 kg, 49 kg

4-2 75번, 80번

5-1 ❶ 예 $20\times6=120$(장)이어야 합니다.
❷ 예 $26+28+15+19+21=109$(장)
❸ 예 해영이는 딱지를 $120-109=11$(장) 이상 가지고 있어야 합니다.
; 11장 이상

5-2 142명 미만　　**5-3** 7권

6-1 ❶ 예 $2575000\times8=20600000$(마리)
❷ 예 2060만−(540만+330만+30만+140만+320만+250만)=450만 (마리)
❸ 예 강원도의 닭의 수를 □마리라 하면 경상북도의 닭의 수는 (□+290만) 마리이므로
□+□+290만=450만,
□+□=450만−290만=160만,
□=80만
⇨ 경상북도: 80만+290만=370만 (마리),
강원도: 80만 마리
❹

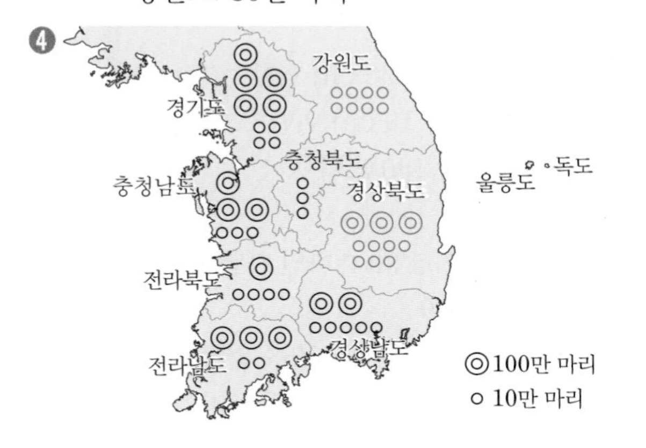

6-2

연도(년)	어획량
2015	回回□□□□□□
2016	回回回□□□
2017	回回回回
2018	回回□□□□□□□□

回 10만 톤
□ 1만 톤

7-1 ❶ 예 토요일과 일요일에 35분씩 적게 보았으므로 지난주보다 $35\times2=70$(분)을 적게 본 것입니다.
(이번 주 TV시청 시간의 합)
$=(40\times5)+(180\times2)-70$
$=560-70=490$(분)
❷ 예 (이번 주 TV시청 시간의 평균)
$=490\div7=70$(분) → 1시간 10분
❸ 예 1시간 11분−1시간 10분=1분
; 1분

7-2 2240대

STEP 3 MASTER 심화 137~141쪽

01 $\frac{1}{2}\left(=\frac{4}{8}\right)$　　**02** 270만 명
03 ㉢, ㉡, ㉠　　**04** 3800가마니
05 34번　　**06** 69살
07 5 m^2　　**08** 42 kg
09 3.94 m　　**10** 6 kg
11 93점　　**12** 2개월
13 5명　　**14** 89점

STEP 4 TOP 최고수준 142~143쪽

01 33 ℃　　**02** 나, 라, 가, 다
03 74점　　**04** 84점
05 13명

꼼꼼 풀이집

1 수의 범위와 어림하기

STEP 1 START 개념 7쪽

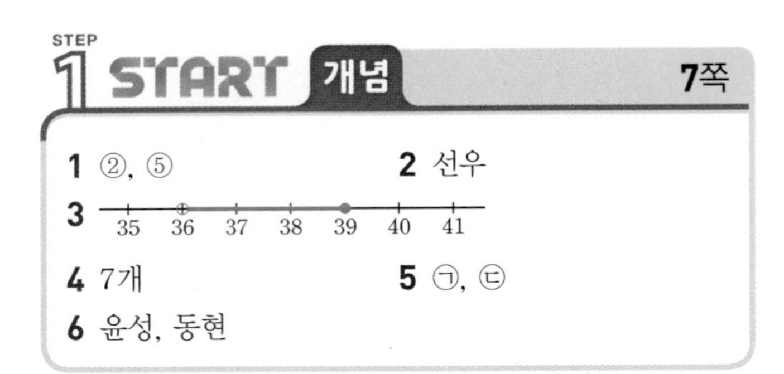

1 28 이하인 수: 28과 같거나 작은 수

2 예솔: 78 초과인 수에는 78이 포함되지 않습니다.

3 37.4는 36 초과 39 이하인 수이므로 강현이가 속한 체급은 페더급입니다.

4 ■ 이상 ● 이하인 자연수의 개수가 (●－■＋1)개이므로 21－15＋1＝7(개)

다른 풀이
15 이상 21 이하인 자연수:
15, 16, 17, 18, 19, 20, 21 ⇨ 7개

5 ㉠ 61 62 63 64 65 66　㉡ 61 62 63 64 65 66

㉢ 61 62 63 64 65 66　㉣ 61 62 63 64 65 66

⇨ 64를 포함하는 수의 범위는 ㉠, ㉢입니다.

6 40 kg보다 무겁고 45 kg과 같거나 가벼운 학생을 모두 찾습니다.

STEP 1 START 개념 9쪽

1 4800, 5000 ; 50500, 50000
2 ①, ⑤
3 >
4 3400
5 6000원, 550원
6 10개

1 4751 → 4800, (5이므로 올립니다.)　4751 → 5000 (7이므로 올립니다.)
50483 → 50500, (8이므로 올립니다.)　50483 → 50000 (4이므로 버립니다.)

2 ① 7200 → 7000　② 8048 → 8000
③ 6152 → 6000　④ 8001 → 8000
⑤ 7000 → 7000

3 ㉠ 2176 → 2200 (7이므로 올립니다.)　㉡ 2176 → 2000 (1이므로 버립니다.)
⇨ ㉠>㉡

4 3418 → 3500, 3400 → 3400,
3402 → 3500, 3478 → 3500

5 모자라지 않게 내야 하므로 올림하여 천의 자리까지 나타내면 5450 → 6000입니다. (올립니다.)
(거스름돈)＝6000－5450＝550(원)

6 버림하여 십의 자리까지 나타낸 수가 150이 되는 자연수의 범위: 150 이상 160 미만인 수
⇨ 150, 151, 152, 153, 154, 155, 156, 157, 158, 159 (10개)

STEP 2 JUMP 유형 10~19쪽

1-1 ❶ 예 버스 요금은 주아가 4800원, 동생이 3400원, 아버지가 6800원, 어머니가 6800원입니다.
❷ 예 (주아네 가족 4명의 버스 요금)
＝4800＋3400＋6800×2＝21800(원)
; 21800원

1-2 226000원

2-1 ❶ 38, 39, 40, 41, 42, 43, 44
❷ 예 ㉠ 미만인 수에는 ㉠이 포함되지 않으므로 ㉠에 알맞은 자연수는 44보다 1 큰 수인 45입니다.
; 45

2-2 54　2-3 46

3-1 ❶ 예 57÷3＝19 (cm)
❷ 예 78÷3＝26 (cm)
❸ 예 한 변의 길이의 범위는 19 cm 초과 26 cm 이하입니다.
; 19 cm 초과 26 cm 이하

3-2 12 cm 이상 19 cm 미만

3-3 169명 이상 180명 이하

4-1 ❶ 28, 30
❷ 예 28 이상 30 이하인 자연수: 28, 29, 30
; 28, 29, 30

4-2 36, 37　4-3 26명, 27명

5-1 ❶ 예 500×20＋100×35＋10×17＝13670(원)

❷ 예 13670을 버림하여 천의 자리까지 나타내면 13670 → 13000이므로 13000원까지 바꿀 수 있습니다. ⇨ 1000원짜리 지폐로 최대 $13000 \div 1000 = 13$(장)까지 바꿀 수 있습니다.
; 13장

5-2 29장　　**5-3** 22장

6-1 ❶ 예 528을 버림하여 십의 자리까지 나타내면 528 → 520이므로 팔 수 있는 감자는 최대 520 kg, 즉 최대 10 kg씩 52상자입니다.
❷ 예 $15000 \times 52 = 780000$(원)
; 780000원

6-2 425000원　　**6-3** 384000원

7-1 ❶ 351, 354, 357, 371, 374, 375
❷ 413, 415, 417　❸ 예 $6+3=9$(개)
; 9개

7-2 9개　　**7-3** 456, 461, 463

8-1 ❶ 850, 840, 830, 830, 840
❷ 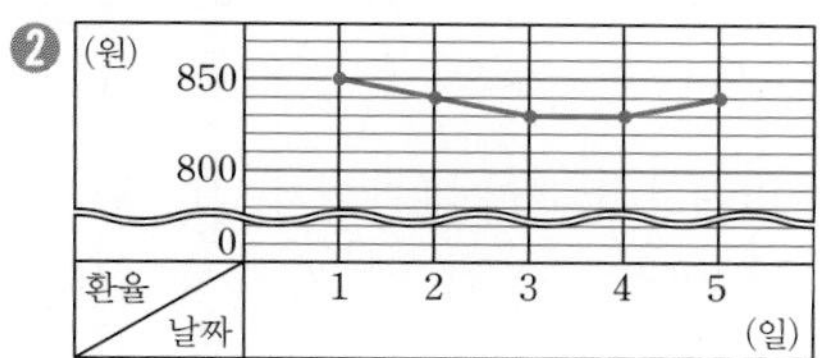

8-2 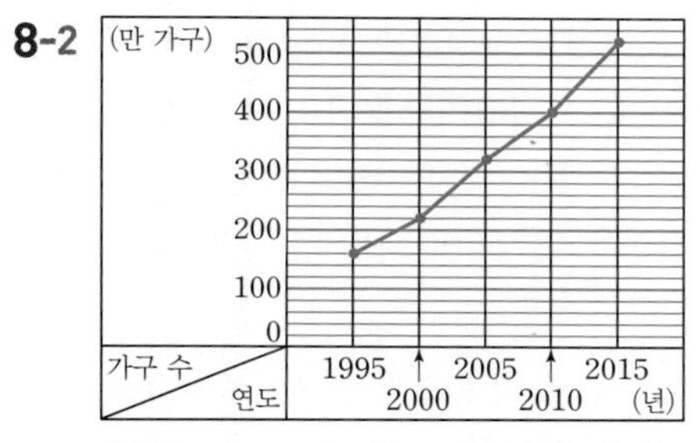

9-1 ❶ 예 3190 초과 3200 이하인 수
❷ 예 어떤 자연수가 될 수 있는 가장 큰 수는 3200이고, 가장 작은 수는 3191이므로 합은 $3200+3191=6391$입니다.
; 6391

9-2 99　　**9-3** 2445, 2446, 2447, 2448, 2449

9-4 5600

10-1 ❶ 예 소수 첫째 자리 숫자는 3이고, 소수 둘째 자리 숫자는 6이므로 오존 농도는 0.36 ppm입니다.
❷ 예 0.36 ppm은 0.3 ppm 이상 0.5 ppm 미만에 속하므로 발령된 경보 단계는 오존 경보입니다.
; 오존 경보

10-2 과제중

1-2 주간 자유이용권 요금은 민준이가 41000원, 형이 44000원, 부모님이 50000원, 할머니가 41000원입니다.
⇨ (민준이네 가족 5명의 주간 자유이용권 요금)
$= 41000 \times 2 + 44000 + 50000 \times 2 = 226000$(원)

문제해결 Key
① 민준, 형, 부모님, 할머니의 자유이용권 요금을 알아봅니다.
② 민준이네 가족 5명의 주간 자유이용권 요금을 구합니다.

2-1 **다른 풀이**
■ 이상 ● 미만인 자연수의 개수는 (● − ■)개이므로
38 이상 ㉠ 미만인 수에서
㉠ − 38 = 7, ㉠ = 7 + 38 = 45

2-2 수직선에 나타낸 수의 범위: ㉠ 이상 62 이하인 수
62 이하인 자연수를 큰 수부터 차례로 9개 쓰면
62, 61, 60, 59, 58, 57, 56, 55, 54
⇨ ㉠ 이상인 수에는 ㉠이 포함되므로 ㉠에 알맞은 자연수는 54입니다.

다른 풀이
■ 이상 ● 이하인 자연수의 개수는 (● − ■ + 1)개이므로
㉠ 이상 62 이하인 수에서
62 − ㉠ + 1 = 9, ㉠ = 63 − 9 = 54

2-3 • 30 초과인 자연수를 작은 수부터 차례로 6개 쓰면 31, 32, 33, 34, 35, 36이므로 ㉠ = 36
• 20 미만인 자연수를 큰 수부터 차례로 10개 쓰면 19, 18, 17, 16, 15, 14, 13, 12, 11, 10이므로 ㉡ = 10
⇨ ㉠ + ㉡ = 36 + 10 = 46

문제해결 Key
① ㉠을 구합니다.
② ㉡을 구합니다.
③ ㉠ + ㉡을 구합니다.

다른 풀이
• ■ 초과 ● 이하인 자연수의 개수는 (● − ■)개이므로
30 초과 ㉠ 이하인 수에서
㉠ − 30 = 6, ㉠ = 6 + 30 = 36
• ■ 이상 ● 미만인 자연수의 개수는 (● − ■)개이므로
㉡ 이상 20 미만인 수에서
20 − ㉡ = 10, ㉡ = 20 − 10 = 10
⇨ ㉠ + ㉡ = 36 + 10 = 46

1 단원

3-2 (둘레가 60 cm일 때 정오각형의 한 변의 길이)
$=60\div5=12$ (cm)
(둘레가 95 cm일 때 정오각형의 한 변의 길이)
$=95\div5=19$ (cm)
⇨ 한 변의 길이의 범위는 12 cm 이상 19 cm 미만입니다.

3-3 보트를 14번 운행하면 학생이 $12\times14=168$(명)까지 탈 수 있으므로 169명 이상이고,
보트를 15번 운행하면 학생이 $12\times15=180$(명)까지 탈 수 있으므로 180명 이하입니다.
⇨ 가은이네 학교 5학년 학생은 169명 이상 180명 이하입니다.

문제해결 Key
① 보트를 14번 운행했을 때 탈 수 있는 학생 수를 구합니다.
② 보트를 15번 운행했을 때 탈 수 있는 학생 수를 구합니다.
③ 5학년 학생 수의 범위를 구합니다.

4-2
30 35 37 40

두 수의 공통 범위는 35 초과 37 이하인 수이므로 두 수의 범위에 공통으로 속하는 자연수는 36, 37입니다.

4-3
21 23 25 27 28 30

세 수의 공통 범위는 25 초과 27 이하인 수이므로 세 수의 범위에 공통으로 속하는 자연수는 26, 27입니다.

5-2 (모은 동전의 금액)
$=500\times35+100\times110+50\times20=29500$(원)
29500을 버림하여 천의 자리까지 나타내면
29500 → 29000이므로 29000원까지 바꿀 수 있습니다.
⇨ 1000원짜리 지폐로 최대 $29000\div1000=29$(장)까지 바꿀 수 있습니다.

5-3 • 24500을 올림하여 만의 자리까지 나타내면 30000이므로 민규는 10000원짜리 지폐를 최소 3장 내야 합니다.
• 24500을 올림하여 천의 자리까지 나타내면 25000이므로 상미는 1000원짜리 지폐를 최소 25장 내야 합니다.
⇨ (두 사람이 내야 할 최소 지폐 수의 차)
$=25-3=22$(장)

참고
• 물건값을 지폐로만 내는 경우 ⇨ 올림 이용하기
• 동전을 지폐로 바꾸는 경우 ⇨ 버림 이용하기

문제해결 Key
① 민규가 내야 하는 만 원짜리 최소 지폐의 수를 구합니다.
② 상미가 내야 하는 천 원짜리 최소 지폐의 수를 구합니다.
③ ①과 ②에서 구한 최소 지폐 수의 차를 구합니다.

6-2 (필요한 공책의 수)$=2\times423=846$(권)
공책을 10권씩 묶음으로 사야 하므로
846 —올림하여 십의 자리까지 나타내기→ 850
사야 하는 공책은 850권, 즉 10권씩 85묶음입니다.
⇨ 공책을 사는 데 필요한 돈은 최소
$5000\times85=425000$(원)입니다.

6-3 • 4782를 버림하여 백의 자리까지 나타내면
4782 → 4700이므로 47톳까지 팔 수 있습니다.
→ $8000\times47=376000$(원)
• 남은 김은 82장이므로 82를 버림하여 십의 자리까지 나타내면 82 → 80이므로 10장씩 8묶음까지 팔 수 있습니다. → $1000\times8=8000$(원)
⇨ (김을 판 금액)$=376000+8000=384000$(원)

참고
• 물건을 묶음으로 팔 때 판매할 수 있는 최대 묶음의 수 구하기 ⇨ 버림 이용하기
• 묶음으로 파는 물건을 살 때 구입해야 하는 최소 묶음의 수 구하기 ⇨ 올림 이용하기

문제해결 Key
① 100장씩 묶어 팔 수 있는 김의 값을 구합니다.
② 10장씩 묶어 팔 수 있는 김의 값을 구합니다.
③ ①과 ②에서 구한 김의 값의 합을 구합니다.

7-2 만들 수 있는 270 이상 520 미만인 수 중에서
백의 자리 숫자가 2인 경우: 270, 275, 279, 290, 295, 297
백의 자리 숫자가 5인 경우: 502, 507, 509
⇨ 만들 수 있는 270 이상 520 미만인 수는 모두 9개입니다.

7-3 • 백의 자리 숫자는 4이고 십의 자리 숫자가 5인 경우 일의 자리 숫자에는 6이 올 수 있습니다.
⇨ 456
• 백의 자리 숫자는 4이고 십의 자리 숫자가 6인 경우 일의 자리 숫자에는 1 또는 3이 올 수 있습니다.
⇨ 461, 463

> **문제해결 Key**
> ① 십의 자리 숫자가 5인 경우를 알아봅니다.
> ② 십의 자리 숫자가 6인 경우를 알아봅니다.

8-2 1995년: 1642406 → 160만,
2000년: 2224433 → 220만,
2005년: 3170675 → 320만,
2010년: 4042165 → 400만,
2015년: 5203440 → 520만

> **주의**
> 꺾은선그래프의 가구 수 단위가 만 가구임에 주의하여 꺾은선그래프로 나타냅니다.

9-2 버림하여 백의 자리까지 나타낸 수가 6700이 되는 수의 범위: 6700 이상 6800 미만인 수
어떤 자연수가 될 수 있는 가장 큰 수는 6799이고, 가장 작은 수는 6700입니다.
⇨ 6799−6700=99

9-3 반올림하여 십의 자리까지 나타낸 수가 2450이 되는 수의 범위: 2445 이상 2455 미만인 수
⇨ 어떤 자연수가 될 수 있는 수 중에서 2450 미만인 수는 2445, 2446, 2447, 2448, 2449입니다.

9-4 • 올림하여 백의 자리까지 나타낸 수가 5600이 되는 수의 범위: 5500 초과 5600 이하인 수
• 버림하여 백의 자리까지 나타낸 수가 5600이 되는 수의 범위: 5600 이상 5700 미만인 수
⇨ 두 조건을 만족하는 자연수는 5600입니다.

10-2 십의 자리 숫자: 2 이상 3 미만인 수이므로 2
일의 자리 숫자: 4 초과 6 미만인 수이므로 5
⇨ 선호의 체질량지수는 25로 25 이상 30 미만에 속하므로 과체중입니다.

> **문제해결 Key**
> ① 조건을 만족하는 두 자리 수를 알아봅니다.
> ② ①에서 구한 두 자리 수가 속한 범위를 찾습니다.

STEP 3 MASTER 심화 20~25쪽

01 700 **02** 22 초과인 수 **03** 8개
04 (수직선: 1990, 2000, 2010)
05 ㉢ **06** 87점 이상
07 0, 1, 2, 3, 4 **08** 134상자
09 525 이상 595 미만인 수 **10** 86
11 37명 **12** 41200원
13 40130 **14** 4개
15 1661명 이상 1670명 이하, 1571명 이상 1580명 이하
16 300개 **17** 320명 초과 325명 미만
18 ㉯ 문구점, 2600원

01 올림: 35612 → 35700, 버림: 35612 → 35000
(올립니다.) (버립니다.)
⇨ (두 수의 차)=35700−35000=700

> **문제해결 Key**
> ① 수를 올림하여 백의 자리까지 나타냅니다.
> ② 수를 버림하여 천의 자리까지 나타냅니다.
> ③ ①과 ②에서 구한 두 수의 차를 구합니다.

02 □+29=51에서 □=51−29=22
⇨ □+29가 51보다 커야 하므로 □>22입니다.

> **주의**
> □ 안에 알맞은 수가 자연수가 아닐 수도 있으므로 23 이상인 수로 나타내지 않도록 주의합니다.

03 자연수 부분: 5 이상 6 이하인 수이므로 5, 6
소수 첫째 자리 숫자: 3 초과 8 미만인 수이므로 4, 5, 6, 7
⇨ 조건을 모두 만족하는 소수 한 자리 수는 5.4, 5.5, 5.6, 5.7, 6.4, 6.5, 6.6, 6.7로 모두 8개입니다.

> **문제해결 Key**
> ① 자연수 부분이 될 수 있는 수를 알아봅니다.
> ② 소수 첫째 자리 숫자가 될 수 있는 수를 알아봅니다.
> ③ 조건을 만족하는 소수 한 자리 수의 개수를 구합니다.

04 반올림하여 십의 자리까지 나타낸 수가 2000이 되는 수의 범위는 1995 이상 2005 미만인 수입니다.

> **참고**
> 반올림하여 십의 자리까지 나타낸 수가 ■가 되는 수의 범위: (■−5) 이상 (■+5) 미만인 수

문제해결 Key
① 어떤 수가 될 수 있는 수의 범위를 알아봅니다.
② ①에서 알아본 수의 범위를 수직선에 나타냅니다.

05

수	2350	5742	6373	4827
올림하여 십의 자리까지	2350	5750	6380	4830
반올림하여 십의 자리까지	2350	5740	6370	4830
버림하여 백의 자리까지	2300	5700	6300	4800
반올림하여 백의 자리까지	2400	5700	6400	4800

⇨ 조건을 모두 만족하는 수는 ㉢ 6373입니다.

문제해결 Key
① 첫 번째 조건을 만족하는 수를 찾습니다.
② 두 번째 조건을 만족하는 수를 찾습니다.
③ 두 조건을 모두 만족하는 수를 찾습니다.

06 (국어, 영어, 과학 점수의 합)
$=95+88+90=273$(점)
⇨ 수학 점수는 $360-273=87$(점) 이상 $380-273=107$(점) 미만이어야 하는데 만점이 100점이므로 87점 이상이면 우수상을 받을 수 있습니다.

문제해결 Key
① 국어, 영어, 과학 점수의 합을 구합니다.
② 총점이 360점일 때와 380점일 때 받아야 하는 수학 점수를 구합니다.
③ 수학 점수의 범위를 알아봅니다.

07 64□19를 버림하여 천의 자리까지 나타내면 64000이므로 반올림하여 천의 자리까지 나타낸 수도 64000입니다.
⇨ 반올림하여 천의 자리까지 나타낸 수가 64000이려면 □ 안에 들어갈 수 있는 숫자는 0, 1, 2, 3, 4입니다.

문제해결 Key
① 수를 버림하여 천의 자리까지 나타냅니다.
② □ 안에 들어갈 수 있는 숫자를 알아봅니다.

08 (8시간 동안 만든 장난감 수)
$=$(15분 동안 만든 장난감 수)$\times 4\times 8$
→ 1시간 동안 만든 장난감 수
$=42\times 4\times 8=1344$(개)
1344를 버림하여 십의 자리까지 나타내면 1344 → 1340이므로 팔 수 있는 최대 장난감 수는 1340개입니다.
⇨ (팔 수 있는 최대 장난감 상자 수)
$=1340\div 10=134$(상자)

문제해결 Key
① 8시간 동안 만든 장난감 수를 구합니다.
② 팔 수 있는 최대 장난감 수를 구합니다.
③ 팔 수 있는 최대 장난감 상자 수를 구합니다.

09 반올림하여 십의 자리까지 나타낸 수가 80이 되는 수의 범위: 75 이상 85 미만인 수
⇨ 어떤 수는 $75\times 7=525$ 이상 $85\times 7=595$ 미만인 수입니다.

문제해결 Key
① 반올림하여 십의 자리까지 나타낸 수가 80이 되는 수의 범위를 알아봅니다.
② 어떤 수의 범위를 알아봅니다.

10
㉠과 ㉡이 두 자리 수일 때, ㉠이 될 수 있는 가장 큰 수를 구하시오. → ㉡이 될 수 있는 가장 큰 두 자리 수: 99

㉠ 초과 ㉡ 미만인 자연수는 모두 12개입니다.
→ ㉠과 ㉡은 포함되지 않습니다.

㉡이 클수록 ㉠도 커지므로 ㉡이 될 수 있는 가장 큰 두 자리 수는 99입니다.
⇨ 99 미만인 자연수를 큰 수부터 차례로 12개 쓰면 98, 97, 96, 95, 94, 93, 92, 91, 90, 89, 88, 87이므로 ㉠$=86$입니다.

문제해결 Key
① ㉡이 될 수 있는 가장 큰 수를 알아봅니다.
② ㉠이 될 수 있는 가장 큰 수를 구합니다.

다른 풀이
㉡이 클수록 ㉠도 커지므로 ㉡이 될 수 있는 가장 큰 두 자리 수는 99입니다.
■ 초과 ● 미만인 자연수의 개수는 (●－■－1)개이므로
㉠ 초과 99 미만인 수에서
$99-$㉠$-1=12$, ㉠$=98-12=86$

11 버림하여 십의 자리까지 나타낸 수가 30이 되는 자연수의 범위: 30 이상 40 미만인 수
8모둠일 때 3명이 부족한 경우는 $8\times4-3=29$(명), $8\times5-3=37$(명), $8\times6-3=45$(명)이므로 서영이네 반 학생은 37명입니다.

12 • 65세인 할아버지 — 경로 요금
• 42세인 아버지, • 40세인 어머니 — 어른 요금
• 12세인 선아 — 어린이 요금
(KTX를 타는 경우의 요금)
$=16600+23700\times2+11800=75800$(원)
(무궁화호를 타는 경우의 요금)
$=7600+10800\times2+5400=34600$(원)
⇨ $75800-34600=41200$(원)

13 만의 자리 숫자가 3인 가장 큰 수: 39410
만의 자리 숫자가 4인 가장 작은 수: 40139
$40000-39410=590$, $40139-40000=139$이므로 40139가 40000에 가장 가깝습니다.
⇨ 40139를 버림하여 십의 자리까지 나타내면 40130입니다.

문제해결 Key
① 만의 자리 숫자가 3인 가장 큰 수와 만의 자리 숫자가 4인 가장 작은 수를 만들어 봅니다.
② ①에서 구한 두 수와 40000의 차를 구하여 40000에 가장 가까운 수를 알아봅니다.
③ ②에서 찾은 수를 버림하여 십의 자리까지 나타냅니다.

14 • ㉠ 올림하여 십의 자리까지 나타낸 수가 520이 되는 자연수의 범위: 511 이상 520 이하인 수
• ㉡ 버림하여 십의 자리까지 나타낸 수가 510이 되는 자연수의 범위: 510 이상 519 이하인 수
• ㉢ 반올림하여 십의 자리까지 나타낸 수가 510이 되는 자연수의 범위: 505 이상 514 이하인 수

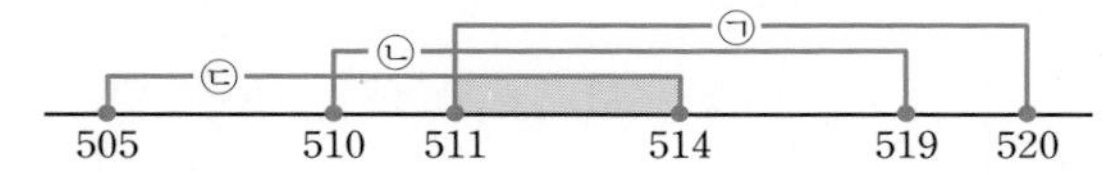

⇨ 세 조건을 모두 만족하는 수는 511 이상 514 이하인 세 자리 수이므로 511, 512, 513, 514로 모두 4개입니다.

문제해결 Key
① 세 조건의 어림하기 전의 수의 범위를 각각 알아봅니다.
② ①에서 알아본 수의 공통 범위를 알아봅니다.
③ ②에서 알아본 공통 범위에 속하는 세 자리 수의 개수를 알아봅니다.

15 • 입장객이 가장 많은 날은 4일이고 1670명입니다. 올림하여 십의 자리까지 나타낸 수가 1670이 되는 자연수의 범위는 1661 이상 1670 이하인 수입니다.
⇨ 1661명 이상 1670명 이하
• 입장객이 가장 적은 날은 2일이고 1580명입니다. 올림하여 십의 자리까지 나타낸 수가 1580이 되는 자연수의 범위는 1571 이상 1580 이하인 수입니다.
⇨ 1571명 이상 1580명 이하

16 반올림하여 백의 자리까지 나타낸 수가 1800이 되는 수의 범위: 1750 이상 1850 미만인 수
⇨ 기념품이 가장 많이 남는 경우는 입장객이 가장 적은 1750명일 때이므로
(남는 기념품의 수)$=3800-2\times1750=300$(개)

참고
반올림하여 백의 자리까지 나타낸 수가 ■가 되는 수의 범위: (■-50) 이상 (■$+50$) 미만인 수

문제해결 Key
① 실제 음악회 입장객 수의 범위를 알아봅니다.
② 가장 많이 남을 때의 기념품의 수를 구합니다.

17 • 올림하여 십의 자리까지 나타낸 수가 330이 되는 수의 범위: 320 초과 330 이하인 수
• 반올림하여 십의 자리까지 나타낸 수가 320이 되는 수의 범위: 315 이상 325 미만인 수

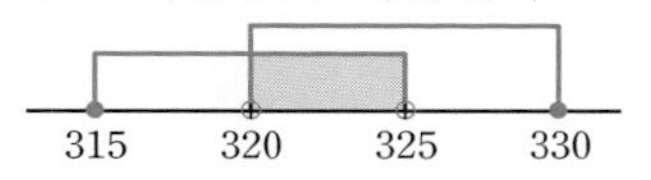

⇨ 재우네 학교 5학년 학생 수의 범위는 320명 초과 325명 미만입니다.

문제해결 Key
① 올림하여 십의 자리까지 나타낸 수가 330이 되는 수의 범위를 알아봅니다.
② 반올림하여 십의 자리까지 나타낸 수가 320이 되는 수의 범위를 알아봅니다.
③ ①과 ②에서 구한 수의 공통 범위를 초과와 미만을 사용하여 나타냅니다.

18 • ㉮ 문구점: 375를 올림하여 십의 자리까지 나타내면 375 → 380이므로 사야 하는 풍선은 10개씩 38묶음입니다. → (풍선값)$=700\times38=26600$(원)
• ㉯ 문구점: 375를 올림하여 백의 자리까지 나타내면 375 → 400이므로 사야 하는 풍선은 100개씩 4묶음입니다. → (풍선값)$=6000\times4=24000$(원)
⇨ ㉯ 문구점에서 살 때 $26600-24000=2600$(원) 적게 듭니다.

문제해결 Key
① ㉮ 문구점에서 살 때의 풍선값을 구합니다.
② ㉯ 문구점에서 살 때의 풍선값을 구합니다.
③ ①과 ②에서 구한 풍선값을 비교합니다.

STEP 4 TOP 최고수준 26~27쪽

01 8명 이상 19명 미만 **02** 1374999명
03 24개 **04** 13가지
05 15800원 이상 16200원 이하

01 배드민턴을 좋아하는 학생이 18명이므로 탁구와 배드민턴을 모두 좋아하는 학생은 18명을 넘을 수 없습니다.
또 탁구나 배드민턴을 좋아하는 학생은 전체 학생 수보다 많을 수 없으므로 둘 다 좋아하는 학생은 최소 $25+18-35=8$(명)은 되어야 합니다.
⇨ 탁구와 배드민턴을 모두 좋아하는 학생 수의 범위는 8명 이상 18명 이하입니다. 그런데 이상과 미만을 사용하여 나타내야 하므로 8명 이상 19명 미만입니다.

문제해결 Key
① 탁구와 배드민턴을 모두 좋아하는 최대 학생 수를 구합니다.
② 탁구와 배드민턴을 모두 좋아하는 최소 학생 수를 구합니다.
③ ①과 ②에서 구한 학생 수의 범위를 이상과 미만을 사용하여 나타냅니다.

02 • 반올림하여 만의 자리까지 나타낸 수가 2510000이므로 실제 대구광역시의 인구는
2505000명 이상 2514999명 이하입니다.
• 버림하여 만의 자리까지 나타낸 수가 1140000이므로 실제 울산광역시의 인구는
1140000명 이상 1149999명 이하입니다.
⇨ 두 도시의 인구의 차가 가장 클 때는
(대구광역시의 최대 인구)
−(울산광역시의 최소 인구)
$=2514999-1140000=1374999$(명)입니다.

문제해결 Key
① 대구광역시 실제 인구의 범위를 알아봅니다.
② 울산광역시 실제 인구의 범위를 알아봅니다.
③ 두 도시의 인구의 차가 가장 클 때를 구합니다.

03 수 카드 5장을 한 번씩만 사용하여 다섯 자리 수를 만들려고 합니다. 만들 수 있는 수를 반올림하여 만의 자리까지 나타내면 60000이 되는 수는 모두 몇 개입니까?

6 2 3 5 8

• 만의 자리 숫자가 5인 경우 천의 자리 숫자는 6 또는 8
• 만의 자리 숫자가 6인 경우 천의 자리 숫자는 2 또는 3

56□□□ → 56238, 56283, 56328, 56382, 56823, 56832
58□□□ → 58236, 58263, 58326, 58362, 58623, 58632
62□□□ → 62358, 62385, 62538, 62583, 62835, 62853
63□□□ → 63258, 63285, 63528, 63582, 63825, 63852
⇨ 모두 24개입니다.

문제해결 Key
① 만의 자리 숫자가 5인 경우 조건에 알맞은 수를 만들어 봅니다.
② 만의 자리 숫자가 6인 경우 조건에 알맞은 수를 만들어 봅니다.
③ ①과 ②에서 만든 수의 개수를 알아봅니다.

04 다음 네 칸의 수는 항상 가+라=나+다이므로 가+라가 40 이상 50 미만인 (가, 라)를 알아봅니다.

가	나	
	다	라

인 경우: (16, 25), (19, 28), (20, 29) → 3가지

일	월	화	수	목	금	토
			1	2	3	4
5	6	7	8	9	10	11
12	13	14	15	16	17	18
19	20	21	22	23	24	25
26	27	28	29	30		

일	월	화	수	목	금	토
			1	2	3	4
5	6	7	8	9	10	11
12	13	14	15	16	17	18
19	20	21	22	23	24	25
26	27	28	29	30		

일	월	화	수	목	금	토
			1	2	3	4
5	6	7	8	9	10	11
12	13	14	15	16	17	18
19	20	21	22	23	24	25
26	27	28	29	30		

	나	가
라	다	

인 경우: (18, 23), (21, 26), (22, 27) → 3가지

가	
나	다
	라

인 경우: (13, 28), (14, 29), (15, 30) → 3가지

	가
다	나
라	

인 경우: (14, 27), (15, 28), (16, 29), (17, 30) → 4가지

⇨ 방법은 모두 $3+3+3+4=13$(가지)입니다.

문제해결 Key
① 주어진 도형을 조건에 맞게 뒤집거나 돌려서 놓았을 때의 경우를 각각 알아봅니다.
② ①에서 알아본 경우의 수를 구합니다.

05 ㉮에서 ㉱까지 네 정류장 사이를 운행하는 버스가 있습니다. 이 버스로 한 정류장을 가는 데에는 1000원, 두 정류장 이상을 가는 데에는 1200원의 요금을 낸다고 합니다. 아무도 타지 않은 이 버스에 ㉮ 정류장에서 8명이 타고, ㉯ 정류장에서 4명이 내리고 2명이 타고, ㉰ 정류장에서 3명이 내리고 5명이 타고, ㉱ 정류장에서 모든 승객이 내렸습니다. 승객이 낸 버스 요금을 이상과 이하를 사용하여 나타내시오.

(㉱ 정류장에서 내리는 승객 수)
=(탄 승객 수)−(도중에 내리는 승객 수)
=(8+2+5)−(4+3)=8(명)

• 버스 요금이 가장 적을 때
㉯에서 4명이 내림: 1000×4=4000(원)
㉰에서 3명이 내림 (㉯에서 탄 2명과 ㉮에서 탄 1명이 내림): 1000×2+1200×1=3200(원)
㉱에서 모두 내림 (㉰에서 탄 5명과 ㉮에서 탄 3명이 내림): 1000×5+1200×3=8600(원)
→ 4000+3200+8600=15800(원)

• 버스 요금이 가장 많을 때
㉯에서 4명이 내림: 1000×4=4000(원)
㉰에서 3명이 내림 (㉮에서 탄 3명이 내림): 1200×3=3600(원)
㉱에서 모두 내림 (㉮에서 탄 1명, ㉯에서 탄 2명, ㉰에서 탄 5명이 내림):
(두 정류장 이상을 감. / 한 정류장만 감.)
1200×3+1000×5=8600(원)
→ 4000+3600+8600=16200(원)

⇨ 승객이 낸 버스 요금은 15800원 이상 16200원 이하입니다.

문제해결 Key
① 버스 요금이 가장 적을 때를 구합니다.
② 버스 요금이 가장 많을 때를 구합니다.
③ ①과 ②에서 구한 요금의 범위를 이상과 이하를 사용하여 나타냅니다.

2 분수의 곱셈

STEP 1 START 개념 — 31쪽

1 $10\times\frac{4}{5}$, $10\times\frac{3}{4}$에 ○표
2 ㉡, $5\frac{1}{2}$
3 $14\frac{1}{2}$ cm
4 ㉠, ㉢, ㉡
5 $46\frac{3}{4}$ kg
6 선우

1 10과 1보다 작은 수를 곱한 것을 모두 찾습니다.

참고
• ■에 1보다 작은 수를 곱하면 계산 결과는 ■보다 작습니다.
• ■에 1보다 큰 수를 곱하면 계산 결과는 ■보다 큽니다.

2 ㉠: $2\frac{2}{9}\times3=\frac{20}{\cancel{9}_3}\times\cancel{3}^1=\frac{20}{3}=6\frac{2}{3}$

㉡: $5\times1\frac{1}{10}=\cancel{5}^1\times\frac{11}{\cancel{10}_2}=\frac{11}{2}=5\frac{1}{2}$

3 (정사각형의 둘레)
$=3\frac{5}{8}\times4=\frac{29}{\cancel{8}_2}\times\cancel{4}^1=\frac{29}{2}=14\frac{1}{2}$ (cm)

4 ㉠ $\cancel{16}^2\times\frac{3}{\cancel{8}_1}=6$　㉡ $\frac{2}{\cancel{9}_1}\times\cancel{18}^2=4$

㉢ $\cancel{15}^3\times\frac{3}{\cancel{10}_2}=\frac{9}{2}=4\frac{1}{2}$

⇨ ㉠>㉢>㉡

5 (누나의 몸무게)
$=34\times1\frac{3}{8}=\cancel{34}^{17}\times\frac{11}{\cancel{8}_4}=\frac{187}{4}=46\frac{3}{4}$ (kg)

6 예솔: 1 m=100 cm이므로 1 m의 $\frac{1}{4}$은
$\cancel{100}^{25}\times\frac{1}{\cancel{4}_1}=25$ (cm)

선우: 1시간=60분이므로 1시간의 $\frac{1}{3}$은
$\cancel{60}^{20}\times\frac{1}{\cancel{3}_1}=20$(분)

지민: 1 L=1000 mL이므로 1 L의 $\frac{1}{5}$은
$\cancel{1000}^{200}\times\frac{1}{\cancel{5}_1}=200$ (mL)

2 단원

STEP 1 START 개념 33쪽

1 <

2 방법1 예) $\frac{4}{5}\times\frac{3}{8}=\frac{4\times3}{5\times8}=\frac{12}{40}=\frac{3}{10}$

방법2 예) $\frac{4}{5}\times\frac{3}{8}=\frac{4\times3}{5\times8}=\frac{3}{10}$

3 ㉡

4 $\frac{9}{25}$ m

5 $\frac{1}{20}$

6 $\frac{1}{7}$

1 $\frac{1}{8}\times\frac{1}{4}=\frac{1}{32}$ ⇨ $\frac{1}{32}<\frac{1}{8}$

참고
단위분수에 단위분수를 곱하면 계산 결과는 처음 수보다 작아집니다.

2 예) $\frac{4}{5}\times\frac{3}{8}=\frac{3}{10}$

3 ㉠ $\frac{1}{8}\times\frac{3}{10}\times\frac{2}{3}=\frac{1}{40}$

㉡ $\frac{1}{12}\times\frac{2}{5}\times\frac{6}{7}=\frac{1}{35}$

⇨ $\frac{1}{40}<\frac{1}{35}$이므로 ㉠<㉡입니다.

4 (리본을 만드는 데 사용한 끈의 길이)

$=\frac{9}{10}\times\frac{2}{5}=\frac{9}{25}$ (m)

5 분모가 크고 분자가 작을수록 계산 결과가 작아지므로 $\frac{1\times2\times3}{6\times5\times4}$의 값이 가장 작은 곱의 값입니다.

⇨ $\frac{1\times2\times3}{6\times5\times4}=\frac{1}{20}$

6 지윤이가 오늘 읽은 양은 책 전체의

$\left(1-\frac{4}{7}\right)\times\frac{1}{3}=\frac{3}{7}\times\frac{1}{3}=\frac{1}{7}$입니다.

참고
전체의 $\frac{▲}{■}$를 제외한 나머지

⇨ 전체의 $\left(1-\frac{▲}{■}\right)$

STEP 1 START 개념 35쪽

1 $7\frac{1}{2}$

2 예) 대분수를 가분수로 나타내지 않고, 약분하여 계산하였습니다. ;

예) $1\frac{4}{9}\times2\frac{1}{2}=\frac{13}{9}\times\frac{5}{2}=\frac{65}{18}=3\frac{11}{18}$

3 ㉢

4 $11\frac{5}{7}$ kg

5 $20\frac{1}{4}$ cm²

6 $6\frac{7}{18}$ cm²

1 $4\frac{1}{6}>3\frac{4}{7}>3\frac{1}{9}>1\frac{4}{5}$

⇨ (가장 큰 수)×(가장 작은 수)

$=4\frac{1}{6}\times1\frac{4}{5}=\frac{25}{6}\times\frac{9}{5}$

$=\frac{15}{2}=7\frac{1}{2}$

3 ㉠ $\frac{3}{8}\times2\frac{1}{3}\times1\frac{4}{5}=\frac{3}{8}\times\frac{7}{3}\times\frac{9}{5}=\frac{63}{40}=1\frac{23}{40}$

㉡ $1\frac{2}{5}\times2\frac{1}{7}\times\frac{1}{6}=\frac{7}{5}\times\frac{15}{7}\times\frac{1}{6}=\frac{1}{2}$

4 (철근의 무게)

=(철근 1 m의 무게)×(철근의 길이)

$=4\frac{5}{9}\times2\frac{4}{7}=\frac{41}{9}\times\frac{18}{7}=\frac{82}{7}=11\frac{5}{7}$ (kg)

5 (이어 붙인 색종이 전체의 넓이)

=(색종이 한 장의 넓이)×16

$=1\frac{1}{8}\times1\frac{1}{8}\times16=\frac{9}{8}\times\frac{9}{8}\times16$

$=\frac{81}{4}=20\frac{1}{4}$ (cm²)

6 (잘라낸 부분의 넓이)

=(직사각형의 넓이)×$\frac{2}{3}$

$=4\frac{1}{6}\times2\frac{3}{10}\times\frac{2}{3}=\frac{25}{6}\times\frac{23}{10}\times\frac{2}{3}$

$=\frac{115}{18}=6\frac{7}{18}$ (cm²)

STEP 2 JUMP 유형 36~43쪽

1-1 ❶ 예 $\frac{5}{\cancel{18}_{3}} \times \frac{\cancel{6}^{1}}{7} = \frac{5}{21}$

❷ 예 $\frac{5}{21} > \frac{\square}{21}$ ⇨ $\square = 1, 2, 3, 4$

; 1, 2, 3, 4

1-2 1, 2, 3 **1-3** 3, 4, 5

2-1 ❶ 예 $\left(3\frac{3}{4} - 1\frac{1}{2}\right) \times \frac{1}{3} = 2\frac{1}{4} \times \frac{1}{3}$

$= \frac{\cancel{9}^{3}}{4} \times \frac{1}{\cancel{3}_{1}} = \frac{3}{4}$

❷ 예 $\square = 1\frac{1}{2} + \frac{3}{4} = 1\frac{2}{4} + \frac{3}{4} = 1\frac{5}{4} = 2\frac{1}{4}$

; $2\frac{1}{4}$

2-2 $2\frac{11}{24}$ **2-3** $3\frac{7}{60}$

3-1 ❶ 예 4분 16초$=4\frac{16}{60}$분$=4\frac{4}{15}$분

❷ 예 $1\frac{3}{4} - \frac{3}{8} = 1\frac{6}{8} - \frac{3}{8} = 1\frac{3}{8}$ (L)

❸ 예 $1\frac{3}{8} \times 4\frac{4}{15} = \frac{11}{\cancel{8}_{1}} \times \frac{\cancel{64}^{8}}{15} = \frac{88}{15} = 5\frac{13}{15}$ (L)

; $5\frac{13}{15}$ L

3-2 $18\frac{2}{3}$ L **3-3** 108 km

4-1 ❶ 예 $\cancel{24}^{8} \times \frac{2}{\cancel{3}_{1}} = 16$ (m)

❷ 예 $16 \times \frac{2}{3} = \frac{32}{3} = 10\frac{2}{3}$ (m)

; $10\frac{2}{3}$ m

4-2 $22\frac{1}{2}$ m **4-3** $58\frac{4}{5}$ m

5-1 ❶ 예 자연수 부분에 가장 큰 수인 6을 놓고 나머지 수 카드로 진분수를 만들면 $6\frac{2}{5}$입니다.

❷ 예 자연수 부분에 가장 작은 수인 1을 놓고 나머지 수 카드로 진분수를 만들면 $1\frac{2}{3}$입니다.

❸ 예 (가장 큰 대분수)×(가장 작은 대분수)

$= 6\frac{2}{5} \times 1\frac{2}{3} = \frac{32}{\cancel{5}_{1}} \times \frac{\cancel{5}^{1}}{3} = \frac{32}{3} = 10\frac{2}{3}$

; $10\frac{2}{3}$

5-2 17 **5-3** $5\frac{7}{8} \times 3$; $17\frac{5}{8}$

6-1 ❶ 예 $\left(1 - \frac{2}{5}\right) \times \left(1 - \frac{2}{3}\right) = \frac{\cancel{3}^{1}}{5} \times \frac{1}{\cancel{3}_{1}} = \frac{1}{5}$

❷ 예 $\cancel{5000}^{1000} \times \frac{1}{\cancel{5}_{1}} = 1000$(원)

; 1000원

6-2 60쪽 **6-3** 20 m

7-1 ❶ 예 $1\frac{3}{5} \times 2\frac{6}{7} \times \frac{7}{\square} = \frac{8}{\cancel{5}_{1}} \times \frac{\cancel{20}^{4}}{\cancel{7}_{1}} \times \frac{\cancel{7}^{1}}{\square} = \frac{32}{\square}$

❷ 예 $\frac{32}{\square}$가 자연수가 되려면 □ 안에 들어갈 수 있는 자연수는 32의 약수인 1, 2, 4, 8, 16, 32입니다.

⇨ $\frac{7}{\square}$이 진분수이므로 □ 안에 들어갈 수 있는 자연수는 7보다 큰 8, 16, 32입니다.

; 8, 16, 32

7-2 5 **7-3** $7\frac{1}{3}$

8-1 ❶ 예 $2500 \times 200 = 500000$(원)

❷ 예 (자동차세)$\times \frac{10}{100} = \cancel{500000}^{5000} \times \frac{10}{\cancel{100}_{1}}$

$= 50000$(원)

⇨ $500000 - 50000 = 450000$(원)

❸ 예 $\cancel{450000}^{45000} \times \frac{3}{\cancel{10}_{1}} = 135000$(원)

❹ 예 $450000 + 135000 = 585000$(원)

; 585000원

1-2 $1\frac{1}{5} \times 3\frac{1}{8} = \frac{\cancel{6}^{3}}{\cancel{5}_{1}} \times \frac{\cancel{25}^{5}}{\cancel{8}_{4}} = \frac{15}{4} = 3\frac{3}{4}$

⇨ $\square\frac{1}{4} < 3\frac{3}{4}$에서 □ 안에 들어갈 수 있는 자연수는 1, 2, 3입니다.

1-3 $\frac{1}{50} < \frac{1}{9} \times \frac{1}{\square} < \frac{1}{20}$에서 $\frac{1}{50} < \frac{1}{9 \times \square} < \frac{1}{20}$이므로 $50 > 9 \times \square > 20$입니다.

⇨ □ 안에 들어갈 수 있는 자연수는 3, 4, 5입니다.

주의

단위분수는 분모가 작을수록 크므로 $\frac{1}{50} < \frac{1}{9 \times \square} < \frac{1}{20}$에서 분모만 비교하여 $50 > 9 \times \square > 20$으로 나타낼 때 부등호(>, <)의 방향이 반대로 되는 것에 주의합니다.

2 단원

문제해결 Key

① 분모의 크기를 비교합니다.
② □ 안에 들어갈 수 있는 자연수를 모두 구합니다.

2-2 $2\frac{1}{6}$과 □ 사이의 거리는 $2\frac{1}{6}$과 $3\frac{5}{8}$ 사이의 거리의 $\frac{1}{5}$입니다.

($2\frac{1}{6}$과 □ 사이의 거리)

$=\left(3\frac{5}{8}-2\frac{1}{6}\right)\times\frac{1}{5}=1\frac{11}{24}\times\frac{1}{5}=\frac{\overset{7}{\cancel{35}}}{24}\times\frac{1}{\underset{1}{\cancel{5}}}=\frac{7}{24}$

⇨ $□=2\frac{1}{6}+\frac{7}{24}=2\frac{4}{24}+\frac{7}{24}=2\frac{11}{24}$

2-3 $2\frac{3}{4}$과 □ 사이의 거리는 $2\frac{3}{4}$과 $4\frac{2}{5}$ 사이의 거리의 $\frac{2}{9}$입니다.

($2\frac{3}{4}$과 □ 사이의 거리)

$=\left(4\frac{2}{5}-2\frac{3}{4}\right)\times\frac{2}{9}=1\frac{13}{20}\times\frac{2}{9}=\frac{\overset{11}{\cancel{33}}}{\underset{10}{\cancel{20}}}\times\frac{\overset{1}{\cancel{2}}}{\underset{3}{\cancel{9}}}=\frac{11}{30}$

⇨ $□=2\frac{3}{4}+\frac{11}{30}=2\frac{45}{60}+\frac{22}{60}=2\frac{67}{60}=3\frac{7}{60}$

문제해결 Key

① $2\frac{3}{4}$과 □ 사이의 거리를 구합니다.
② □ 안에 알맞은 수를 구합니다.

3-2 10분 40초$=10\frac{40}{60}$분$=10\frac{2}{3}$분

(1분 동안 두 수도꼭지에서 나오는 물의 양)

$=\frac{2}{3}+1\frac{1}{12}=\frac{8}{12}+1\frac{1}{12}=1\frac{9}{12}=1\frac{3}{4}$ (L)

⇨ (10분 40초 동안 받은 물의 양)

$=1\frac{3}{4}\times10\frac{2}{3}=\frac{7}{\underset{1}{\cancel{4}}}\times\frac{\overset{8}{\cancel{32}}}{3}=\frac{56}{3}=18\frac{2}{3}$ (L)

3-3 1시간 20분$=1\frac{20}{60}$시간$=1\frac{1}{3}$시간

한 시간은 30분의 2배이므로

(한 시간 동안 달리는 거리)

$=40\frac{1}{2}\times2=\frac{81}{\underset{1}{\cancel{2}}}\times\overset{1}{\cancel{2}}=81$ (km)

⇨ (1시간 20분 동안 달리는 거리)

$=81\times1\frac{1}{3}=\overset{27}{\cancel{81}}\times\frac{4}{\underset{1}{\cancel{3}}}=108$ (km)

문제해결 Key

① 1시간 20분은 몇 시간인지 분수로 나타냅니다.
② 한 시간 동안 달리는 거리를 구합니다.
③ 1시간 20분 동안 달리는 거리를 구합니다.

4-2 (첫 번째로 튀어 오른 공의 높이)$=\overset{10}{\cancel{40}}\times\frac{3}{\underset{1}{\cancel{4}}}=30$ (m)

⇨ (두 번째로 튀어 오른 공의 높이)

$=\overset{15}{\cancel{30}}\times\frac{3}{\underset{2}{\cancel{4}}}=\frac{45}{2}=22\frac{1}{2}$ (m)

4-3 (첫 번째로 튀어 오른 공의 높이)$=\overset{6}{\cancel{30}}\times\frac{2}{\underset{1}{\cancel{5}}}=12$ (m)

(두 번째로 튀어 오른 공의 높이)

$=12\times\frac{2}{5}=\frac{24}{5}=4\frac{4}{5}$ (m)

⇨ (공이 두 번째로 튀어 올랐을 때까지 움직인 거리)

$=30+\underline{12\times2}+4\frac{4}{5}=58\frac{4}{5}$ (m)

→ 공이 첫 번째로 튀어 올랐다가 떨어진 거리

문제해결 Key

① 첫 번째로 튀어 오른 공의 높이를 구합니다.
② 두 번째로 튀어 오른 공의 높이를 구합니다.
③ 공이 두 번째로 튀어 올랐을 때까지 움직인 거리를 구합니다.

5-2 $2<3<4<5<6$이므로 만들 수 있는 가장 큰 대분수는 $6\frac{4}{5}$이고, 가장 작은 대분수는 $2\frac{3}{6}$입니다.

⇨ (가장 큰 대분수)×(가장 작은 대분수)

$=6\frac{4}{5}\times2\frac{3}{6}=\frac{\overset{17}{\cancel{34}}}{\underset{1}{\cancel{5}}}\times\frac{\overset{\overset{1}{\cancel{3}}}{\cancel{15}}}{\underset{\underset{1}{\cancel{3}}}{\cancel{6}}}=17$

5-3 계산 결과가 작으려면 대분수의 자연수 부분과 곱하는 수에 작은 수를 놓아 곱셈식을 만듭니다.

$3\frac{7}{8}\times5=\frac{31}{8}\times5=\frac{155}{8}=19\frac{3}{8}$,

$5\frac{7}{8}\times3=\frac{47}{8}\times3=\frac{141}{8}=17\frac{5}{8}$

⇨ 계산 결과가 가장 작은 곱셈식은 $5\frac{7}{8}\times3=17\frac{5}{8}$ 입니다.

문제해결 Key

① 만들 수 있는 (대분수)×(자연수)의 식을 세워 계산합니다.
② 계산 결과가 가장 작은 곱셈식을 찾습니다.

6-1 다른 풀이

(과자를 산 돈)$=\overset{1000}{\cancel{5000}}\times\frac{2}{\underset{1}{\cancel{5}}}=2000$(원)

(우유를 산 돈)$=(5000-2000)\times\frac{2}{3}$

$=\overset{1000}{\cancel{3000}}\times\frac{2}{\underset{1}{\cancel{3}}}=2000$(원)

⇨ (남은 돈)$=5000-2000-2000=1000$(원)

6-2 더 읽어야 하는 양은 전체의

$\left(1-\frac{3}{10}\right)\times\left(1-\frac{2}{7}\right)=\frac{\overset{1}{\cancel{7}}}{\underset{2}{\cancel{10}}}\times\frac{\overset{1}{\cancel{5}}}{\underset{1}{\cancel{7}}}=\frac{1}{2}$입니다.

⇨ (더 읽어야 하는 쪽수)$=\overset{60}{\cancel{120}}\times\frac{1}{\underset{1}{\cancel{2}}}=60$(쪽)

다른 풀이

(더 읽어야 하는 쪽수)$=120\times\left(1-\frac{3}{10}\right)\times\left(1-\frac{2}{7}\right)$

$=\overset{12}{\cancel{120}}\times\frac{\overset{1}{\cancel{7}}}{\underset{1}{\cancel{10}}}\times\frac{5}{\underset{1}{\cancel{7}}}=60$(쪽)

6-3 남은 끈의 길이는 전체의

$\left(1-\frac{1}{4}\right)\times\left(1-\frac{1}{3}\right)=\frac{\overset{1}{\cancel{3}}}{\underset{2}{\cancel{4}}}\times\frac{\overset{1}{\cancel{2}}}{\underset{1}{\cancel{3}}}=\frac{1}{2}$입니다.

⇨ 전체 끈의 $\frac{1}{2}$이 10 m이므로

(태용이가 처음에 가지고 있던 끈의 길이)

$=10\times2=20$ (m)

문제해결 Key

① 남은 끈의 길이가 전체의 얼마인지 알아봅니다.

② 처음에 가지고 있던 끈의 길이를 구합니다.

다른 풀이

처음에 가지고 있던 끈의 길이를 □ m라 하면

$\square\times\left(1-\frac{1}{4}\right)\times\left(1-\frac{1}{3}\right)=10$, $\square\times\frac{\overset{1}{\cancel{3}}}{\underset{2}{\cancel{4}}}\times\frac{\overset{1}{\cancel{2}}}{\underset{1}{\cancel{3}}}=10$,

$\square\times\frac{1}{2}=10$, $\square=10\times2=20$

⇨ 태용이가 처음에 가지고 있던 끈은 20 m입니다.

7-2 $\frac{3}{4}\times1\frac{3}{5}\times\frac{\square}{3}=\frac{\overset{1}{\cancel{3}}}{\underset{1}{\cancel{4}}}\times\frac{\overset{2}{\cancel{8}}}{5}\times\frac{\square}{\underset{1}{\cancel{3}}}=\frac{2\times\square}{5}=$(자연수)

⇨ $\frac{2\times\square}{5}$가 자연수가 되려면 $2\times\square$는 5의 배수이어야 합니다. $2\times\square=5$일 때 □는 자연수가 아니고, $2\times\square=10$일 때 $\square=5$이므로 □ 안에 들어갈 수 있는 가장 작은 자연수는 5입니다.

7-3 어떤 기약분수를 $\frac{●}{■}$라 하면

$\frac{●}{■}\times\frac{6}{11}=$(자연수), $\frac{●}{■}\times\frac{9}{22}=$(자연수)

→ ●: 11과 22의 공배수

■: 6과 9의 공약수

분수에서 분자는 작고 분모가 클수록 분수가 작아지므로 $\frac{●}{■}$가 가장 작은 분수이려면 ●는 11과 22의 최소공배수인 22, ■는 6과 9의 최대공약수인 3이어야 합니다.

⇨ $\frac{●}{■}=\frac{22}{3}=7\frac{1}{3}$

STEP 3 MASTER 심화 44~49쪽

01	$2\frac{1}{4}$	02	$\frac{9}{25}$ cm^2
03	5	04	45호
05	$9\frac{8}{15}$ km	06	오전 9시 45분
07	$10\frac{3}{40}$ cm	08	70 cm
09	$\frac{1}{101}$	10	$3\frac{5}{8}$
11	$29\frac{1}{3}$ km	12	$6\frac{1}{4}$ kg
13	194 m	14	$\frac{5}{6}$
15	$9\frac{5}{8}\times\frac{2}{3}$; $6\frac{5}{12}$	16	$\frac{1}{8}$
17	$\frac{35}{256}$	18	4쌍

01 $2\frac{2}{7}⊙1\frac{3}{4}=2\frac{2}{7}\times1\frac{3}{4}-1\frac{3}{4}=\frac{\overset{4}{\cancel{16}}}{\underset{1}{\cancel{7}}}\times\frac{\overset{1}{\cancel{7}}}{\underset{1}{\cancel{4}}}-1\frac{3}{4}$

$=4-1\frac{3}{4}=3\frac{4}{4}-1\frac{3}{4}=2\frac{1}{4}$

문제해결 Key

① 가와 나에 각각 알맞은 수를 넣어 식을 세웁니다.

② 식을 계산합니다.

02 (두 번째로 큰 정사각형의 넓이)

$=\left(1\frac{1}{5}\times1\frac{1}{5}\right)\times\frac{1}{2}=\frac{\overset{3}{\cancel{6}}}{5}\times\frac{6}{5}\times\frac{1}{\underset{1}{\cancel{2}}}=\frac{18}{25}$ (cm^2)

⇨ (색칠한 부분의 넓이)

$=\frac{\overset{9}{\cancel{18}}}{25}\times\frac{1}{\underset{1}{\cancel{2}}}=\frac{9}{25}$ (cm^2)

문제해결 Key
① 두 번째로 큰 정사각형의 넓이를 구합니다.
② 색칠한 부분의 넓이를 구합니다.

03 $\frac{1}{5}-\frac{1}{6}=\frac{6}{30}-\frac{5}{30}=\frac{1}{30}$이므로 $\frac{1}{30}>\frac{1}{7}\times\frac{1}{\square}$입니다.

⇨ $30<7\times\square$에서 $\square$ 안에 들어갈 수 있는 자연수는 5, 6, 7……이고 이 중 가장 작은 수는 5입니다.

주의
단위분수는 분모가 작을수록 크므로 $\frac{1}{30}>\frac{1}{7}\times\frac{1}{\square}$에서 분모만 비교하여 $30<7\times\square$로 나타낼 때, 부등호(>, <)의 방향이 반대로 되는 것에 주의합니다.

문제해결 Key
① $\frac{1}{5}-\frac{1}{6}$을 계산합니다.
② 분모만 비교하여 $\square$ 안에 들어갈 수 있는 자연수 중에서 가장 작은 수를 구합니다.

04 $(275-50)\times\frac{1}{5}=\overset{45}{\cancel{225}}\times\frac{1}{\underset{1}{\cancel{5}}}=45$(호)

문제해결 Key
① 한국 신발 사이즈와 중국 신발 사이즈의 관계를 알아봅니다.
② 275 mm인 신발 사이즈를 호로 구합니다.

05 3분 18초$=3\frac{18}{60}$분$=3\frac{3}{10}$분

(1분 동안 달렸을 때 두 자동차 사이의 거리)

$=1\frac{5}{9}+1\frac{1}{3}=1\frac{5}{9}+1\frac{3}{9}=2\frac{8}{9}$ (km)

⇨ (3분 18초 동안 달렸을 때 두 자동차 사이의 거리)

$=2\frac{8}{9}\times3\frac{3}{10}=\frac{\overset{13}{\cancel{26}}}{\underset{3}{\cancel{9}}}\times\frac{\overset{11}{\cancel{33}}}{\underset{5}{\cancel{10}}}=\frac{143}{15}=9\frac{8}{15}$ (km)

참고
두 자동차가 반대 방향으로 달린 경우

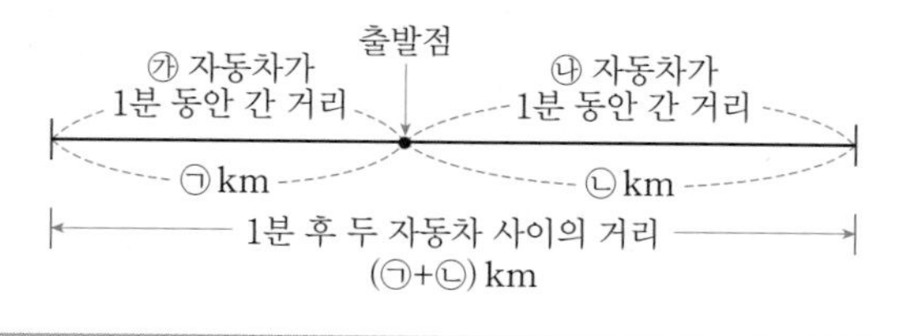

문제해결 Key
① 3분 18초는 몇 분인지 분수로 나타냅니다.
② 1분 동안 달렸을 때 두 자동차 사이의 거리를 구합니다.
③ 3분 18초 동안 달렸을 때 두 자동차 사이의 거리를 구합니다.

06 (12일 동안 늦어진 시간)$=1\frac{1}{4}\times12=\frac{5}{\underset{1}{\cancel{4}}}\times\overset{3}{\cancel{12}}=15$(분)

⇨ 오전 10시$-$15분$=$오전 9시 45분

문제해결 Key
① 12일 동안 늦어진 시간을 구합니다.
② 12일 후 오전 10시에 이 시계가 가리키는 시각을 구합니다.

07 (색 테이프 4장의 길이의 합)

$=2\frac{4}{5}\times4=\frac{14}{5}\times4=\frac{56}{5}=11\frac{1}{5}$ (cm)

(겹쳐진 부분의 길이의 합)$=\frac{3}{8}\times3=\frac{9}{8}=1\frac{1}{8}$ (cm)

⇨ (이어 붙인 색 테이프 전체의 길이)

$=11\frac{1}{5}-1\frac{1}{8}=11\frac{8}{40}-1\frac{5}{40}=10\frac{3}{40}$ (cm)

문제해결 Key
① 색 테이프 4장의 길이의 합을 구합니다.
② 겹쳐진 부분의 길이의 합을 구합니다.
③ 이어 붙인 색 테이프 전체의 길이를 구합니다.

08 (5도 높은 솔 관의 길이)$=\overset{20}{\cancel{60}}\times\frac{2}{\underset{1}{\cancel{3}}}=40$ (cm)

(한 옥타브 위의 도 관의 길이)$=\overset{30}{\cancel{60}}\times\frac{1}{\underset{1}{\cancel{2}}}=30$ (cm)

⇨ (두 관의 길이의 합)$=40+30=70$ (cm)

문제해결 Key
① 5도 높은 솔 관의 길이를 구합니다.
② 한 옥타브 위의 도 관의 길이를 구합니다.
③ 두 관의 길이의 합을 구합니다.

09 분자는 1부터 1씩, 분모는 2부터 1씩 커지는 규칙이므로 100번째 분수는 $\frac{100}{101}$입니다.

⇨ $\frac{1}{\underset{1}{\cancel{2}}}\times\frac{\overset{1}{\cancel{2}}}{\underset{1}{\cancel{3}}}\times\frac{\overset{1}{\cancel{3}}}{\underset{1}{\cancel{4}}}\times\frac{\overset{1}{\cancel{4}}}{\underset{1}{\cancel{5}}}\times\frac{\overset{1}{\cancel{5}}}{\underset{1}{\cancel{6}}}\times\cdots\cdots\times\frac{\overset{1}{\cancel{99}}}{\underset{1}{\cancel{100}}}\times\frac{\overset{1}{\cancel{100}}}{101}=\frac{1}{101}$

문제해결 Key
① 늘어놓은 분수의 규칙을 찾습니다.
② 처음부터 100번째 분수까지 모두 곱한 값을 구합니다.

10 ($3\frac{3}{10}$과 ㉠ 사이의 거리)

$=\left(5\frac{1}{4}-3\frac{3}{10}\right)\times\frac{1}{2}\times\frac{1}{3}=1\frac{19}{20}\times\frac{1}{2}\times\frac{1}{3}$

$=\frac{39}{20}\times\frac{1}{2}\times\frac{1}{3}=\frac{13}{40}$

⇨ ㉠$=3\frac{3}{10}+\frac{13}{40}=3\frac{12}{40}+\frac{13}{40}=3\frac{25}{40}=3\frac{5}{8}$

문제해결 Key
① $3\frac{3}{10}$과 ㉠ 사이의 거리를 구합니다.
② ㉠에 알맞은 수를 구합니다.

11 2시간 30분$=2\frac{30}{60}$시간$=2\frac{1}{2}$시간

(영주가 자전거를 타고 간 거리)

$=5\frac{1}{3}\times2\frac{1}{2}=\frac{16}{3}\times\frac{5}{2}=\frac{40}{3}=13\frac{1}{3}$ (km)

(소임이가 자전거를 타고 간 거리)

$=6\frac{2}{5}\times2\frac{1}{2}=\frac{32}{5}\times\frac{5}{2}=16$ (km)

⇨ (㉮와 ㉯ 사이의 거리)$=13\frac{1}{3}+16=29\frac{1}{3}$ (km)

문제해결 Key
① 2시간 30분은 몇 시간인지 분수로 나타냅니다.
② 영주와 소임이가 각각 자전거를 타고 간 거리를 구합니다.
③ ㉮와 ㉯ 사이의 거리를 구합니다.

12 (설탕 8봉지의 무게)

$=2\frac{1}{12}\times8=\frac{25}{12}\times8=\frac{50}{3}=16\frac{2}{3}$ (kg)

⇨ (남은 설탕의 무게)

$=16\frac{2}{3}\times\left(1-\frac{2}{5}\right)\times\left(1-\frac{3}{8}\right)$

$=\frac{50}{3}\times\frac{3}{5}\times\frac{5}{8}=\frac{25}{4}=6\frac{1}{4}$ (kg)

문제해결 Key
① 설탕 8봉지의 무게를 구합니다.
② 남은 설탕의 무게를 구합니다.

13 (첫 번째로 튀어 오른 공의 높이)$=64\times\frac{5}{8}=40$ (m)

(두 번째로 튀어 오른 공의 높이)$=40\times\frac{5}{8}=25$ (m)

⇨ (공이 세 번째로 땅에 닿을 때까지 움직인 거리)
$=64+40\times2+25\times2=194$ (m)

참고
공이 세 번째로 땅에 닿을 때까지 움직인 거리

64 m
40 m 40 m
25 m 25 m
① ② ③

14 정사각형의 가로를 처음 길이의 $\frac{1}{4}$만큼 늘이고, 세로를 처음 길이의 $\frac{1}{3}$만큼 줄여서 직사각형을 만들었습니다. 만든 직사각형의 넓이는 처음 정사각형 넓이의 몇 분의 몇입니까?

→처음 길이의 $\left(1+\frac{1}{4}\right)$배
→처음 길이의 $\left(1-\frac{1}{3}\right)$배

정사각형의 한 변의 길이를 □라 하면

(정사각형의 넓이)$=$□$\times$□

(만든 직사각형의 넓이)

$=$□$\times1\frac{1}{4}\times$□$\times\frac{2}{3}=$□$\times$□$\times\frac{5}{4}\times\frac{2}{3}$

$=$□$\times$□$\times\frac{5}{6}$

⇨ 만든 직사각형의 넓이는 처음 정사각형 넓이의 $\frac{5}{6}$입니다.

15 계산 결과가 가장 크려면 가장 큰 수인 9를 대분수의 자연수 부분에 놓아 곱셈식을 만듭니다.

$9\frac{5}{8}\times\frac{2}{3}=\frac{77}{8}\times\frac{2}{3}=\frac{77}{12}=6\frac{5}{12}$,

$9\frac{3}{8}\times\frac{2}{5}=\frac{75}{8}\times\frac{2}{5}=\frac{15}{4}=3\frac{3}{4}$,

$9\frac{2}{8}\times\frac{3}{5}=\frac{74}{8}\times\frac{3}{5}=\frac{111}{20}=5\frac{11}{20}$,

$9\frac{3}{5}\times\frac{2}{8}=\frac{48}{5}\times\frac{2}{8}=\frac{12}{5}=2\frac{2}{5}$,

$9\frac{2}{5}\times\frac{3}{8}=\frac{47}{5}\times\frac{3}{8}=\frac{141}{40}=3\frac{21}{40}$,

$9\frac{2}{3}\times\frac{5}{8}=\frac{29}{3}\times\frac{5}{8}=\frac{145}{24}=6\frac{1}{24}$

⇨ 계산 결과가 가장 큰 곱셈식은 $9\frac{5}{8}\times\frac{2}{3}=6\frac{5}{12}$입니다.

문제해결 Key
① 만들 수 있는 (대분수)×(진분수)의 식을 세워 계산합니다.
② 계산 결과가 가장 큰 곱셈식을 찾습니다.

16 선우가 한 시간 동안 하는 일의 양은 전체의 $\frac{1}{4}$이고, 지민이가 한 시간 동안 하는 일의 양은 전체의 $\frac{1}{3}$입니다.

(두 사람이 함께 한 시간 동안 하는 일의 양)

$=\frac{1}{4}+\frac{1}{3}=\frac{3}{12}+\frac{4}{12}=\frac{7}{12}$

1시간 30분$=1\frac{30}{60}$시간$=1\frac{1}{2}$시간이므로

(두 사람이 함께 1시간 30분 동안 하는 일의 양)

$=\frac{7}{12}\times1\frac{1}{2}=\frac{7}{\cancel{12}_4}\times\frac{\cancel{3}^1}{2}=\frac{7}{8}$

⇨ 남은 일은 전체의 $1-\frac{7}{8}=\frac{1}{8}$입니다.

문제해결 Key
① 두 사람이 함께 한 시간 동안 하는 일의 양을 구합니다.
② 두 사람이 함께 1시간 30분 동안 하는 일의 양을 구합니다.
③ 남은 일의 양을 구합니다.

17 • 분모가 8일 때: 합은 $\frac{6}{8}$, 차는 $\frac{1}{8}$이며 합이 6이고 차가 1인 두 자연수는 없습니다.

• 분모가 16일 때: 합은 $\frac{12}{16}$, 차는 $\frac{2}{16}$이며 합이 12이고 차가 2인 두 수는 7과 5입니다.

⇨ 두 분수는 $\frac{7}{16}$과 $\frac{5}{16}$이므로 두 분수의 곱은 $\frac{7}{16}\times\frac{5}{16}=\frac{35}{256}$입니다.

18 $\frac{3}{4}\times㉠\times\frac{1}{㉡}=\frac{3}{4}\times\frac{㉠}{㉡}$이 자연수가 되려면 ㉠은 4의 배수인 4, 8 중 하나입니다.

• ㉠=4일 때

$\frac{3}{\cancel{4}_1}\times\frac{\cancel{4}^1}{㉡}=\frac{3}{㉡}$이므로 ㉡=3입니다.

• ㉠=8일 때

$\frac{3}{\cancel{4}_1}\times\frac{\cancel{8}^2}{㉡}=\frac{6}{㉡}$이므로 ㉡=2, 3, 6입니다.

⇨ (4, 3), (8, 2), (8, 3), (8, 6)으로 모두 4쌍입니다.

문제해결 Key
① ㉠이 될 수 있는 수를 구합니다.
② ①에서 구한 ㉠일 때 조건에 알맞은 ㉡을 각각 구합니다.
③ 조건에 알맞은 (㉠, ㉡)은 모두 몇 쌍인지 구합니다.

STEP 4 TOP 최고수준 50~51쪽

01 $\frac{49}{100}$	**02** 3시 36분
03 50 m	**04** 11개
05 18 m	**06** $7\frac{1}{8}$ L

01 $\frac{1}{2\times3}+\frac{1}{3\times4}+\frac{1}{4\times5}+\cdots\cdots+\frac{1}{99\times100}$

$=\frac{1}{3-2}\times\left(\frac{1}{2}-\frac{1}{3}\right)+\frac{1}{4-3}\times\left(\frac{1}{3}-\frac{1}{4}\right)$

$+\frac{1}{5-4}\times\left(\frac{1}{4}-\frac{1}{5}\right)+\cdots\cdots$

$+\frac{1}{100-99}\times\left(\frac{1}{99}-\frac{1}{100}\right)$

$=\left(\frac{1}{2}-\cancel{\frac{1}{3}}\right)+\left(\cancel{\frac{1}{3}}-\cancel{\frac{1}{4}}\right)+\left(\cancel{\frac{1}{4}}-\cancel{\frac{1}{5}}\right)+\cdots\cdots$

$+\left(\cancel{\frac{1}{99}}-\frac{1}{100}\right)$

$=\frac{1}{2}-\frac{1}{100}=\frac{50}{100}-\frac{1}{100}=\frac{49}{100}$

02 프랑스 시계로 5시간은 오늘날의 12시간을 나타내므로 프랑스 시계로 한 시간은 오늘날의 $\frac{12}{5}$시간을 나타냅니다.

⇨ 프랑스 시계로 1시간 50분$=1\frac{50}{100}$시간$=1\frac{1}{2}$시간은 오늘날의

$\frac{12}{5}\times1\frac{1}{2}=\frac{\cancel{12}^6}{5}\times\frac{3}{\cancel{2}_1}=\frac{18}{5}=3\frac{3}{5}$(시간)

을 나타냅니다.

따라서 $3\frac{3}{5}\left(=3\frac{36}{60}\right)$시간은 3시간 36분이므로 오늘날의 시각으로 바꾸면 3시 36분입니다.

문제해결 Key
① 프랑스 시계로 한 시간은 오늘날의 몇 시간을 나타내는지 구합니다.
② 프랑스 시계로 1시 50분을 오늘날의 시각으로 나타냅니다.

03 첫 번째 쉬고 남은 거리는 전체 거리의 $\left(1-\frac{1}{2}\right)$

두 번째 쉬고 남은 거리는 전체 거리의

$\left(1-\frac{1}{2}\right)\times\left(1-\frac{1}{3}\right)$

⋮

8번째 쉬고 남은 거리는 전체 거리의

$\left(1-\frac{1}{2}\right)\times\left(1-\frac{1}{3}\right)\times\left(1-\frac{1}{4}\right)\times\cdots\cdots\times\left(1-\frac{1}{9}\right)$

$=\frac{1}{2}\times\frac{2}{3}\times\frac{3}{4}\times\cdots\cdots\times\frac{7}{8}\times\frac{8}{9}=\frac{1}{9}$입니다.

⇨ (8번째 쉬는 지점에서 개미집까지의 거리)

$=450\times\frac{1}{9}=50$ (m)

문제해결 Key

① 8번째 쉬고 남은 거리는 전체 거리의 얼마인지 구합니다.

② 8번째 쉬는 지점에서 개미집까지의 거리를 구합니다.

04 $385=5\times7\times11$이고 분모 ㉠은 385의 약수 중에서 찾습니다.

• ㉠$=5$이고 ㉢이 두 자리 수일 때: $385\times\frac{1}{5}=77$

• ㉠$=7$이고 ㉢이 두 자리 수일 때: $385\times\frac{1}{7}=55$

• ㉠$=11$이고 ㉢이 두 자리 수일 때: $385\times\frac{1}{11}=35$,

$385\times\frac{2}{11}=70$

• ㉠$=35$이고 ㉢이 두 자리 수일 때: $385\times\frac{1}{35}=11$,

$385\times\frac{2}{35}=22$, $385\times\frac{3}{35}=33$, $385\times\frac{4}{35}=44$,

$385\times\frac{6}{35}=66$, $385\times\frac{8}{35}=88$, $385\times\frac{9}{35}=99$

($\frac{5}{35}$와 $\frac{7}{35}$은 약분이 되어 계산 결과가 중복되므로 뺍니다.)

⇨ $1+1+2+7=11$(개)

문제해결 Key

① ㉠이 될 수 있는 수를 구합니다.

② ①에서 구한 ㉠일 때 조건에 알맞은 ㉢을 각각 구합니다.

③ ㉢이 될 수 있는 수의 개수를 모두 구합니다.

05 설치하려고 하는 전체 울타리 수를 □개라 하면 아직 설치하지 않은 울타리 수는 $\left(\square\times\frac{5}{8}-25\right)$개입니다.

$\square\times\frac{5}{8}-25=\square\times\frac{5}{18}$에서 $\frac{\square\times5}{8}-\frac{\square\times5}{18}=25$,

$\frac{\square\times45}{72}-\frac{\square\times20}{72}=25$, $\frac{\square\times25}{72}=25$,

$\square\times\frac{25}{72}=25$이므로 $\square=72$입니다.

⇨ (연못의 둘레)$=72\times\frac{1}{4}=18$ (m)

문제해결 Key

① 설치하려고 하는 전체 울타리 수를 구합니다.

② 연못의 둘레를 구합니다.

06 하경, 태호, 선아 세 사람이 물을 나눠 가졌습니다. 하경이는 전체 물의 $\frac{1}{3}$과 1 L를, 태호는 나머지의 $\frac{1}{3}$과 1 L를, 마지막으로 선아가 나머지의 $\frac{1}{3}$과 1 L를 가져갔더니 남은 물이 없었습니다. 처음에 있던 물의 양은 몇 L입니까? (→ 남은 물의 $\frac{2}{3}$는 1 L가 됩니다.)

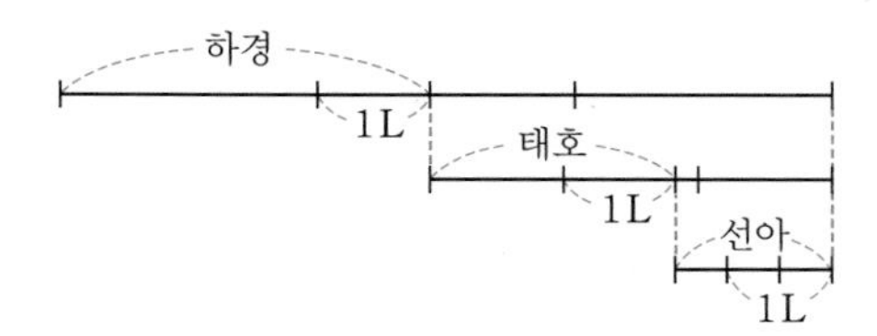

(선아가 가지고 간 물의 양)

$=1\times\frac{1}{2}\times3=\frac{3}{2}=1\frac{1}{2}$ (L)

(태호가 가져가기 전에 남은 물의 양)

$=\left(1\frac{1}{2}+1\right)\times\frac{1}{2}\times3=2\frac{1}{2}\times\frac{1}{2}\times3$

$=\frac{5}{2}\times\frac{1}{2}\times3=\frac{15}{4}=3\frac{3}{4}$ (L)

⇨ (처음에 있던 물의 양)

$=\left(3\frac{3}{4}+1\right)\times\frac{1}{2}\times3=4\frac{3}{4}\times\frac{1}{2}\times3$

$=\frac{19}{4}\times\frac{1}{2}\times3=\frac{57}{8}=7\frac{1}{8}$ (L)

문제해결 Key

① 선아가 가지고 간 물의 양을 구합니다.

② 태호가 가져가기 전에 남은 물의 양을 구합니다.

③ 처음에 있던 물의 양을 구합니다.

3 합동과 대칭

STEP 1 START 개념 55쪽

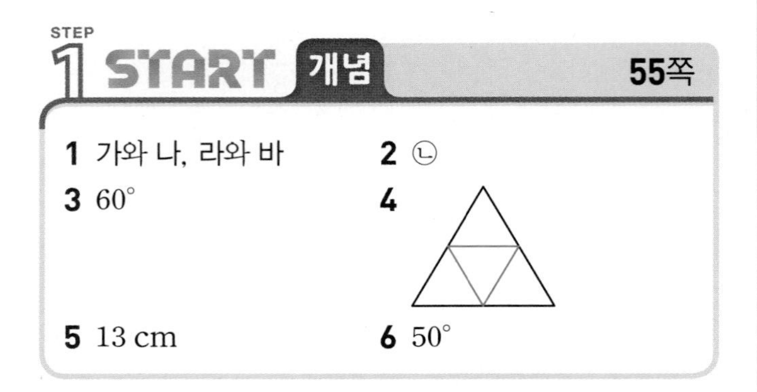

1 가와 나, 라와 바
2 ㉡
3 60°
4
5 13 cm
6 50°

1 포개었을 때 완전히 겹치는 두 도형을 모두 찾습니다.

2
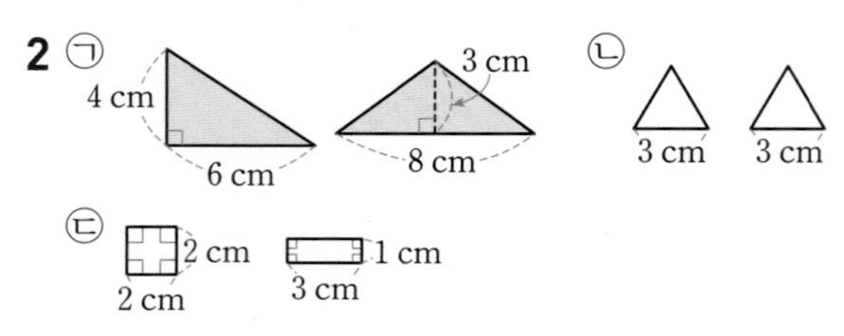

⇨ 항상 서로 합동이 되는 것은 ㉡입니다.

3 (각 ㅅㅇㅁ)=(각 ㄴㄱㄹ)=130°
⇨ (각 ㅁㅂㅅ)=360°−80°−130°−90°=60°

4 모양과 크기가 모두 같게 나누어 봅니다.

5 두 삼각형은 서로 합동이므로 삼각형 ㄹㅁㅂ의 둘레도 28 cm입니다.
⇨ (변 ㅁㅂ)=(변 ㄷㄴ)=6 cm이므로
(변 ㅂㄹ)=28−9−6=13 (cm)

6 (각 ㄱㄷㄴ)=180°−25°−90°=65°이므로
(각 ㅁㄷㄹ)=(각 ㄱㄷㄴ)=65°
⇨ (각 ㄱㄷㅁ)=180°−65°−65°=50°

STEP 1 START 개념 57쪽

1

2

3 15 cm
4 40°
5 25 cm
6 488 cm^2

1 선대칭도형을 찾아 완전히 겹치도록 접을 수 있는 직선을 모두 긋습니다.

2 각 점의 대응점을 찾아 표시한 후 대응점을 차례로 이어 선대칭도형을 완성합니다.

3 대칭축은 대응점끼리 이은 선분을 둘로 똑같이 나누므로 (선분 ㄴㅂ)=(선분 ㄴㅁ)÷2=30÷2=15 (cm)

4 (각 ㄹㄱㄴ)=(각 ㄹㄷㄴ)=50°
⇨ (각 ㄱㄴㄹ)=180°−50°−90°=40°

5 (변 ㄹㄷ)=(변 ㄹㄱ)=8 cm이고
(변 ㄴㄷ)=(변 ㄴㄱ)이므로
(변 ㄴㄷ)=(66−8−8)÷2=50÷2=25 (cm)

6
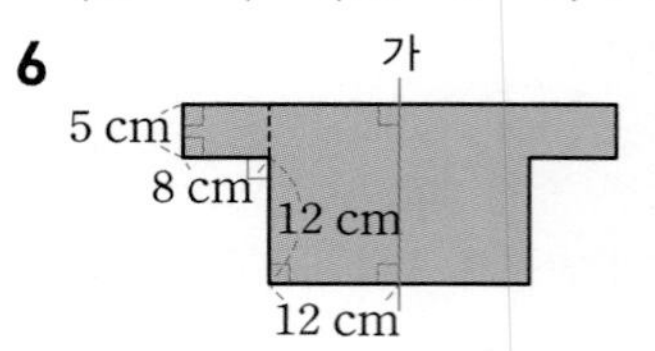

(완성할 선대칭도형의 넓이)
=(대칭축의 한쪽에 있는 도형의 넓이)×2
=(8×5+12×17)×2
=(40+204)×2=488 (cm^2)

STEP 1 START 개념 59쪽

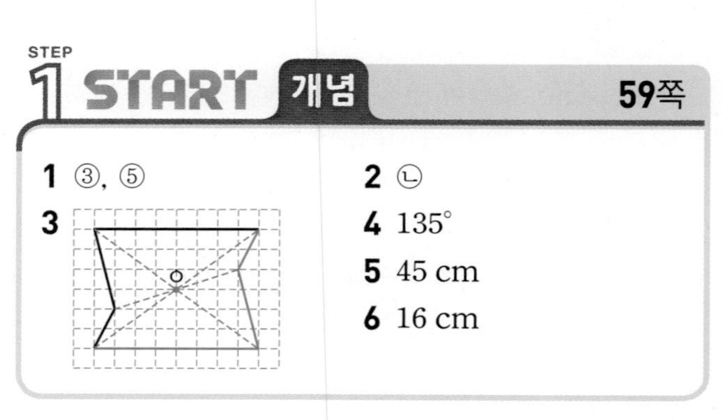

1 ③, ⑤
2 ㉡
3
4 135°
5 45 cm
6 16 cm

1 표시한 점을 중심으로 180° 돌리면 처음 도형과 완전히 겹칩니다.

③ ㄹ ⑤ ㅍ

2 ㉡ 변 ㄱㄴ의 대응변은 변 ㅁㅂ입니다.

3 각 점에서 대칭의 중심까지의 길이와 같도록 대응점을 찾아 표시한 후 대응점을 차례로 이어 점대칭도형을 완성합니다.

4 (각 ㅁㅂㄱ)=(각 ㄴㄷㄹ)=90°
⇨ (각 ㄹㅁㅂ)=360°−70°−65°−90°=135°

5 (변 ㄱㄴ)=(변 ㄷㄹ)=16 cm
(선분 ㄴㄹ)=(선분 ㄴㅇ)×2=8×2=16 (cm)
⇨ (삼각형 ㄱㄴㄹ의 둘레)=13+16+16=45 (cm)

6 (선분 ㅇㅂ)=(선분 ㄷㅂ)÷2
=8÷2=4 (cm)
⇨ (선분 ㄴㅇ)=20−4=16 (cm)

STEP 2 JUMP 유형 60~69쪽

1-1 ❶ 예 (변 ㄱㄷ)=(변 ㄴㅁ)=10 cm
❷ 예 (변 ㄴㄹ)=(변 ㄱㄴ)=8 cm이므로
(변 ㄴㄷ)=8−2=6 (cm)
❸ 예 8+6+10=24 (cm)
; 24 cm

1-2 36 cm **1-3** 578 cm^2

2-1 ❶ 예 (각 ㄴㄷㄱ)=(각 ㄹㅁㄱ)이므로
사각형 ㄱㅁㅂㄷ에서
(각 ㄴㄷㄱ)=(360°−90°−140°)÷2
=65°
❷ 예 삼각형 ㄱㄴㄷ에서
(각 ㄱㄴㄷ)=180°−90°−65°=25°
; 25°

2-2 64° **2-3** 35°

3-1 ❶ 예 한 직선이 이루는 각의 크기는 180°이므로
(각 ㅁㄹㄷ)=180°−55°=125°
❷ 예 (각 ㅁㄱㄴ)=(각 ㅁㄹㄷ)=125°
❸ 예 (각 ㄱㄴㅂ)=(각 ㄹㄷㅂ)이므로
(각 ㄱㄴㅂ)=(360°−125°−125°)÷2
=55°
; 55°

3-2 100° **3-3** 40°

4-1 ❶ 예 선분 ㄱㅇ과 선분 ㄴㅇ이 원의 반지름으로 길이가 같으므로 삼각형 ㄱㄴㅇ은 이등변삼각형입니다.
⇨ (각 ㅇㄱㄴ)=(각 ㅇㄴㄱ)=52°이므로
(각 ㄱㅇㄴ)=180°−52°−52°=76°
❷ 예 각 ㄷㅇㄹ의 대응각은 각 ㄱㅇㄴ이므로
(각 ㄷㅇㄹ)=(각 ㄱㅇㄴ)=76°
; 76°

4-2 50° **4-3** 70°

5-1 ❶
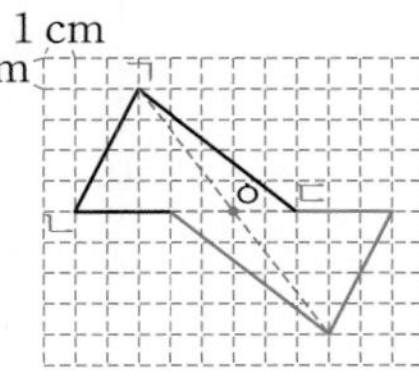

❷ 예 (완성한 점대칭도형의 넓이)
=(삼각형 ㄱㄴㄷ의 넓이)×2
=(7×4÷2)×2=28 (cm^2)
; 28 cm^2

5-2 36 cm^2 **5-3** 2 cm

6-1 ❶ 예 (①, ③), (②, ④) ⇨ 2쌍
❷ 예 (①+②, ③+④), (①+④, ②+③) ⇨ 2쌍
❸ 예 2+2=4(쌍)
; 4쌍

6-2 5쌍 **6-3** 7쌍

7-1 ❶

❷ 예 (각 ㄱㄹㄷ)=(각 ㄱㄴㄷ)=60°이고
(각 ㄴㄱㄹ)=180°−60°−60°=60°이므로 삼각형 ㄱㄴㄹ은 정삼각형입니다.
⇨ (완성한 선대칭도형의 둘레)
=17×3=51 (cm)
; 51 cm

7-2 36 cm^2 **7-3** 54 cm

8-1 ❶ 예 (선분 ㄱㅁ)=(선분 ㄹㄴ)=25 cm이고
(선분 ㅁㅅ)=(선분 ㄴㅅ)=7 cm이므로
(변 ㄱㄴ)=25−7−7=11 (cm)
❷ 예 (변 ㄴㄷ)=(변 ㅁㅂ)=18 cm,
(변 ㄷㄹ)=(변 ㅂㄱ)=16 cm,
(변 ㄹㅁ)=(변 ㄱㄴ)=11 cm이므로
(점대칭도형의 둘레)=(11+16+18)×2
=45×2=90 (cm)
; 90 cm

8-2 56 cm **8-3** 140 cm

9-1 ❶ 예 사각형 ㅁㅈㄷㄹ과 사각형 ㅁㅈㅇㅅ은 서로 합동이므로
(각 ㄹㅁㅈ)=(각 ㅅㅁㅈ)
=(180°−84°)÷2=48°
❷ 예 사각형 ㅁㅈㄷㄹ에서
㉠=360°−48°−90°−90°=132°
; 132°

9-2 40° **9-3** 10°

10-1 ❶ 선대칭도형: ㉠, ㉡, ㉢, ㉣, ㉥, ㉧
점대칭도형: ㉢, ㉥, ㉦
❷ ㉢, ㉥
; ㉢, ㉥

10-2 2개

3 단원

1-2 (변 ㅁㄷ)=(변 ㄱㄷ)=12 cm이므로
(변 ㄴㄷ)=12−3=9 (cm)
(변 ㄹㄷ)=(변 ㄴㄷ)=9 cm
⇨ (삼각형 ㅁㄹㄷ의 둘레)=15+12+9=36 (cm)

1-3 (변 ㄴㄷ)=(변 ㄹㅁ)=24 cm,
(변 ㄷㄹ)=(변 ㄱㄴ)=10 cm이므로
(변 ㄴㄹ)=24+10=34 (cm)
⇨ 사각형 ㄱㄴㄹㅁ은 윗변의 길이가 10 cm, 아랫변의 길이가 24 cm, 높이가 34 cm인 사다리꼴이므로
(사각형 ㄱㄴㄹㅁ의 넓이)
$=(10+24)\times34\div2=578\ (\text{cm}^2)$

문제해결 Key
① 변 ㄴㄹ의 길이를 구합니다.
② 사각형 ㄱㄴㄹㅁ의 넓이를 구합니다.

2-2
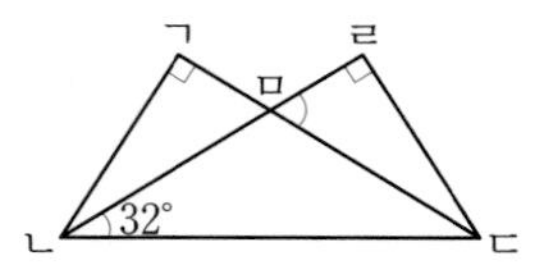

삼각형 ㄹㄴㄷ에서
(각 ㄴㄷㄹ)=180°−90°−32°=58°
(각 ㄴㄷㄱ)=(각 ㄷㄴㄹ)=32°이므로
(각 ㅁㄷㄹ)=58°−32°=26°
⇨ 삼각형 ㄹㅁㄷ에서
(각 ㄹㅁㄷ)=180°−90°−26°=64°

다른 풀이
(각 ㄱㄷㄴ)=(각 ㄹㄴㄷ)=32°
삼각형 ㅁㄴㄷ에서 (각 ㄴㅁㄷ)=180°−32°−32°=116°
⇨ (각 ㄹㅁㄷ)=180°−116°=64°

2-3
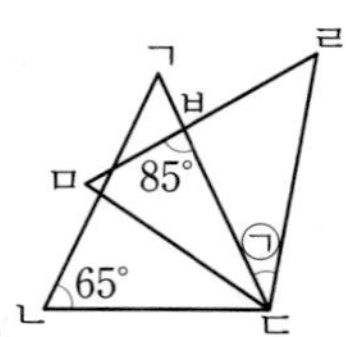

(각 ㄹㅁㄷ)=(각 ㄱㄴㄷ)=65°이므로
삼각형 ㅂㅁㄷ에서
(각 ㅁㄷㅂ)=180°−85°−65°=30°
삼각형 ㄹㅁㄷ은 이등변삼각형이므로
(각 ㅁㄷㄹ)=(각 ㄹㅁㄷ)=65°
⇨ ㉠=65°−30°=35°

문제해결 Key
① 각 ㅁㄷㅂ의 크기를 구합니다.
② ㉠의 각도를 구합니다.

다른 풀이
삼각형 ㄱㄴㄷ과 삼각형 ㄹㅁㄷ은 서로 합동인 이등변삼각형이므로
(각 ㄷㄹㅁ)=(각 ㄷㄱㄴ)=180°−65°−65°=50°
(각 ㄹㅂㄷ)=180°−85°=95°
⇨ 삼각형 ㄹㅂㄷ에서 ㉠=180°−50°−95°=35°

3-2
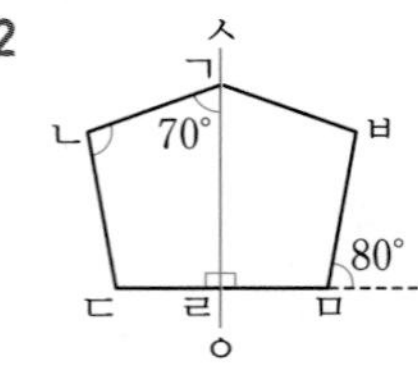

한 직선이 이루는 각의 크기는 180°이므로
(각 ㄹㅁㅂ)=(각 ㄹㄷㄴ)=180°−80°=100°
대응점끼리 이은 선분은 대칭축과 수직으로 만나므로
(각 ㄷㄹㄱ)=90°
⇨ (각 ㄱㄴㄷ)=360°−70°−100°−90°=100°

3-3
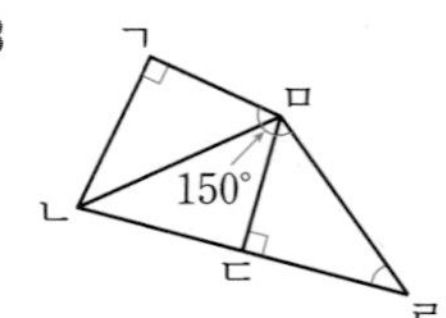

사각형 ㄱㄴㄷㅁ은 선대칭도형이므로
(각 ㄱㅁㄴ)=(각 ㄷㅁㄴ)
삼각형 ㅁㄴㄹ은 선대칭도형이므로
(각 ㄷㅁㄴ)=(각 ㄷㅁㄹ)
따라서 (각 ㄱㅁㄴ)=(각 ㄷㅁㄴ)=(각 ㄷㅁㄹ)이므로
(각 ㄷㅁㄹ)=150°÷3=50°
⇨ 삼각형 ㅁㄷㄹ에서
(각 ㄷㄹㅁ)=180°−50°−90°=40°

문제해결 Key
① 각 ㄷㅁㄹ의 크기를 구합니다.
② 각 ㄷㄹㅁ의 크기를 구합니다.

4-2
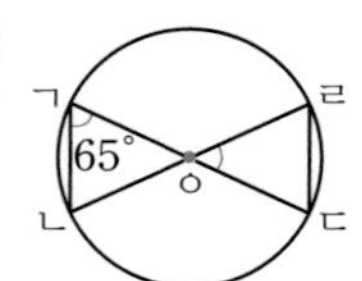

선분 ㄱㅇ과 선분 ㄴㅇ이 원의 반지름으로 길이가 같으므로 삼각형 ㄱㄴㅇ은 이등변삼각형입니다.
(각 ㅇㄴㄱ)=(각 ㅇㄱㄴ)=65°이므로
(각 ㄱㅇㄴ)=180°−65°−65°=50°
⇨ 각 ㄷㅇㄹ의 대응각은 각 ㄱㅇㄴ이므로
(각 ㄷㅇㄹ)=(각 ㄱㅇㄴ)=50°

4-3

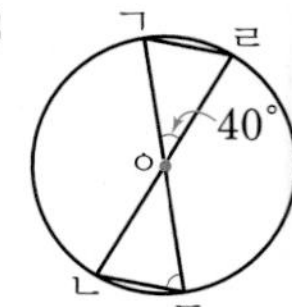

(각 ㄴㅇㄷ)=(각 ㄹㅇㄱ)=40°
선분 ㄴㅇ과 선분 ㄷㅇ이 원의 반지름으로 길이가 같으므로 삼각형 ㅇㄴㄷ은 이등변삼각형입니다.
⇨ (각 ㅇㄷㄴ)=(각 ㅇㄴㄷ)
$=(180°-40°)\div2=140°\div2=70°$

문제해결 Key
① 각 ㄴㅇㄷ의 크기를 알아봅니다.
② 각 ㅇㄷㄴ의 크기를 구합니다.

5-2

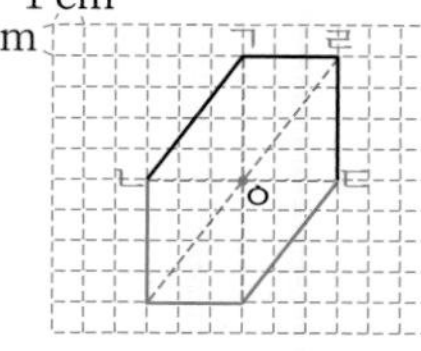

점대칭도형을 완성하면 왼쪽과 같습니다.

(완성한 점대칭도형의 넓이)
=(사다리꼴 ㄱㄴㄷㄹ의 넓이)×2
$=(3+6)\times4\div2\times2=36\ (cm^2)$

5-3

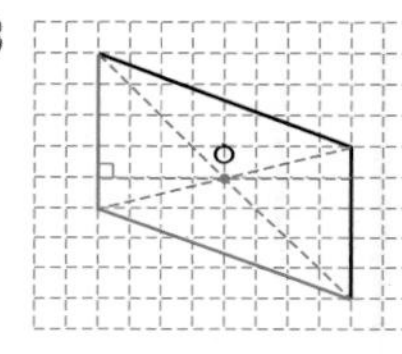

점대칭도형을 완성하면 왼쪽과 같이 평행사변형이 됩니다.
평행사변형의 밑변은 모눈 5칸, 높이는 모눈 8칸이고 모눈 한 칸의 넓이를 □ cm^2라 하면
$5\times8\times\square=160$, $40\times\square=160$, $\square=4$
⇨ $2\times2=4$이므로 모눈 한 칸의 한 변의 길이는 2 cm입니다.

문제해결 Key
① 점대칭도형을 완성합니다.
② 모눈 한 칸의 넓이를 구합니다.
③ 모눈 한 칸의 한 변의 길이를 구합니다.

6-2

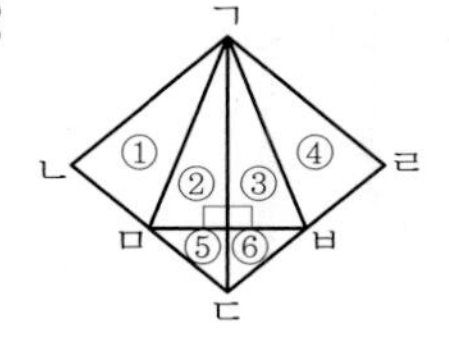

• 1개의 삼각형으로 이루어진 서로 합동인 삼각형:
(①, ④), (②, ③), (⑤, ⑥) → 3쌍
• 2개의 삼각형으로 이루어진 서로 합동인 삼각형:
(②+⑤, ③+⑥) → 1쌍
• 3개의 삼각형으로 이루어진 서로 합동인 삼각형:
(①+②+⑤, ④+③+⑥) → 1쌍
⇨ 3+1+1=5(쌍)

6-3

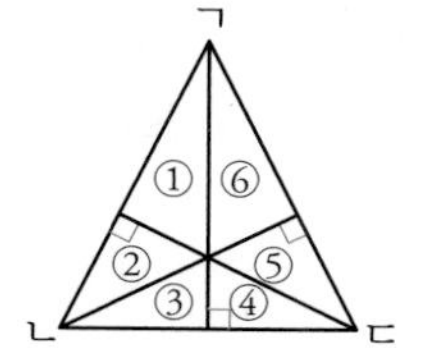

• 1개의 삼각형으로 이루어진 서로 합동인 삼각형:
(①, ⑥), (②, ⑤), (③, ④) → 3쌍
• 2개의 삼각형으로 이루어진 서로 합동인 삼각형:
(①+②, ⑥+⑤) → 1쌍
• 3개의 삼각형으로 이루어진 서로 합동인 삼각형:
(①+②+③, ⑥+⑤+④),
(②+③+④, ⑤+④+③),
(⑥+①+②, ①+⑥+⑤) → 3쌍
⇨ 3+1+3=7(쌍)

문제해결 Key
① 서로 합동인 삼각형이 도형 1개, 2개, 3개로 이루어진 경우를 각각 알아봅니다.
② ①에서 찾은 경우의 수를 알아봅니다.

7-2

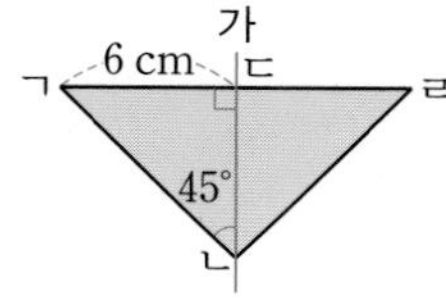

선대칭도형을 완성하면 왼쪽과 같습니다.

(각 ㄷㄱㄴ)=180°−90°−45°=45°이므로
삼각형 ㄷㄴㄱ과 삼각형 ㄷㄴㄹ은 이등변삼각형으로
(변 ㄷㄴ)=(변 ㄷㄱ)=(변 ㄷㄹ)=6 cm입니다.
⇨ (완성한 선대칭도형의 넓이)
$=(6+6)\times6\div2=36\ (cm^2)$

7-3

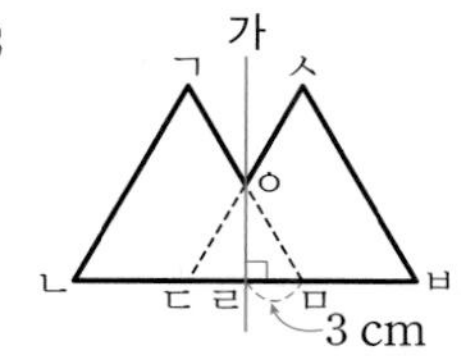

삼각형 ㄱㄴㅁ과 삼각형 ㅅㄷㅂ은 정삼각형이므로
(각 ㅇㄷㅁ)=(각 ㄷㅁㅇ)=60°,
(각 ㅁㅇㄷ)=180°−60°−60°=60°로
삼각형 ㅇㄷㅁ은 정삼각형입니다.
(선분 ㄷㅁ)=(선분 ㅁㅇ)=(선분 ㅇㄷ)
=3+3=6 (cm),
(선분 ㄱㅁ)=(선분 ㄱㄴ)=(선분 ㄴㅁ)
=6+6=12 (cm)
⇨ (굵은 선의 길이의 합)
$=(6+12+9)\times2=54$ (cm)

3 단원

문제해결 Key

① 삼각형 ㅇㄷㅁ은 정삼각형임을 알고 선분 ㄷㅁ의 길이를 구합니다.
② 선분 ㄱㅁ의 길이를 구합니다.
③ 굵은 선의 길이의 합을 구합니다.

8-2

(선분 ㅅㄹ)=(선분 ㅂㅁ)=11 cm이고
(선분 ㄹㅈ)=(선분 ㅇㅈ)=3 cm이므로
(변 ㅅㅇ)=(변 ㄷㄹ)=11−3−3=5 (cm)
(변 ㄱㄴ)=(변 ㅁㅂ)=11 cm
(변 ㄴㄷ)=(변 ㅂㅅ)=(변 ㅁㄹ)=(변 ㄱㅇ)=6 cm
⇨ (점대칭도형의 둘레)
=(6+11+6+5)×2
=28×2=56 (cm)

8-3

(변 ㅇㅅ)=(변 ㄹㄷ)=10 cm이므로
(선분 ㅈㄷ)=(선분 ㅈㅅ)=15−10=5 (cm)
⇨ (정사각형의 한 변의 길이)=15+5=20 (cm)이므로
(점대칭도형의 둘레)
=(10+20+20+20)×2
=70×2=140 (cm)

문제해결 Key

① 선분 ㅈㄷ의 길이를 구합니다.
② 정사각형의 한 변의 길이를 구합니다.
③ 점대칭도형의 둘레를 구합니다.

다른 풀이

(변 ㅇㅅ)=(변 ㄹㄷ)=10 cm이므로
(선분 ㅈㄷ)=(선분 ㅈㅅ)=15−10=5 (cm)
⇨ (정사각형의 한 변의 길이)=15+5=20 (cm)이므로
(점대칭도형의 둘레)
=(정사각형의 둘레)×2−(선분 ㅅㄷ)×2
=20×4×2−(5+5)×2
=160−20=140 (cm)

9-2

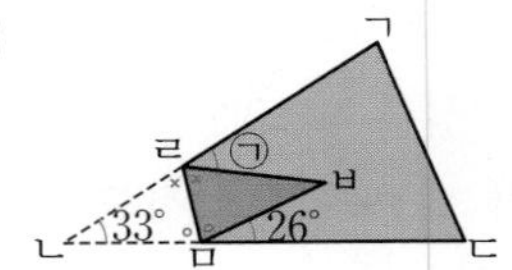

삼각형 ㄹㄴㅁ과 삼각형 ㄹㅂㅁ은 서로 합동이므로
(각 ㄹㅁㄴ)=(각 ㄹㅁㅂ)=(180°−26°)÷2=77°
삼각형 ㄹㄴㅁ에서
(각 ㄴㄹㅁ)=180°−33°−77°=70°
⇨ (각 ㅂㄹㅁ)=(각 ㄴㄹㅁ)=70°이므로
㉠=180°−70°−70°=40°

9-3

• 삼각형 ㄱㅂㄹ과 삼각형 ㄱㅂㅁ은 서로 합동이므로
(각 ㅂㄱㅁ)=(각 ㅂㄱㄹ)=25°
→ ㉠=90°−25°−25°=40°
• (각 ㄱㅂㄹ)=180°−25°−90°=65°이고
(각 ㄱㅂㅁ)=(각 ㄱㅂㄹ)=65°이므로
㉡=180°−65°−65°=50°
⇨ ㉡−㉠=50°−40°=10°

10-2 선대칭도형: 교회, 병원, 경찰서, 우체국, 공장
점대칭도형: 경찰서, 공장, 절
⇨ 선대칭도형이면서 점대칭도형인 기호:
경찰서, 공장 (2개)

문제해결 Key

① 선대칭도형을 찾습니다.
② 점대칭도형을 찾습니다.
③ 선대칭도형이면서 점대칭도형인 것을 찾습니다.

STEP 3 MASTER 심화 70~75쪽

01 가	**02** 16 cm
03 146°	**04** 4개
05 60°	**06** 3 cm
07 302 cm^2	**08** 칠각형
09 8쌍	**10** 120 m
11 12 cm^2	**12** 55 cm
13 90 cm^2	**14** 75°
15 10개	**16** 34°
17 210 cm^2	

01 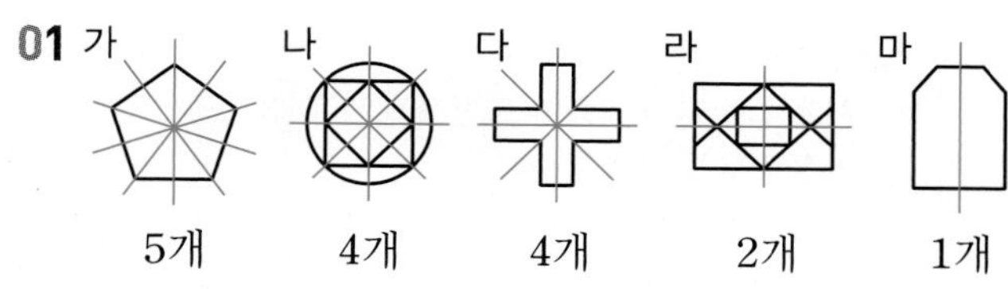

5개 4개 4개 2개 1개

⇨ 대칭축이 가장 많은 선대칭도형은 가입니다.

문제해결 Key
① 각 선대칭도형의 대칭축의 개수를 알아봅니다.
② 대칭축이 가장 많은 선대칭도형을 찾습니다.

02 대칭축을 그리면 다음과 같습니다.

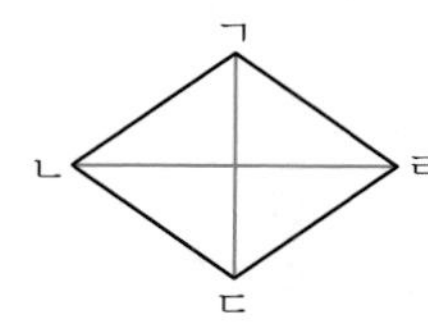

선분 ㄱㄷ을 대칭축으로 하면
(변ㄱㄴ)=(변 ㄱㄹ)이고,
선분 ㄴㄹ을 대칭축으로 하면
(변 ㄱㄴ)=(변 ㄷㄴ)이므로
사각형 ㄱㄴㄷㄹ은 네 변의 길이가 같은 마름모입니다.
⇨ (변 ㄱㄴ)$=64\div4=16$ (cm)

03 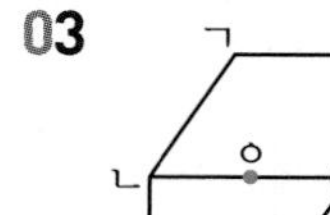
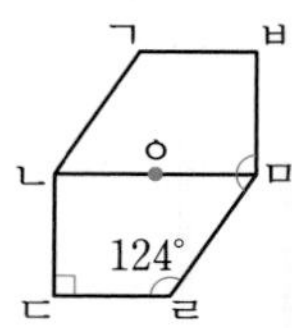

(각 ㅁㅂㄱ)=(각 ㄴㄷㄹ)$=90°$
(각 ㅂㄱㄴ)=(각 ㄷㄹㅁ)$=124°$
(각 ㄱㄴㄷ)=(각 ㄹㅁㅂ)
육각형은 왼쪽과 같이 사각형 2개로 나눌 수 있으므로
(육각형의 모든 각의 크기의 합)
=(사각형의 네 각의 크기의 합)$\times2$
$=360°\times2=720°$
⇨ 각 ㄹㅁㅂ의 크기를 □라 하면
$(90°+124°+\square)\times2=720°$,
$90°+124°+\square=360°$,
$\square=360°-90°-124°=146°$

문제해결 Key
① 각 ㅁㅂㄱ의 크기와 각 ㅂㄱㄴ의 크기를 알아봅니다.
② 육각형의 모든 각의 크기의 합을 구합니다.
③ 각 ㄹㅁㅂ의 크기를 구합니다.

다른 풀이

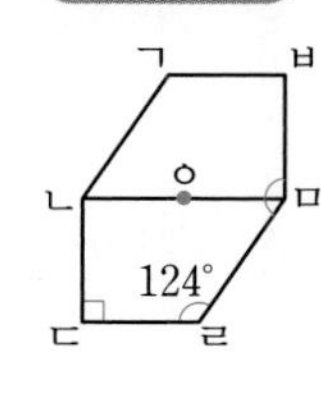

대칭의 중심을 지나는 선분을 그었을 때 나누어진 두 사각형 ㄱㄴㅁㅂ과 사각형 ㄹㅁㄴㄷ은 서로 합동입니다.
(각 ㄴㅁㅂ)=(각 ㅁㄴㄷ)이므로
(각 ㄹㅁㅂ)=(각 ㄹㅁㄴ)+(각 ㄴㅁㅂ)
=(각 ㄹㅁㄴ)+(각 ㅁㄴㄷ)
$=360°-(90°+124°)$
$=360°-214°=146°$

04 선대칭도형:

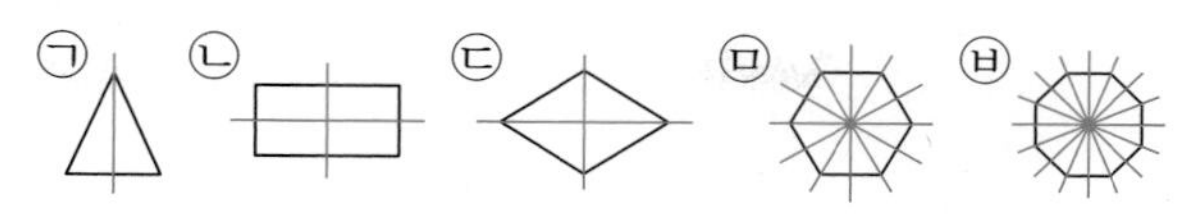

점대칭도형:

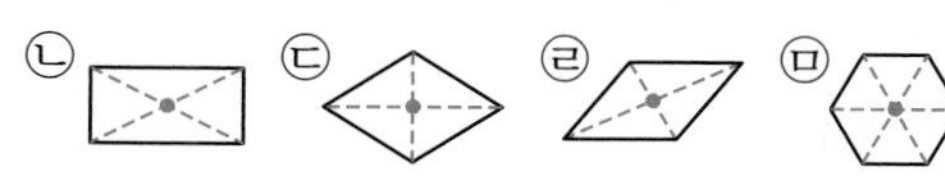

⇨ 선대칭도형이면서 점대칭도형인 것은 ㉡, ㉢, ㉤, ㉥으로 모두 4개입니다.

문제해결 Key
① 선대칭도형을 찾습니다.
② 점대칭도형을 찾습니다.
③ 선대칭도형이면서 점대칭도형인 것을 찾습니다.

05 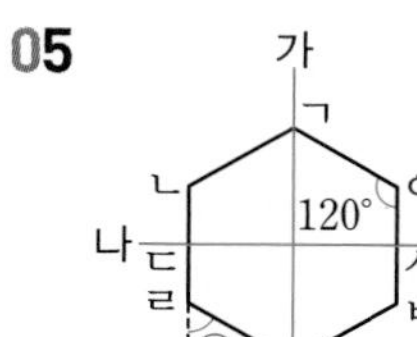

직선 가를 대칭축으로 하면 각 ㄷㄹㅁ의 대응각은 각 ㅅㅂㅁ이고, 직선 나를 대칭축으로 하면 각 ㅅㅂㅁ의 대응각은 각 ㅅㅇㄱ입니다.
⇨ (각 ㄷㄹㅁ)=(각 ㅅㅂㅁ)=(각 ㅅㅇㄱ)$=120°$이므로 ㉠$=180°-$(각 ㄷㄹㅁ)$=180°-120°=60°$

문제해결 Key
① 선대칭도형의 성질을 이용하여 각 ㄷㄹㅁ의 크기를 알아봅니다.
② ㉠의 각도를 구합니다.

06 점대칭도형을 완성하면 다음과 같습니다.

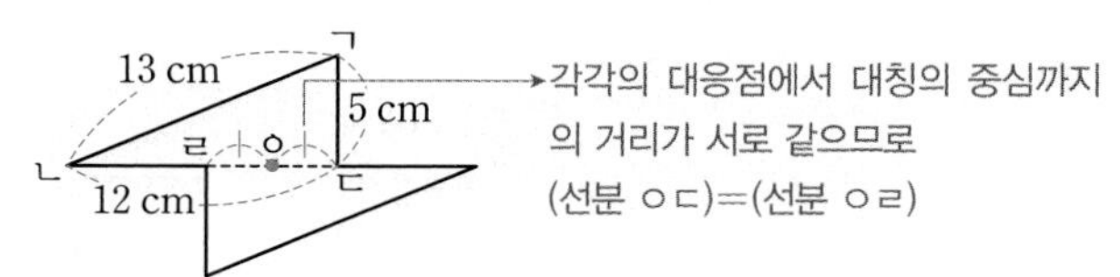

선분 ㅇㄷ의 길이를 □ cm라 하면
$(13+12-\square\times2+5)\times2=48$, $25-\square\times2+5=24$,
$25-\square\times2=19$, $\square\times2=6$, $\square=3$
⇨ 선분 ㅇㄷ은 3 cm입니다.

문제해결 Key
① 점대칭도형을 완성합니다.
② 선분 ㅇㄷ의 길이를 구합니다.

07 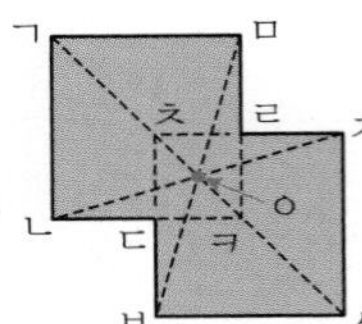

점대칭도형을 완성하면 왼쪽과 같습니다.

정사각형 ㅊㄷㅋㄹ의 한 변의 길이는 $13-7=6$ (cm)
(완성한 점대칭도형의 넓이)
$=$(정사각형 ㄱㄴㅋㅁ의 넓이)$\times 2$
$-$(정사각형 ㅊㄷㅋㄹ의 넓이)
$=(13\times 13)\times 2-6\times 6$
$=338-36=302$ (cm^2)

다른 풀이

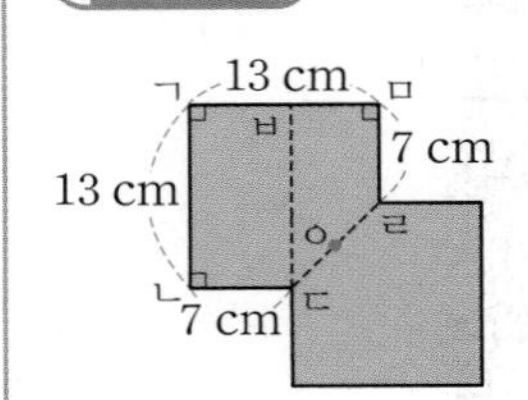

점대칭도형을 완성하면 왼쪽 그림과 같습니다.

(직사각형 ㄱㄴㄷㅂ의 넓이)$=7\times 13=91$ (cm^2)
(사다리꼴 ㅂㄷㄹㅁ의 넓이)$=(13+7)\times 6\div 2=60$ (cm^2)
⇨ (완성한 점대칭도형의 넓이)$=(91+60)\times 2=302$ (cm^2)

08

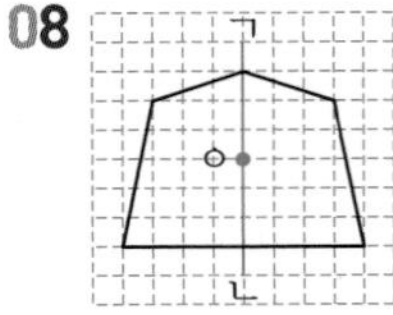

〈선대칭도형〉

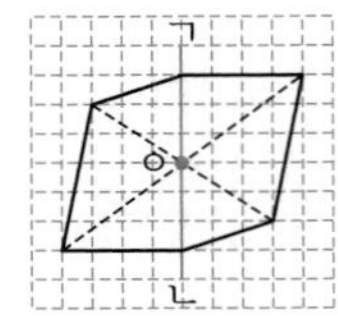

〈점대칭도형〉

⇨

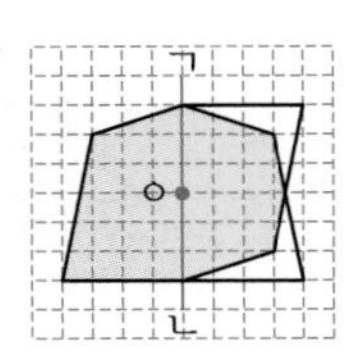

〈두 도형이 겹치는 도형〉

⇨ 두 도형이 겹치는 부분은 칠각형입니다.

문제해결 Key
① 선대칭도형을 완성합니다.
② 점대칭도형을 완성합니다.
③ 두 도형이 겹치는 부분은 몇 각형인지 알아봅니다.

09

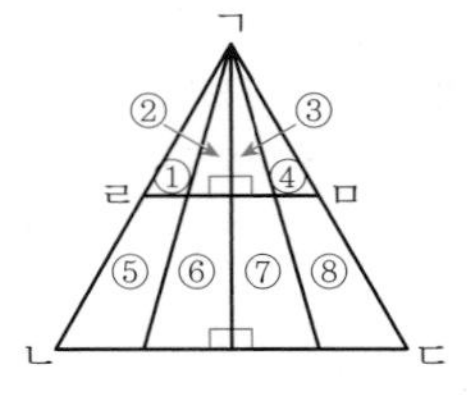

(①, ④), (②, ③), (①+②, ③+④),
(①+⑤, ④+⑧), (②+⑥, ③+⑦),
(①+②+③, ②+③+④),
(①+②+⑤+⑥, ③+④+⑦+⑧),
(①+②+③+⑤+⑥+⑦, ②+③+④+⑥+⑦+⑧)
⇨ 8쌍

문제해결 Key
① 서로 합동인 삼각형이 도형 1개, 2개, 3개……로 이루어진 경우를 모두 찾습니다.
② ①에서 찾은 경우의 수를 알아봅니다.

10 (변 ㄱㄹ)$=$(변 ㄱㄴ)$=90$ m
변 ㄱㅁ의 길이를 □ m라 하면
변 ㄹㅁ의 길이는 (□$+30$) m이므로
□$+$□$+30+90=360$, □$\times 2=240$, □$=120$
⇨ (변 ㄱㄷ)$=$(변 ㄱㅁ)이므로 탈레스가 서 있는 곳에서 배까지의 거리는 120 m입니다.

문제해결 Key
① 변 ㄱㅁ의 길이를 구합니다.
② 탈레스가 서 있는 곳에서 배까지의 거리를 구합니다.

11 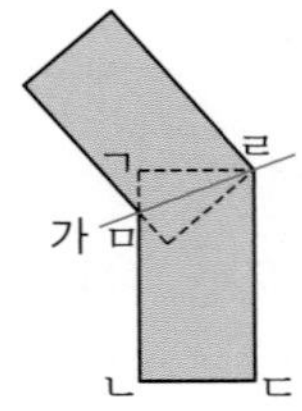

선대칭도형을 완성하면 왼쪽과 같습니다.

삼각형 ㄱㅁㄹ의 넓이를 □ cm^{2}라 하면
(직사각형 ㄱㄴㄷㄹ의 넓이)$\times 2-$□$\times 2=216$,
$(8\times 15)\times 2-$□$\times 2=216$, $240-$□$\times 2=216$,
□$\times 2=24$, □$=12$
⇨ 삼각형 ㄱㅁㄹ의 넓이는 12 cm^{2}입니다.

문제해결 Key
① 선대칭도형을 완성합니다.
② 삼각형 ㄱㅁㄹ의 넓이를 구합니다.

12 

(정삼각형의 한 변의 길이)
$=99\div 3=33$ (cm)

주어진 삼각형은 위의 그림과 같이 서로 합동인 정삼각형 9개로 나누어지므로
(가장 작은 정삼각형의 한 변의 길이)
$=33\div 3=11$ (cm)
⇨ (사다리꼴 한 개의 둘레)$=11\times 5=55$ (cm)

문제해결 Key
① 정삼각형의 한 변의 길이를 구합니다.
② 가장 작은 정삼각형의 한 변의 길이를 구합니다.
③ 사다리꼴 한 개의 둘레를 구합니다.

13 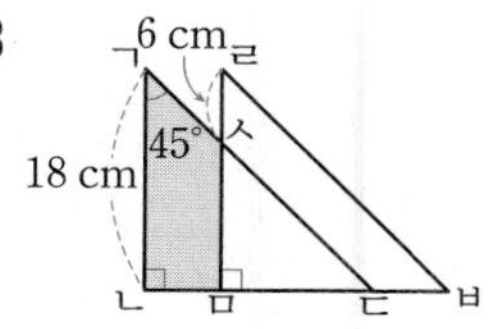

(각 ㄴㄷㄱ)$=180^\circ-45^\circ-90^\circ=45^\circ$이고,
(각 ㄷㅅㅁ)$=180^\circ-90^\circ-45^\circ=45^\circ$이므로
삼각형 ㄱㄴㄷ과 삼각형 ㅅㅁㄷ은 이등변삼각형입니다.
(변 ㅁㄷ)$=$(변 ㅅㅁ)$=18-6=12$ (cm)
⇨ (색칠한 부분의 넓이)
$=$(삼각형 ㄱㄴㄷ의 넓이)$-$(삼각형 ㅅㅁㄷ의 넓이)
$=(18\times18\div2)-(12\times12\div2)$
$=162-72=90$ (cm^2)

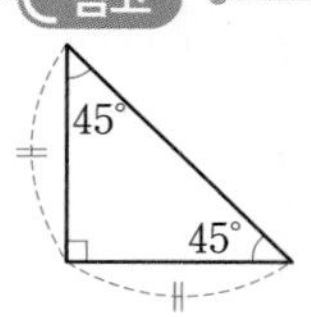

직각 이등변삼각형에서 두 변의 길이는 같습니다.

문제해결 Key
① 변 ㅁㄷ과 변 ㅅㅁ의 길이를 구합니다.
② 색칠한 부분의 넓이를 구합니다.

14 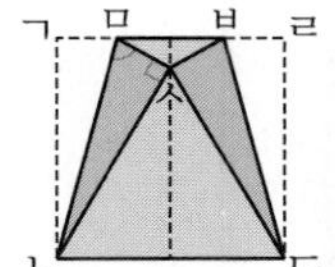

사각형 ㄱㄴㄷㄹ은 정사각형이고,
(변 ㅅㄴ)$=$(변 ㄱㄴ), (변 ㅅㄷ)$=$(변 ㄹㄷ)이므로
(변 ㅅㄴ)$=$(변 ㄴㄷ)$=$(변 ㄷㅅ)이 되어
삼각형 ㅅㄴㄷ은 정삼각형입니다.
(각 ㅅㄴㄷ)$=60^\circ$이므로
(각 ㄱㄴㅅ)$=90^\circ-60^\circ=30^\circ$이고
삼각형 ㄱㄴㅁ과 삼각형 ㅅㄴㅁ은 서로 합동이므로
(각 ㅅㄴㅁ)$=$(각 ㄱㄴㅁ)$=30^\circ\div2=15^\circ$
⇨ 삼각형 ㅁㄴㅅ에서
(각 ㅅㅁㄴ)$=180^\circ-90^\circ-15^\circ=75^\circ$

참고

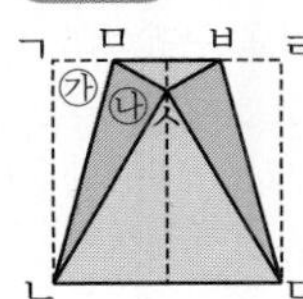

종이를 접었을 때 접은 모양 ㉯와 접기 전 모양 ㉮는 서로 합동입니다.

문제해결 Key
① 각 ㄱㄴㅅ의 크기를 구합니다.
② 각 ㅅㄴㅁ의 크기를 구합니다.
③ 각 ㅅㅁㄴ의 크기를 구합니다.

15 8558, 8698, 8888, 8968, 9006, 9116, 9556, 9696, 9886, 9966
⇨ 10개

참고
8118보다 큰 점대칭이 되는 네 자리 수를 만들 때 천의 자리에 올 수 있는 숫자는 8, 9입니다.

문제해결 Key
① 만들 수 있는 네 자리 수를 알아봅니다.
② ①에서 만든 수의 개수를 알아봅니다.

16 오른쪽 그림에서 삼각형 ㄱㄴㄷ과 삼각형 ㅁㄴㄹ은 서로 합동인 이등변삼각형입니다.
각 ㅁㄱㅂ은 몇 도입니까?
→ (각 ㄱㄴㄷ)=(각 ㄱㄷㄴ)=(각 ㅁㄴㄹ)
=(각 ㅁㄹㄴ)

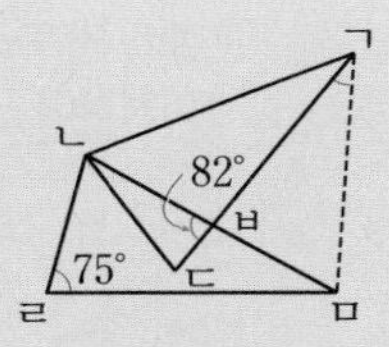

(각 ㄴㅁㄹ)$=$(각 ㄴㄱㄷ)$=180^\circ-75^\circ-75^\circ=30^\circ$
(각 ㄱㄷㄴ)$=75^\circ$이므로
(각 ㅂㄴㄷ)$=180^\circ-82^\circ-75^\circ=23^\circ$,
(각 ㄱㄴㅂ)$=75^\circ-23^\circ=52^\circ$
삼각형 ㄴㅁㄱ은 이등변삼각형이므로
(각 ㄴㄱㅁ)$=$(각 ㄴㅁㄱ)$=(180^\circ-52^\circ)\div2=64^\circ$
⇨ (각 ㅁㄱㅂ)$=$(각 ㄴㄱㅁ)$-$(각 ㄴㄱㄷ)
$=64^\circ-30^\circ=34^\circ$

문제해결 Key
① 각 ㄴㄱㄷ의 크기를 구합니다.
② 각 ㅂㄴㄷ의 크기를 구하여 각 ㄱㄴㅂ의 크기를 구합니다.
③ 각 ㄴㄱㅁ의 크기를 구합니다.
④ 각 ㅁㄱㅂ의 크기를 구합니다.

17

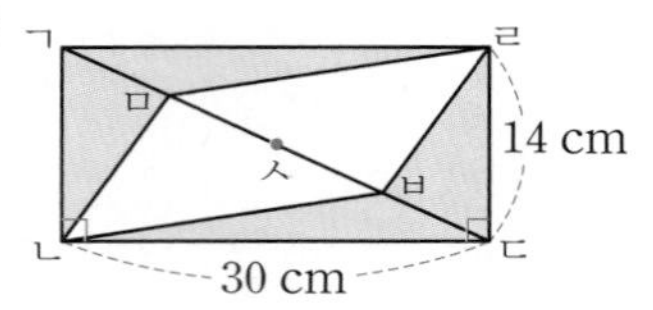

각각의 대응점에서 대칭의 중심까지의 거리가 서로 같으므로 (선분 ㄱㅅ)=(선분 ㄷㅅ), (선분 ㅁㅅ)=(선분 ㅂㅅ), (선분 ㄱㅁ)=(선분 ㄷㅂ)입니다.

(선분 ㅁㅂ)=(선분 ㄱㄷ)$\times\frac{1}{2}$이므로

(선분 ㄱㅁ)=(선분 ㄷㅂ)=(선분 ㄱㄷ)$\times\frac{1}{4}$입니다.

삼각형 ㄱㄴㅁ의 밑변을 선분 ㄱㅁ으로 할 때 높이는 밑변을 선분 ㄱㄷ으로 하는 삼각형 ㄱㄴㄷ의 높이와 같고 밑변의 길이는 삼각형 ㄱㄴㄷ의 밑변의 길이의 $\frac{1}{4}$이므로 넓이도 삼각형ㄱㄴㄷ의 넓이의 $\frac{1}{4}$입니다.

같은 방법으로 삼각형 ㄴㄷㅂ, 삼각형 ㄹㅂㄷ, 삼각형 ㄹㄱㅁ의 넓이도 각각 삼각형 ㄱㄴㄷ의 넓이의 $\frac{1}{4}$입니다.

⇨ 색칠한 부분의 넓이는 삼각형 ㄱㄴㄷ의 넓이와 같으므로
(색칠한 부분의 넓이)$=30\times14\div2=210$ (cm^2)

문제해결 Key
① 선분 ㄱㅁ과 선분 ㄷㅂ이 선분 ㄱㄷ의 얼마인지 알아봅니다.
② 색칠한 부분의 넓이가 삼각형 ㄱㄴㄷ의 넓이와 같음을 이용하여 구합니다.

STEP 4 TOP 최고수준 76~77쪽

01	96°	**02**	40 cm
03	근, 늑	**04**	72 cm^2
05	36°	**06**	7개, 5개

01 삼각형 ㄱㄴㄷ은 선분 ㄱㄹ을 대칭축으로 하는 선대칭도형이고, 삼각형 ㄱㅁㄷ은 선분 ㅁㅂ을 대칭축으로 하는 선대칭도형입니다. 각 ㄴㅁㄷ은 몇 도입니까?
→(각 ㄱㄴㄹ)=(각 ㄱㄷㄹ)
→(각 ㅁㄱㅂ)=(각 ㅁㄷㅂ)

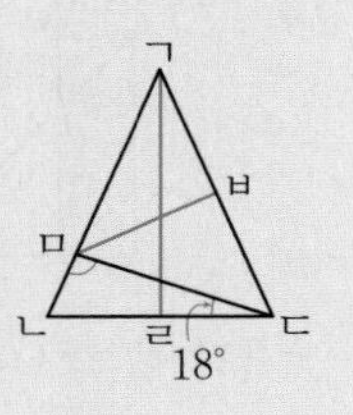

(각 ㅁㄱㅂ)=(각 ㅁㄷㅂ)=□라고 하면
(각 ㄱㄴㄹ)=(각 ㄱㄷㄹ)=□+18°입니다.
삼각형 ㄱㄴㄷ에서 □+□+18°+□+18°=180°,
□×3=144°, □=48°
⇨ (각 ㄱㄴㄹ)=(각 ㄱㄷㄹ)=48°+18°=66°이므로
삼각형 ㅁㄴㄷ에서
(각 ㄴㅁㄷ)=180°−66°−18°=96°

문제해결 Key
① 각 ㅁㄱㅂ의 크기를 구합니다.
② 각 ㄱㄴㄹ의 크기를 구합니다.
③ 각 ㄴㅁㄷ의 크기를 구합니다.

02

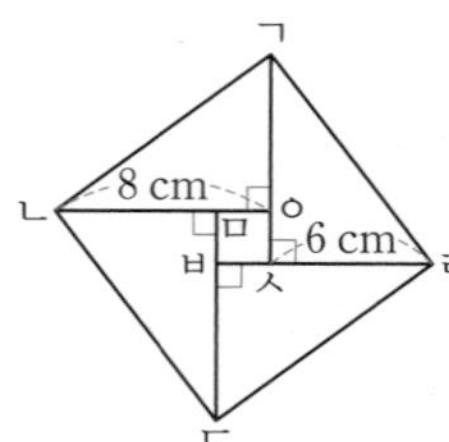

(정사각형 ㅁㅂㅅㅇ의 한 변의 길이)$=8-6=2$ (cm)

(사각형 ㄱㄴㄷㄹ의 넓이)
=(정사각형 ㅁㅂㅅㅇ의 넓이)
+(직각삼각형 ㄱㄴㅇ의 넓이)×4
$=(2\times2)+(6\times8\div2)\times4=4+96=100$ (cm^2)
직각삼각형이 모두 서로 합동이므로 사각형 ㄱㄴㄷㄹ은 네 변의 길이가 모두 같습니다.
(각 ㄱㄴㅇ)=(각 ㄴㄷㅁ)이므로
(각 ㄱㄴㅇ)+(각 ㅁㄴㄷ)=(각 ㄴㄷㅁ)+(각 ㅁㄴㄷ)
=180°−90°=90°
같은 방법으로 만든 도형은 네 각의 크기가 90°로 같으므로 사각형 ㄱㄴㄷㄹ은 정사각형입니다.
⇨ $10\times10=100$에서 사각형 ㄱㄴㄷㄹ의 한 변의 길이가 10 cm이므로
(사각형 ㄱㄴㄷㄹ의 둘레)$=10\times4=40$ (cm)

문제해결 Key
① 정사각형 ㅁㅂㅅㅇ의 한 변의 길이를 구합니다.
② 사각형 ㄱㄴㄷㄹ의 넓이를 구하여 사각형 ㄱㄴㄷㄹ의 한 변의 길이를 구합니다.
③ 사각형 ㄱㄴㄷㄹ의 둘레를 구합니다.

03 만들 수 있는 글자는

ㄱ으로 시작하는 글자: 근, 글, 금, 긍, 긴, 길, 김, 깅

ㄴ으로 시작하는 글자: 늑, 늘, 늠, 능, 닉, 닐, 님, 닝

ㄹ로 시작하는 글자: 륵, 른, 름, 릉, 릭, 린, 림, 링

ㅁ으로 시작하는 글자: 믁, 믄, 믈, 믕, 믹, 민, 밀, 밍

ㅇ으로 시작하는 글자: 윽, 은, 을, 음, 익, 인, 일, 임

⇨ 이 중에서 점대칭도형이 되는 글자는 근, 늑입니다.

04 선대칭도형이 되도록 완성하면 왼쪽과 같고 4초 동안 도형이 $1.5\times4=6$ (cm) 움직이므로 4초 후 도형의 위치는 오른쪽과 같습니다.

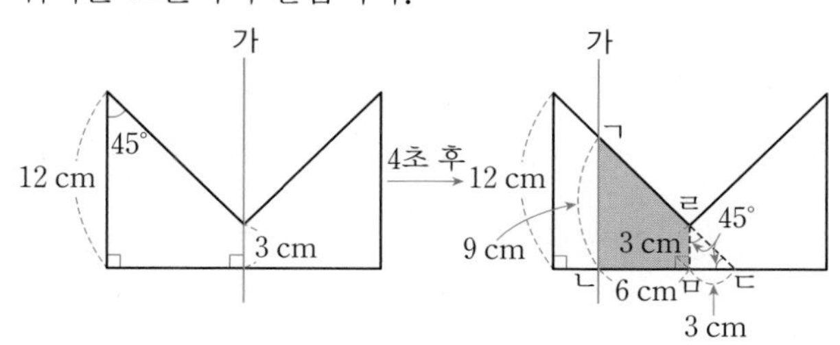

삼각형 ㄹㅁㄷ과 삼각형 ㄱㄴㄷ은 이등변삼각형이므로 (변 ㄹㅁ)=(변 ㅁㄷ), (변 ㄱㄴ)=(변 ㄴㄷ)입니다.

⇨ (직선 가에 의해 나누어진 두 부분의 넓이의 차)

=(색칠한 부분의 넓이)$\times2$

$=(3+9)\times6\div2\times2=72$ (cm^2)

문제해결 Key

① 선대칭도형을 완성합니다.

② 4초 후 도형의 위치를 알아봅니다.

③ 4초 후 직선 가에 의해 나누어진 두 부분의 넓이의 차를 구합니다.

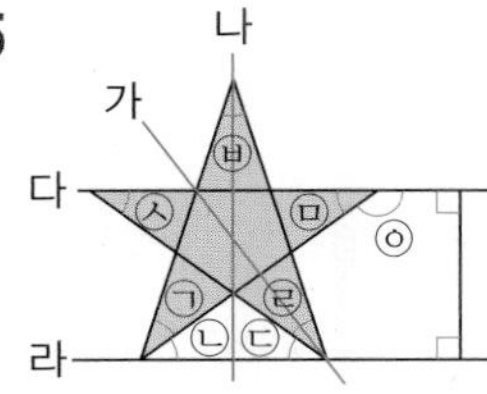

왼쪽 그림에서 직선 가를 대칭축으로 하면 ㉠=㉤, ㉦=㉥이고 직선 나를 대칭축으로 하면 ㉠=㉣, ㉦=㉤이므로 ㉠=㉣=㉤=㉥=㉦

위의 그림과 같이 직선 다에 평행하게 직선 라를 긋고 직선 다에서 직선 라에 수선을 그으면

㉧$+$㉡$+90°+90°=360°$, ㉧$+$㉡$=180°$

또, 한 직선이 이루는 각의 크기는 $180°$이고

㉤$+$㉧$=180°$이므로 ㉡=㉤입니다.

같은 방법으로 하면 ㉢=㉦입니다.

⇨ ㉠, ㉣, ㉤, ㉥, ㉦의 각도의 합은

㉠, ㉡, ㉢, ㉣, ㉥의 각도의 합 $180°$와 같으므로

㉠$=180°\div5=36°$

문제해결 Key

① 선대칭도형의 성질을 이용하여 ㉠, ㉣, ㉤, ㉥, ㉦의 각도의 합을 구합니다.

② ㉠의 각도를 구합니다.

06 정사각형도 직사각형이라고 할 수 있으므로 직사각형을 정사각형이 아닌 직사각형과 정사각형인 경우를 함께 알아봅니다.

대칭축의 개수는 다음과 같습니다.

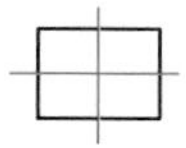

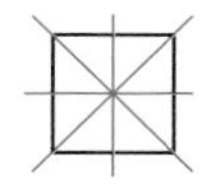

정사각형이 아닌 직사각형: 2개　　정사각형: 4개　　정칠각형: 7개

63이 홀수이므로 정칠각형의 개수도 홀수 개입니다.

① 정칠각형이 9개 이상인 경우:

정칠각형의 대칭축만으로 $7\times9=63$(개)이므로 조건에 맞지 않습니다.

② 정칠각형이 7개인 경우:

직사각형은 $12-7=5$(개)입니다.

정사각형이 아닌 직사각형 3개, 정사각형 2개이면 대칭축은 63개입니다.

$7\times7+2\times3+4\times2=63$(개)

③ 정칠각형이 5개인 경우:

직사각형은 $12-5=7$(개)입니다.

정사각형이 7개이면 대칭축은 63개입니다.

$7\times5+4\times7=63$(개)

④ 정칠각형이 3개인 경우:

직사각형은 $12-3=9$(개)입니다.

대칭축이 최대 $7\times3+4\times9=57$(개)이므로 조건에 맞지 않습니다.

⇨ 정칠각형이 가장 많을 때는 7개, 가장 적을 때는 5개입니다.

문제해결 Key

① 정칠각형이 가장 많을 때가 몇 개인지 알아봅니다.

② 정칠각형이 가장 많을 때와 가장 적을 때를 각각 찾습니다.

3 단원

4 소수의 곱셈

STEP 1 START 개념 81쪽

1 (　)(　)(○)
2 3.6 m
3 예 1.23은 소수 두 자리 수이므로 $\frac{123}{100}$으로 고쳐야 하는데 $\frac{123}{1000}$으로 잘못 고쳐서 계산했습니다. ;
예 $1.23\times7=\frac{123}{100}\times7=\frac{861}{100}=8.61$
4 1.7 km
5 23
6 75.6 kg

1 15와 1보다 작은 소수를 곱한 것을 찾습니다.
$15\times1.1=16.5$, $15\times2.04=30.6$, $15\times0.8=12$
⇨ 계산 결과가 15보다 작은 것은 15×0.8입니다.

2 (정사각형의 둘레)=(한 변의 길이)×4
=0.9×4=3.6 (m)

4 (학교에서 도서관까지의 거리)=2×0.85=1.7 (km)

5 7.54×3=22.62
⇨ 22.62<□에서 □ 안에는 22보다 큰 자연수가 들어갈 수 있으므로 □ 안에 들어갈 수 있는 가장 작은 자연수는 23입니다.

6 (민호의 몸무게)=60×0.7=42 (kg)
⇨ (아버지의 몸무게)=42×1.8=75.6 (kg)

STEP 1 START 개념 83쪽

1	=	2	0.272 m^2
3	7.35	4	6.48 cm
5	8, 9	6	0.27 L

1 0.3×0.15
→ (소수 한 자리 수)×(소수 두 자리 수)
=(소수 세 자리 수)
0.03×1.5
→ (소수 두 자리 수)×(소수 한 자리 수)
=(소수 세 자리 수)
⇨ 0.3×0.15 (=) 0.03×1.5

다른 풀이
0.3×0.15=0.045, 0.03×1.5=0.045
⇨ 0.3×0.15 (=) 0.03×1.5

2 (평행사변형의 넓이)=(밑변의 길이)×(높이)
=0.68×0.4=0.272 (m^2)

3 5.25>4.8>1.7>1.4 ⇨ 5.25×1.4=7.35

4 (사슴벌레의 길이)=(메뚜기의 길이)×1.8
=3.6×1.8=6.48 (cm)

5 2.8×3.4×0.5=4.76
⇨ 4.76<4.□6이므로 1부터 9까지의 숫자 중 □ 안에 들어갈 수 있는 숫자는 8, 9입니다.

6 (동생이 마신 주스의 양)
=(선영이가 마신 주스의 양)×0.5
=1.8×0.3×0.5=0.27 (L)

STEP 1 START 개념 85쪽

1	43, 4.3, 0.43	2	334.1, 3341, 33410
3	㉡	4	(1) 100 (2) 0.1
5	㉡	6	7230

1 430×0.1=43
430×0.01=4.3
430×0.001=0.43

2 10바트: 33.41×10=334.1(원)
100바트: 33.41×100=3341(원)
1000바트: 33.41×1000=33410(원)

참고
태국 돈이 10배, 100배, 1000배가 되면 우리나라 돈도 10배, 100배, 1000배가 됩니다.

3 ㉠ 0.538×100=53.8
㉡ 53.8×10=538
㉢ 5.38×10=53.8

4 (1) 3.67×□=367
⇨ 3.67에서 소수점을 오른쪽으로 2칸 옮겨야 367이 되므로 □=100입니다.

(2) □$\times$94=9.4

⇨ 94에서 소수점을 왼쪽으로 1칸 옮겨야 9.4가 되므로 □=0.1입니다.

5 ㉠ 485$\times$□=4.85 ⇨ □=0.01

㉡ 0.67$\times$□=6.7 ⇨ □=10

㉢ □$\times$683=68.3 ⇨ □=0.1

6 어떤 수를 □라 하면

□$\times$0.1=7.23$\times$100, □$\times$0.1=723

⇨ 소수점이 왼쪽으로 1칸 옮겨져서 723이 되었으므로 □=7230

STEP 2 JUMP 유형 86~93쪽

1-1 ❶ 예 $8.16\times15=\frac{816}{100}\times15=\frac{12240}{100}$
$=122.4$

❷ 예 $17\times9.2=17\times\frac{92}{10}=\frac{1564}{10}=156.4$

❸ 예 8.16$\times$15<□<17$\times$9.2는 122.4<□<156.4이므로 □ 안에 들어갈 수 있는 가장 큰 자연수는 156이고, 가장 작은 자연수는 123입니다.

; 156, 123

1-2 322, 229 **1-3** 49

2-1 ❶ 예 1.63$\times$㉠=16.3

⇨ 1.63에서 소수점을 오른쪽으로 1칸 옮겨야 16.3이 되므로 ㉠=10입니다.

❷ 예 47.32$\times$㉡=0.4732

⇨ 47.32에서 소수점을 왼쪽으로 2칸 옮겨야 0.4732가 되므로 ㉡=0.01입니다.

❸ 예 10은 0.01에서 소수점을 오른쪽으로 3칸 옮긴 수이므로 ㉠은 ㉡의 1000배입니다.

; 1000배

2-2 0.001배 **2-3** 10000배

3-1 ❶ 예 1분 30초=$1\frac{30}{60}$분=$1\frac{5}{10}$분=1.5분

❷ 예 (1분 30초 동안 받는 물의 양)
=(1분 동안 나오는 물의 양)
$\times$(물을 받는 시간)
=9.5$\times$1.5=14.25 (L)

; 14.25 L

3-2 193.44 km **3-3** 51.051 L

4-1 ❶ 예 8>5>3>2이므로 8과 5를 일의 자리에 놓아야 합니다.

❷ 예 8.3$\times$5.2=43.16, 8.2$\times$5.3=43.46

❸ 예 43.16<43.46이므로 곱이 가장 클 때의 곱은 43.46입니다.

; 43.46

4-2 0.069 **4-3** 39.493

5-1 ❶ 예 (9.5+15.5)$\times$5.6÷2=25$\times$5.6÷2
=70 (cm^2)

❷ 예 15.5$\times$12÷2=93 (cm^2)

❸ 예 (도형의 넓이)
=(사다리꼴의 넓이)+(삼각형의 넓이)
=70+93=163 (cm^2)

; 163 cm^2

5-2 832.36 cm^2 **5-3** 54 cm^2

6-1 ❶ 예 8$\times$0.75=6 (m)

❷ 예 6$\times$0.75=4.5 (m)

❸ 예 4.5$\times$0.75=3.375 (m)

; 3.375 m

6-2 3.92 m **6-3** 497.4 cm

7-1 ❶ 30

❷ 예 0.3을 계속 곱하면 곱의 소수점 아래 끝자리 숫자는 3, 9, 7, 1이 반복됩니다.

❸ 예 30÷4=7 ⋯ 2이므로 0.3을 30번 곱했을 때 곱의 소수 30째 자리 숫자는 0.3을 2번 곱했을 때의 소수점 아래 끝자리 숫자와 같은 9입니다.

; 9

7-2 9

8-1 ❶ 예 340 kWh는 201 kWh~400 kWh에 속하므로 기본요금은 1600원입니다.

❷ 예 (340=200+140) 200$\times$93.3+140$\times$187.9=44966(원)

❸ 예 (기본요금)+(전력량 요금)
=1600+44966=46566(원)

; 46566원

8-2 152.5원

1-2 $18\times12.7=18\times\frac{127}{10}=\frac{2286}{10}=228.6$,

$21.52\times15=\frac{2152}{100}\times15=\frac{32280}{100}=322.8$

228.6<□<322.8이므로 □ 안에 들어갈 수 있는 가장 큰 자연수는 322이고, 가장 작은 자연수는 229입니다.

4 단원

1-3 $0.75\times23=\frac{75}{100}\times23=\frac{1725}{100}=17.25$,

$32\times0.982=32\times\frac{982}{1000}=\frac{31424}{1000}$
$=31.424$

$17.25<\square<31.424$이므로 □ 안에 들어갈 수 있는 가장 큰 자연수는 31이고, 가장 작은 자연수는 18이므로 두 수의 합은 $31+18=49$입니다.

2-2 • ㉠$\times8.5=0.85$
→ 8.5에서 소수점을 왼쪽으로 1칸 옮겨야 0.85가 되므로 ㉠$=0.1$입니다.
• $0.2906\times$㉡$=29.06$
→ 0.2906에서 소수점을 오른쪽으로 2칸 옮겨야 29.06이 되므로 ㉡$=100$입니다.
⇨ 0.1은 100에서 소수점을 왼쪽으로 3칸 옮긴 수이므로 ㉠은 ㉡의 0.001배입니다.

2-3 ㉠ $278\times\square=2.78$ → $\square=0.01$
㉡ $\square\times36.7=367$ → $\square=10$
㉢ $51.8\times\square=0.0518$ → $\square=0.001$
⇨ 가장 큰 수는 10이고 가장 작은 수는 0.001이므로 10은 0.001의 10000배입니다.

문제해결 Key
① □ 안에 알맞은 수를 각각 구합니다.
② 가장 큰 수와 가장 작은 수를 찾습니다.
③ 가장 큰 수는 가장 작은 수의 몇 배인지 구합니다.

3-2 2시간 24분$=2\frac{24}{60}$시간$=2\frac{4}{10}$시간$=2.4$시간
⇨ (2시간 24분 동안 달린 거리)
=(한 시간 동안 달리는 거리)×(달린 시간)
$=80.6\times2.4=193.44$ (km)

3-3 4시간 15분$=4\frac{15}{60}$시간$=4\frac{1}{4}$시간$=4.25$시간
(4시간 15분 동안 달린 거리)$=92.4\times4.25$
$=392.7$ (km)
⇨ (4시간 15분 동안 달리는 데 필요한 휘발유의 양)
$=392.7\times0.13=51.051$ (L)

문제해결 Key
① 4시간 15분은 몇 시간인지 소수로 나타냅니다.
② 4시간 15분 동안 달린 거리를 구합니다.
③ 4시간 15분 동안 달리는 데 필요한 휘발유의 양을 구합니다.

4-2 $1<4<5<6$이므로 1과 4를 소수 첫째 자리에 놓아야 합니다.
$0.15\times0.46=0.069$, $0.16\times0.45=0.072$
⇨ $0.069<0.072$이므로 곱이 가장 작을 때의 곱은 0.069입니다.

참고
곱이 가장 작은 곱셈식 ⇨ 가장 높은 자리에 가장 작은 수와 둘째로 작은 수 놓기

4-3 $7>5>4>3>1$이므로 7과 5를 일의 자리에 놓고 4와 3을 소수 첫째 자리에 놓아야 합니다.
$7.41\times5.3=39.273$, $7.31\times5.4=39.474$,
$5.41\times7.3=39.493$, $5.31\times7.4=39.294$
⇨ $39.493>39.474>39.294>39.273$이므로 곱이 가장 클 때의 곱은 39.493입니다.

문제해결 Key
① 일의 자리와 소수 첫째 자리에 놓아야 하는 수를 각각 알아봅니다.
② 곱이 크게 되는 경우의 곱셈식을 모두 만들어 봅니다.
③ ②에서 만든 곱셈식 중 곱이 가장 클 때의 곱을 구합니다.

5-2

(①의 넓이)$=22.6\times6.8=153.68$ (cm^2)
(②의 넓이)$=(39.6-20.8)\times25.7$
$=18.8\times25.7$
$=483.16$ (cm^2)
(③의 넓이)$=20.8\times9.4=195.52$ (cm^2)
⇨ (도형의 넓이)=①+②+③
$=153.68+483.16+195.52$
$=832.36$ (cm^2)

5-3 (큰 삼각형의 넓이)$=14.4\times12.5\div2=90$ (cm^2)
(작은 삼각형의 넓이)$=14.4\times5\div2=36$ (cm^2)
⇨ (색칠한 부분의 넓이)$=90-36=54$ (cm^2)

6-2 (첫 번째로 튀어 오른 공의 높이)$=(5\times0.6)$ m
(두 번째로 튀어 오른 공의 높이)$=(5\times0.6\times0.6)$ m
(세 번째로 튀어 오른 공의 높이)
$=5\times0.6\times0.6\times0.6$
$=1.08$ (m)
⇨ 세 번째로 튀어 오른 공의 높이는 처음에 떨어뜨린 높이보다 $5-1.08=3.92$ (m) 더 낮습니다.

6-3

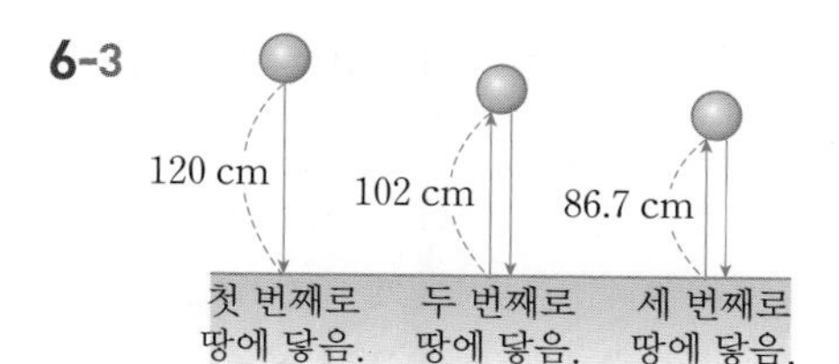

(첫 번째로 튀어 오른 공의 높이)
$=120\times0.85=102$ (cm)
(두 번째로 튀어 오른 공의 높이)
$=102\times0.85=86.7$ (cm)
⇨ (세 번째로 땅에 닿을 때까지 공이 움직인 거리)
$=120+102\times2+86.7\times2=120+204+173.4$
$=497.4$ (cm) 튀어 올랐다가 내려갔으므로 움직인 거리는 튀어 오른 높이의 2배입니다.

문제해결 Key
① 첫 번째로 튀어 오른 공의 높이를 구합니다.
② 두 번째로 튀어 오른 공의 높이를 구합니다.
③ 세 번째로 땅에 닿을 때까지 공이 움직인 거리를 구합니다.

7-2

$0.9=0.9$
$0.9\times0.9=0.81$
$0.9\times0.9\times0.9=0.729$
⋮

다시 9가 나오므로 소수점 아래 끝자리 숫자는 9, 1이 반복됩니다.

0.9를 45번 곱하면 곱은 소수 45자리 수가 되므로 소수 45째 자리 숫자는 소수점 아래 끝자리 숫자입니다.
0.9를 계속 곱하면 곱의 소수점 아래 끝자리 숫자는 9, 1이 반복됩니다. (2개)
⇨ $45\div2=22\cdots1$이므로 0.9를 45번 곱했을 때 곱의 소수 45째 자리 숫자는 9입니다.

문제해결 Key
① 0.9를 45번 곱했을 때 곱의 자릿수를 알아봅니다.
② 곱의 소수점 아래 끝자리 숫자의 규칙을 찾습니다.
③ 0.9를 45번 곱했을 때 곱의 소수 45째 자리 숫자를 구합니다.

8-2 (8위안)$=173.6\times8=1388.8$(원)
(65루블)$=19.02\times65=1236.3$(원)
⇨ $1388.8-1236.3=152.5$(원)

문제해결 Key
① 8위안이 우리나라 돈으로 얼마인지 구합니다.
② 65루블이 우리나라 돈으로 얼마인지 구합니다.
③ ①과 ②에서 구한 돈의 차를 구합니다.

STEP 3 MASTER 심화 94~99쪽

01	39	**02**	23688
03	10	**04**	104.4 cm
05	1.6 kg	**06**	140.6 L
07	20.7 km	**08**	21.328 ℃
09	98.36 cm²	**10**	759.2 cm
11	63700원	**12**	3833.8 cm²
13	1.85 km	**14**	㉢
15	6	**16**	1.284 kg
17	40.96 cm²	**18**	3 m
19	9.5 km		

01 $2600 ◎ 0.15=(2600\times0.001)\times(0.15\times100)$
$=2.6\times15=39$

문제해결 Key
① 가와 나에 각각 알맞은 수를 넣어 식을 세웁니다.
② ①에서 세운 식을 계산합니다.

02 $4.17\times15=62.55$, $16.8\times22.4=376.32$
⇨ $62.55<\square<376.32$이므로 □ 안에 들어갈 수 있는 가장 큰 자연수는 376이고 가장 작은 자연수는 63으로 두 수의 곱은 $376\times63=23688$입니다.

문제해결 Key
① 4.17×15, 16.8×22.4를 계산합니다.
② □ 안에 들어갈 수 있는 가장 큰 자연수와 가장 작은 자연수를 구합니다.
③ ②에서 구한 두 수의 곱을 구합니다.

03 24는 0.24의 100배이고, 36은 3.6의 10배이므로
㉠$=100\times10=1000$
⇨ ㉠$\div100=1000\div100=10$

참고

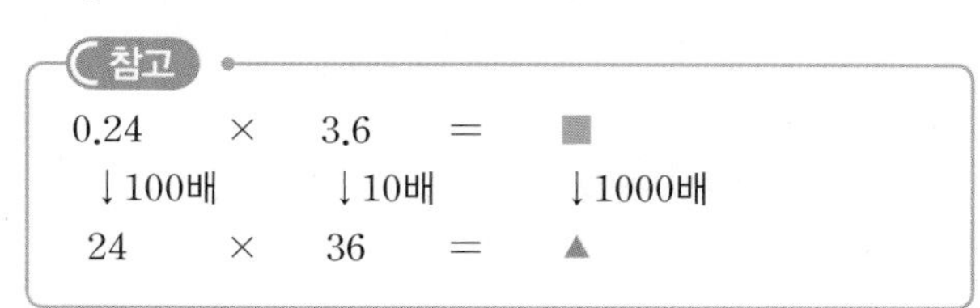

문제해결 Key
① ㉠을 구합니다.
② ㉠$\div100$을 구합니다.

04 (정삼각형의 둘레)$=5.8\times3=17.4$ (cm)
⇨ (정육각형의 둘레)$=17.4\times6=104.4$ (cm)

4 단원

> **문제해결 Key**
> ① 정삼각형의 둘레를 구합니다.
> ② 정육각형의 둘레를 구합니다.

05 (키가 146 cm일 때 표준체중)
$=(146-100)\times0.9=46\times0.9=41.4$ (kg)
⇨ 건욱이가 표준체중이 되려면 체중을
$43-41.4=1.6$ (kg) 줄여야 합니다.

> **문제해결 Key**
> ① 키가 146 cm일 때 표준체중을 구합니다.
> ② 줄여야 하는 체중을 구합니다.

06 (1분 동안 받을 수 있는 물의 양)
$=25.9-6.9=19$ (L)
7분 24초$=7\frac{24}{60}$분$=7\frac{4}{10}$분$=7.4$분
⇨ (7분 24초 동안 받을 수 있는 물의 양)
$=$(1분 동안 받을 수 있는 물의 양)
$\times$(물을 받는 시간)
$=19\times7.4=140.6$ (L)

> **참고**
> 60초$=$1분이므로 ■분 ▲초$=$■$\frac{▲}{60}$분

> **문제해결 Key**
> ① 1분 동안 받을 수 있는 물의 양을 구합니다.
> ② 7분 24초는 몇 분인지 소수로 나타냅니다.
> ③ 7분 24초 동안 받을 수 있는 물의 양을 구합니다.

07 (미나가 한 시간 동안 걸은 거리)
$=2.5\times0.8=2$ (km)
(영은이가 한 시간 동안 걸은 거리)
$=2\times1.2=2.4$ (km)
(세 사람이 한 시간 동안 걸은 거리의 합)
$=2.5+2+2.4=6.9$ (km)
⇨ (세 사람이 세 시간 동안 걸은 거리의 합)
$=6.9\times3=20.7$ (km)

> **문제해결 Key**
> ① 미나와 영은이가 각각 한 시간 동안 걸은 거리를 구합니다.
> ② 세 사람이 한 시간 동안 걸은 거리의 합을 구합니다.
> ③ 세 사람이 세 시간 동안 걸은 거리의 합을 구합니다.

08 기온은 지상에서 높이가 1000 m씩 높아질 때마다 6 ℃씩 낮아지므로 1 m씩 높아질 때마다
$6\times\frac{1}{1000}=\frac{6}{1000}=0.006$ (℃)씩 낮아집니다.
13.5 m는 1.5 m보다 13.5 m-1.5 m$=12$ (m) 더 높습니다.
⇨ (13.5 m인 곳에서 잰 기온)$=21.4-0.006\times12$
$=21.4-0.072$
$=21.328$ (℃)

> **문제해결 Key**
> ① 높이가 1 m씩 높아질 때 기온은 몇 도씩 낮아지는지 구합니다.
> ② 13.5 m는 1.5 m보다 몇 m 더 높은지 구합니다.
> ③ 높이가 13.5 m인 곳에서 잰 기온을 구합니다.

09 (㉠의 넓이)$=3.5\times(15.4-7.8)$
$=3.5\times7.6$
$=26.6$ (cm^2)
(㉡의 넓이)$=9.2\times7.8$
$=71.76$ (cm^2)
⇨ (도형의 넓이)$=$(㉠의 넓이)$+$(㉡의 넓이)
$=26.6+71.76=98.36$ (cm^2)

> **문제해결 Key**
> ① ㉠의 넓이를 구합니다.
> ② ㉡의 넓이를 구합니다.
> ③ 도형의 넓이를 구합니다.

> **다른 풀이**

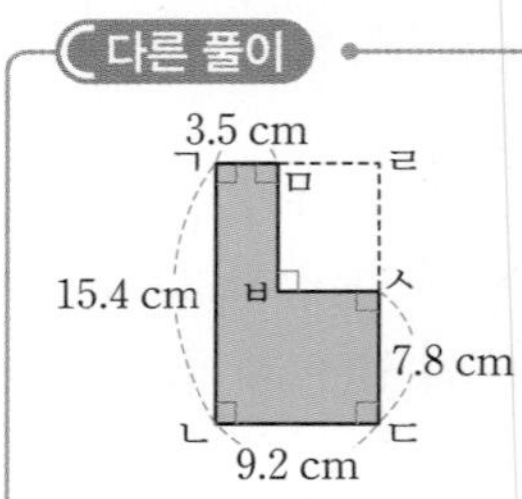

> (직사각형 ㄱㄴㄷㄹ의 넓이)
> $=9.2\times15.4=141.68$ (cm^2)
> (직사각형 ㅁㅂㅅㄹ의 넓이)
> $=(9.2-3.5)\times(15.4-7.8)$
> $=43.32$ (cm^2)
> ⇨ (도형의 넓이)$=141.68-43.32=98.36$ (cm^2)

10 (색 테이프 27장의 길이의 합)
$=32.5\times27=877.5$ (cm)
겹쳐지는 부분은 26군데이므로
(겹쳐지는 부분의 길이의 합)
$=4.55\times26=118.3$ (cm)
⇨ (이어 붙인 색 테이프의 전체 길이)
$=877.5-118.3=759.2$ (cm)

> **참고**
> 색 테이프 ■장을 겹쳐지게 한 줄로 길게 이어 붙였을 때 겹쳐지는 부분 ⇨ (■-1)군데

> **문제해결 Key**
> ① 색 테이프 27장의 길이의 합을 구합니다.
> ② 겹쳐지는 부분의 길이의 합을 구합니다.
> ③ 이어 붙인 색 테이프의 전체 길이를 구합니다.

11 (지금까지 저금액)=(작년 저금액)$\times$0.75

$=98000\times0.75=73500$(원)

(올해 목표 저금액)=(작년 저금액)$\times$1.4

$=98000\times1.4=137200$(원)

⇨ (더 저금해야 하는 금액)

$=137200-73500=63700$(원)

문제해결 Key
① 지금까지 저금액을 구합니다.
② 올해 목표 저금액을 구합니다.
③ 더 저금해야 하는 금액을 구합니다.

12 (이어 붙인 전체 도형의 넓이)

=(평행사변형 16개의 넓이)−(겹쳐진 부분의 넓이의 합)

$=(21.4\times14.5)\times16-(5.2\times14.5)\times15$

$=4964.8-1131=3833.8\ (\mathrm{cm}^2)$

다른 풀이
이어 붙인 전체 도형도 평행사변형입니다.
(이어 붙인 전체 도형의 밑변의 길이)$=21.4\times16-5.2\times15$
$=264.4$(cm)
(이어 붙인 전체 도형의 넓이)$=264.4\times14.5$
$=3833.8\ (\mathrm{cm}^2)$

13 1분 15초$=1\frac{15}{60}$분$=1\frac{1}{4}$분$=1.25$분

(터널을 완전히 통과하는 데 기차가 달린 거리)

$=1.6\times1.25=2$ (km)

⇨ 기차의 길이가 150 m$=$0.15 km이므로

(터널의 길이)

=(터널을 완전히 통과하는 데 기차가 달린 거리)
−(기차의 길이)

$=2-0.15=1.85$ (km)

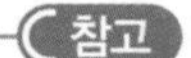

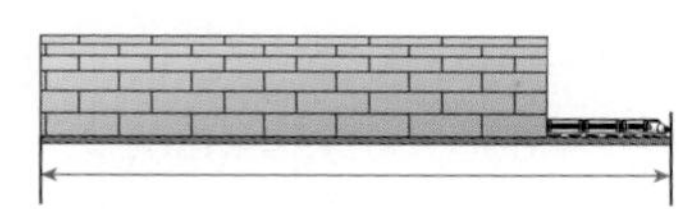

(터널을 완전히 통과하는 데 기차가 달린 거리)
=(터널의 길이)+(기차의 길이)

문제해결 Key
① 1분 15초는 몇 분인지 소수로 나타냅니다.
② 터널을 완전히 통과하는 데 기차가 달린 거리를 구합니다.
③ 터널의 길이를 구합니다.

14 • 곱하는 두 수의 끝자리 숫자가 7과 4이므로 곱의 끝자리 숫자는 8로 ㉡은 답이 될 수 없습니다.

• (소수 세 자리 수)$\times$(소수 두 자리 수)=(소수 다섯 자리 수)로 ㉠은 답이 될 수 없습니다.

• ■와 ●에 가장 작은 수인 1을 넣어 계산하면 $1.517\times3.14=4.76338$이고 가장 큰 수인 9를 넣어 계산하면 $1.597\times3.94=6.29218$입니다.
따라서 두 수의 곱은 4.76338과 같거나 크고 6.29218과 같거나 작으므로 ㉣은 답이 될 수 없습니다.

⇨ 계산 결과가 될 수 있는 것은
㉢ ($1.587\times3.24=5.14188$)입니다.

문제해결 Key
① 곱하는 두 수의 끝자리 숫자로 답이 될 수 없는 것을 찾습니다.
② 곱의 자릿수로 답이 될 수 없는 것을 찾습니다.
③ ■와 ●에 1과 9를 각각 넣어 계산하여 곱의 범위로 답이 될 수 없는 것을 찾습니다.
④ 계산 결과가 될 수 있는 것을 찾습니다.

15

$0.8=0.8$

$0.8\times0.8=0.64$

$0.8\times0.8\times0.8=0.512$

$0.8\times0.8\times0.8\times0.8=0.4096$

$0.8\times0.8\times0.8\times0.8\times0.8=0.32768$

⋮

다시 8이 나오므로 소수점 아래 끝자리 숫자는 8, 4, 2, 6이 반복됩니다.

0.8을 100번 곱하면 곱은 소수 100자리 수가 되므로 소수 100째 자리 숫자는 소수점 아래 끝자리 숫자입니다.
0.8을 계속 곱하면 곱의 소수점 아래 끝자리 숫자는 8, 4, 2, 6이 반복됩니다.
(4개)

⇨ $100\div4=25$이므로 0.8을 100번 곱했을 때 곱의 소수 100째 자리 숫자는 0.8을 4번 곱했을 때의 소수점 아래 끝자리 숫자와 같은 6입니다.

문제해결 Key
① 0.8을 100번 곱했을 때 곱의 자릿수를 알아봅니다.
② 곱의 소수점 아래 끝자리 숫자의 규칙을 찾습니다.
③ 0.8을 100번 곱했을 때 곱의 소수 100째 자리 숫자를 구합니다.

16

(식용유 2.8 L의 무게)+(빈 병의 무게)=3.86 kg

식용유 2.8 L가 들어 있는 병의 무게를 재어 보았더니 3.86 kg이었습니다. 이 병에 들어 있는 식용유 250 mL를 사용한 후 다시 무게를 재어 보니 3.63 kg이 되었습니다. 빈 병의 무게는 몇 kg입니까?

(식용유 (2.8 L−250 mL)의 무게)+(빈 병의 무게)=3.63 kg

(식용유 250 mL의 무게)$=3.86-3.63=0.23$ (kg)
$1\text{ L}=1000\text{ mL}=250\text{ mL}\times 4$이므로
(식용유 1 L의 무게)$=0.23\times 4=0.92$ (kg)
(식용유 2.8 L의 무게)$=0.92\times 2.8=2.576$ (kg)
⇨ (빈 병의 무게)$=3.86-2.576=1.284$ (kg)

문제해결 Key
① 식용유 250 mL의 무게를 구합니다.
② 식용유 1 L의 무게를 구합니다.
③ 식용유 2.8 L의 무게를 구합니다.
④ 빈 병의 무게를 구합니다.

17 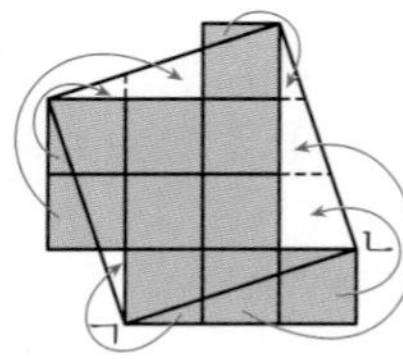

왼쪽 그림과 같이 정사각형의 일부를 이동하면 정사각형 10개의 넓이는 한 변의 길이가 6.4 cm인 정사각형의 넓이와 같습니다.
⇨ (도형의 넓이)$=6.4\times 6.4=40.96$ (cm^2)

문제해결 Key
① 도형의 일부를 이동하여 한 변의 길이가 6.4 cm인 정사각형을 만듭니다.
② 도형의 넓이를 구합니다.

18 첫 번째로 튀어 오른 공의 높이: $5\times 0.8=4$ (m)
두 번째로 튀어 오른 공의 높이: $4\times 0.8=3.2$ (m)
⇨ 20 cm$=$0.2 m이므로
(두 번째로 튀어 오른 공의 높이와 계단 사이의 거리)
$=3.2-0.2=3$ (m)

문제해결 Key
① 첫 번째로 튀어 오른 공의 높이를 구합니다.
② 두 번째로 튀어 오른 공의 높이를 구합니다.
③ 두 번째로 튀어 오른 공의 높이와 계단 사이의 거리를 구합니다.

19 1시간은 10분의 6배이므로
(재용이가 한 시간 동안 걷는 거리)
$=1.1\times 6=6.6$ (km)
2시간 30분$=2\frac{30}{60}$시간$=2\frac{1}{2}$시간$=2.5$시간
(재용이가 2시간 30분 동안 걷는 거리)
$=6.6\times 2.5=16.5$ (km)
(민정이가 2시간 30분 동안 걷는 거리)
$=5.2\times 2.5=13$ (km)

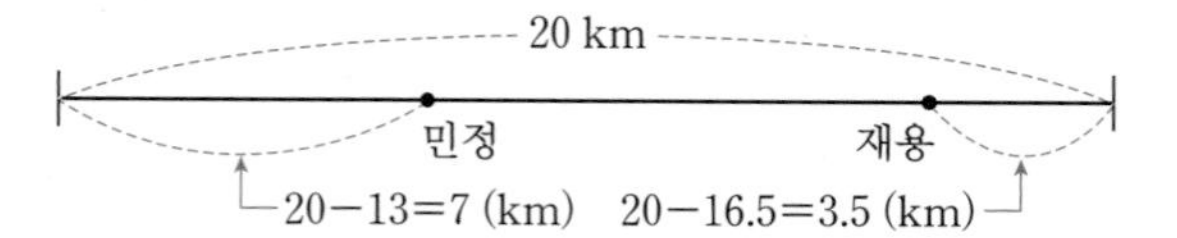

⇨ (2시간 30분 후에 두 사람 사이의 거리)
$=20-(7+3.5)=9.5$ (km)

문제해결 Key
① 재용이가 한 시간 동안 걷는 거리를 구합니다.
② 2시간 30분은 몇 시간인지 소수로 나타냅니다.
③ 재용이와 민정이가 2시간 30분 동안 걷는 거리를 각각 구합니다.
④ 2시간 30분 후에 두 사람 사이의 거리를 구합니다.

STEP 4 TOP 최고수준 100~101쪽

01 143.55 cm^2 **02** 159명
03 0.96 km **04** 오후 2시 30분, 315 km
05 42.1875 cm^2

01 직사각형에서 대각선에 의해 나누어진 두 삼각형은 넓이가 같습니다.
직사각형 ㄱㄴㄷㄹ에서
(삼각형 ㄱㄴㄹ의 넓이)$=$(삼각형 ㄷㄹㄴ의 넓이)
직사각형 ㅁㅈㅇㄹ에서
(삼각형 ㅁㅈㄹ의 넓이)$=$(삼각형 ㅇㄹㅈ의 넓이)
직사각형 ㅅㄴㅂㅈ에서
(삼각형 ㅅㄴㅈ의 넓이)$=$(삼각형 ㅂㅈㄴ의 넓이)
⇨ (색칠한 부분의 넓이)
$=$(직사각형 ㄱㅅㅈㅁ의 넓이)
$=24.75\times 5.8=143.55$ (cm^2)

문제해결 Key
① 삼각형 ㄱㄴㄹ, 삼각형 ㅁㅈㄹ, 삼각형 ㅅㄴㅈ과 넓이가 같은 도형을 각각 찾습니다.
② 색칠한 부분의 넓이가 직사각형 ㄱㅅㅈㅁ의 넓이와 같음을 알고 구합니다.

02 (남학생 수)$=$(전체 학생 수)$\times 0.55$
$=600\times 0.55=330$(명)
(여학생 수)$=600-330=270$(명)
(수학을 좋아하는 학생 수)$=$(전체 학생 수)$\times 0.4$
$=600\times 0.4=240$(명)
(수학을 좋아하는 여학생 수)$=270\times 0.3=81$(명)
⇨ (수학을 좋아하는 남학생 수)
$=$(수학을 좋아하는 학생 수)
$-$(수학을 좋아하는 여학생 수)
$=240-81=159$(명)

문제해결 Key
① 남학생 수, 여학생 수를 각각 구합니다.
② 수학을 좋아하는 학생 수, 수학을 좋아하는 여학생 수를 각각 구합니다.
③ 수학을 좋아하는 남학생 수를 구합니다.

03 1분 48초$=1\frac{48}{60}$분$=1\frac{8}{10}$분$=1.8$분

(터널을 완전히 통과하는 데 기차가 달린 거리)
$=2.4\times1.8=4.32$ (km)
(터널 4개의 길이의 합)$=800\times4=3200$ (m)
$=3.2$ (km)
(기차의 길이)$=160$ m$=0.16$ km
⇨ (터널 사이의 거리의 합)
=(터널을 완전히 통과하는 데 기차가 달린 거리)
−(터널 4개의 길이)−(기차의 길이)
$=4.32-3.2-0.16=0.96$ (km)

문제해결 Key
① 1분 48초는 몇 분인지 소수로 나타냅니다.
② 터널을 완전히 통과하는 데 기차가 달린 거리를 구합니다.
③ 터널 4개의 길이의 합을 구합니다.
④ 터널 사이의 거리의 합을 구합니다.

04 건욱이는 ㉮ 도시에서 자동차로 오전 9시 30분에 출발하여 약속 시각까지 ㉯ 도시로 가려고 합니다. 한 시간에 60 km를 가는 빠르기로 달리면 15분 늦게 도착하고, / 한 시간에 75 km를 가는 빠르기로 달리면 48분 일찍 도착한다고 합니다. 약속 시각은 오후 몇 시 몇 분이고, 두 도시 사이의 거리는 몇 km인지 구하시오.

→ (60×0.25) km만큼 덜 가게 됩니다.
→ (75×0.8) km만큼 더 가게 됩니다.

오전 9시 30분부터 약속 시각까지의 시간을 □시간이라 하면

• 15분$=\frac{15}{60}$시간$=\frac{1}{4}$시간$=0.25$시간
한 시간에 60 km를 가는 빠르기로 □시간 동안 달리면 $60\times0.25=15$ (km) 덜 가게 됩니다.

• 48분$=\frac{48}{60}$시간$=\frac{8}{10}$시간$=0.8$시간
한 시간에 75 km를 가는 빠르기로 □시간 동안 달리면 $75\times0.8=60$ (km) 더 가게 됩니다.

한 시간에 60 km를 가는 빠르기로 □시간 동안 달리는 거리
㉮ 15 km ㉯ 60 km
한 시간에 75 km를 가는 빠르기로 □시간 동안 달리는 거리

$60\times\square+15=75\times\square-60$, $15\times\square=75$, $\square=5$
⇨ (약속 시각)=오전 9시 30분+5시간
=오후 2시 30분
(두 도시 사이의 거리)$=60\times(5+0.25)$
$=60\times5.25=315$ (km)

문제해결 Key
① 한 시간에 60 km를 가는 빠르기로 달렸을 때 덜 가게 되는 거리를 구합니다.
② 한 시간에 75 km를 가는 빠르기로 달렸을 때 더 가게 되는 거리를 구합니다.
③ 오전 9시 30분부터 약속 시각까지의 시간을 구합니다.
④ 약속 시각과 두 도시 사이의 거리를 각각 구합니다.

05

첫 번째

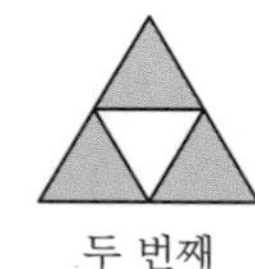
두 번째

세 번째

네 번째

......

두 번째 그림에서 색칠되지 않은 정삼각형의 넓이는 첫 번째 정삼각형의 넓이의 $\frac{1}{4}$, 즉 0.25배이고 색칠되지 않은 정삼각형 중 가장 작은 것의 수는 0, 1, 3, 9……로 세 번째부터 3배씩 늘어나므로 다섯 번째 그림에서 색칠되지 않은 정삼각형 중 가장 작은 것은
$9\times3=27$(개)입니다.
두 번째: (색칠되지 않은 정삼각형의 넓이)
$=400\times0.25=100$ (cm^2)
세 번째:
(색칠되지 않은 정삼각형 중 가장 작은 것 1개의 넓이)
$=100\times0.25=25$ (cm^2)
네 번째:
(색칠되지 않은 정삼각형 중 가장 작은 것 1개의 넓이)
$=25\times0.25=6.25$ (cm^2)
⇨ 다섯 번째 그림에서 색칠되지 않은 정삼각형 중 가장 작은 것 1개의 넓이가 $6.25\times0.25=1.5625$ (cm^2)이므로 넓이의 합은 $1.5625\times27=42.1875$ (cm^2)입니다.

문제해결 Key
① 색칠되지 않은 정삼각형 중 가장 작은 것의 수의 규칙을 찾습니다.
② 두 번째 그림에서 색칠되지 않은 정삼각형의 넓이를 구합니다.
③ 세 번째, 네 번째 그림에서 색칠되지 않은 정삼각형 중 가장 작은 것 1개의 넓이를 각각 구합니다.
④ 다섯 번째 그림에서 색칠되지 않은 정삼각형 중 가장 작은 것 1개의 넓이를 구합니다.
⑤ 넓이의 합을 구합니다.

5 직육면체

STEP 1 START 개념 105쪽

1 ㉠ 2, ㉡ 3 2 (1) × (2) ○
3 예 직육면체는 직사각형 6개로 둘러싸인 도형인데 주어진 도형에는 직사각형이 아닌 면이 있기 때문입니다.
4 ㉢ 5 9 cm
6 2

1 직육면체에서 한 개의 모서리는 2개의 면이 만나서 생기고, 한 꼭짓점에서 만나는 모서리는 3개입니다.

2 (1) 직육면체의 면의 모양은 직사각형이고 직사각형은 정사각형이라고 할 수 없으므로 직육면체는 정육면체라고 할 수 없습니다.

4 ㉢ 모서리의 길이 ⇨ 직육면체: 서로 다름
정육면체: 모두 같음

5 정육면체의 모서리는 12개이고 그 길이가 모두 같습니다.
(한 모서리의 길이)$=108\div12=9$ (cm)

6 직육면체의 모서리는 12개, 면은 6개, 꼭짓점은 8개입니다.
$12=6+8-\square$, $12=14-\square$, $\square=2$

다른 풀이
오일러의 정리를 이용하면
(면의 수)+(꼭짓점의 수)−(모서리의 수)=2이므로
$\square=2$입니다.

STEP 1 START 개념 107쪽

1

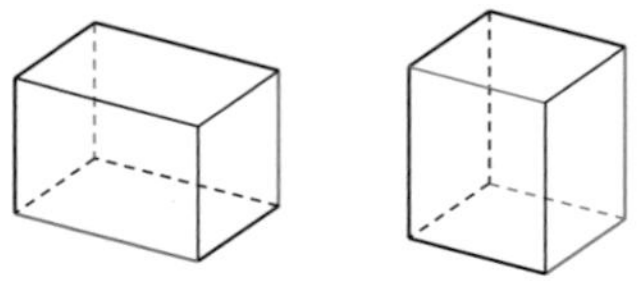

2 면 ㄱㄴㄷㄹ, 면 ㄹㄷㅅㅇ, 면 ㅁㅂㅅㅇ, 면 ㄱㄴㅂㅁ
3 ㉢ 4 12 cm
5 24 cm 6 3가지

1 보이는 모서리는 실선으로, 보이지 않는 모서리는 점선으로 그립니다.

2 면 ㄴㅂㅅㄷ과 만나는 면을 모두 찾습니다.

3 ㉢ 보이는 모서리는 실선으로 그립니다.

4 보이지 않는 모서리는 길이가 2 cm, 6 cm, 4 cm인 모서리가 1개씩입니다.
⇨ (보이지 않는 모서리의 길이의 합)
$=2+6+4=12$ (cm)

5 색칠한 면과 평행한 면은 색칠한 면과 모양과 크기가 같습니다.
(색칠한 면과 평행한 면의 둘레)
=(색칠한 면의 둘레)$=5+7+5+7=24$ (cm)

6 직육면체에서 서로 평행한 면은 모양과 크기가 같습니다.
직육면체에서 서로 평행한 면은 모두 3쌍이므로 필요한 색은 모두 3가지입니다.

STEP 1 START 개념 109쪽

1 ㄷㄴ, ㅎㄱ 2 (왼쪽부터) 8, 5
3 ㉡
4 면 ㉮, 면 ㉰, 면 ㉲, 면 ㉳
5 1 cm 1 cm 예
6

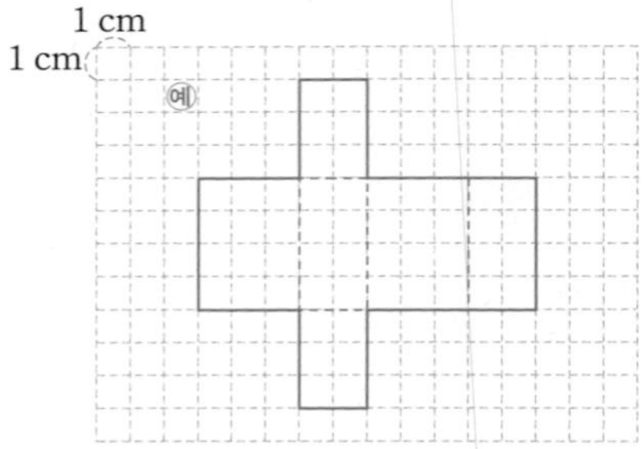

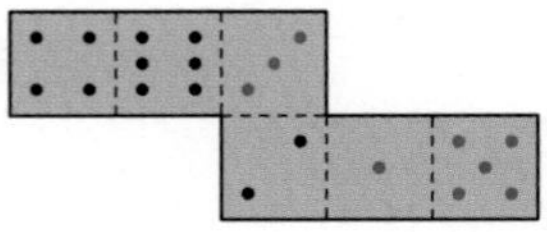

1 • 점 ㄱ과 점 ㄷ이 만나므로 선분 ㄱㄴ과 선분 ㄷㄴ이 겹칩니다.
• 점 ㅌ과 점 ㅎ, 점 ㅋ과 점 ㄱ이 만나므로 선분 ㅌㅋ과 선분 ㅎㄱ이 겹칩니다.

2 직육면체의 전개도를 접었을 때 서로 만나는 모서리의 길이는 같습니다.

3 ㉡ 2개의 면이 서로 겹쳐집니다.

4 면 ㉣와 평행한 면 ㉯를 제외한 나머지 4개의 면이 모두 수직인 면입니다.

5 면의 수가 6개이고 마주 보는 면의 모양과 크기가 같으며 만나는 모서리의 길이가 같고 겹치는 면이 없으면 정답으로 인정합니다.

6 서로 평행한 두 면을 찾아 마주 보는 면의 눈의 수의 합이 7이 되게 합니다.

STEP **2** JUMP **유형** **110~116쪽**

1-1 ❶ 예 $(9+12+㉠)\times4=144$
❷ 예 $(9+12+㉠)\times4=144$,
$9+12+㉠=144\div4$, $9+12+㉠=36$,
$21+㉠=36$, $㉠=36-21=15$
; 15

1-2 11 **1-3** 7 cm

2-1 ❶ (왼쪽부터) 5, 6, 3
❷ 예 $5+6+5+6=22$ (cm)
; 22 cm

2-2 32 cm **2-3** 192 cm

3-1 ❶ 예 끈으로 둘러싼 부분은 길이가 15 cm인 부분이 2군데, 10 cm인 부분이 2군데, 20 cm인 부분이 4군데입니다.
❷ 예 $(15\times2)+(10\times2)+(20\times4)$
$=30+20+80=130$ (cm)
; 130 cm

3-2 94 cm **3-3** 20 cm

4-1 ❶ 예 $3+㉠=7$ ⇨ $㉠=7-3=4$
❷ 예 $4+㉡=8$ ⇨ $㉡=8-4=4$,
$4+㉢=7$ ⇨ $㉢=7-4=3$
❸ 예 $3+㉣=8$ ⇨ $㉣=8-3=5$,
$5+㉤=7$ ⇨ $㉤=7-5=2$
; 2

4-2 6 **4-3** 40

5-1 ❶

❷ 예 큰 정육면체의 한 면에 1개씩 6개의 면에 있으므로 모두 $1\times6=6$(개)입니다.
; 6개

5-2 8개 **5-3** 24개

6-1 ❶ 예 (선분 ㄴㄷ)=(선분 ㄷㄹ)=(선분 ㅂㅁ)
=(선분 ㅂㅅ)=4 cm,
(선분 ㄷㅂ)=(선분 ㅍㅌ)=9 cm이므로
(선분 ㄴㅅ)=$4+9+4=17$ (cm)입니다.
❷ 예 (선분 ㄱㄴ)=(선분 ㅈㅇ)=7 cm
❸ 예 (사각형 ㄱㄴㅅㅊ의 둘레)
$=17+7+17+7=48$ (cm)
; 48 cm

6-2 70 cm **6-3** 122 cm

7-1 ❶ ❷

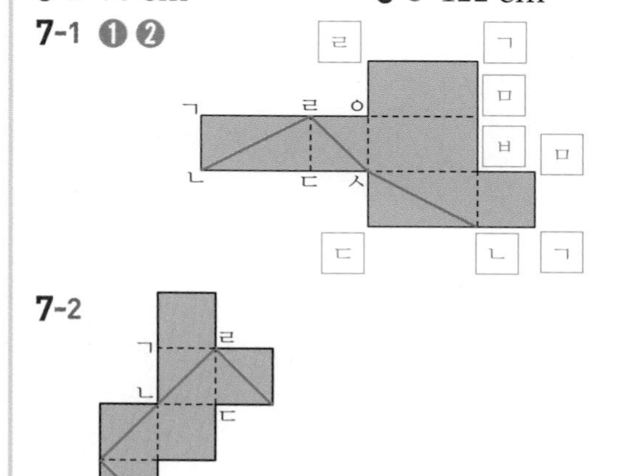

7-2

1-2 길이가 11 cm, ㉠ cm, 6 cm인 모서리가 4개씩 있으므로 $(11+㉠+6)\times4=112$입니다.
$(11+㉠+6)\times4=112$,
$11+㉠+6=112\div4$,
$11+㉠+6=28$, $17+㉠=28$,
$㉠=28-17=11$

1-3 (직육면체 ㉮의 모든 모서리의 길이의 합)
$=(7+4+10)\times4=84$ (cm)
⇨ 정육면체 ㉯는 모서리의 길이가 모두 같으므로
(정육면체 ㉯의 한 모서리의 길이)$=84\div12$
$=7$ (cm)

문제해결 Key
① 직육면체 ㉮의 모든 모서리의 길이의 합을 구합니다.
② 정육면체 ㉯의 한 모서리의 길이를 구합니다.

2-2 앞과 옆에서 본 모양을 이용하여 세 모서리가 9 cm, 7 cm, 4 cm인 직육면체의 겨냥도를 그리면 오른쪽과 같습니다.

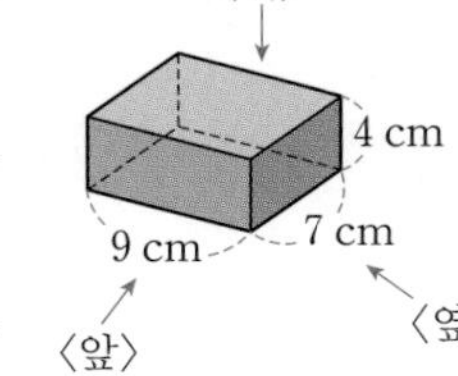

⇨ 위에서 본 모양은 가로가 9 cm, 세로가 7 cm인 직사각형이므로 둘레는 $9+7+9+7=32$ (cm)입니다.

5 단원

2-3 주어진 종이의 모양을 이용하여 세 모서리가 16 cm, 12 cm, 20 cm인 직육면체 모양의 상자의 겨냥도를 그리면 오른쪽과 같습니다.

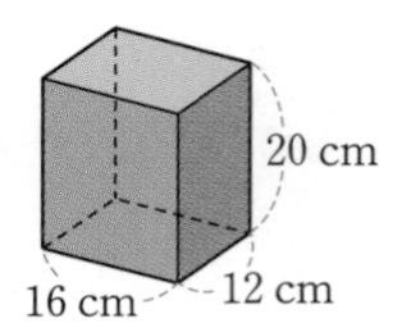

⇨ 만들어진 상자의 모든 모서리의 길이의 합은 $(16+12+20)\times4=192$ (cm)입니다.

3-2 끈으로 둘러싼 부분은 길이가 12 cm인 부분이 2군데, 15 cm인 부분이 2군데, 10 cm인 부분이 4군데입니다.

⇨ 사용한 끈의 길이는 적어도
$(12\times2)+(15\times2)+(10\times4)$
$=24+30+40=94$ (cm)
입니다.

3-3 정육면체는 모서리의 길이가 모두 같으므로 매듭을 제외하고 사용한 끈은 15 cm의 8배와 같습니다.
사용한 끈이 140 cm이므로 매듭으로 사용한 끈은 $140-(15\times8)=140-120=20$ (cm)입니다.

문제해결 Key
① 매듭을 제외하고 사용한 끈은 15 cm의 몇 배인지 알아봅니다.
② 매듭으로 사용한 끈의 길이를 구합니다.

4-2

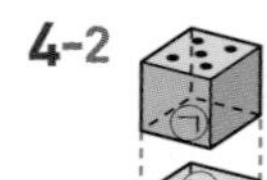

- $5+㉠=7$ ⇨ $㉠=7-5=2$
- $2+㉡=5$ ⇨ $㉡=5-2=3$
- $3+㉢=7$ ⇨ $㉢=7-3=4$
- $4+㉣=5$ ⇨ $㉣=5-4=1$
- $1+㉤=7$ ⇨ $㉤=7-1=6$

4-3 (주사위 한 개의 눈의 수의 합)
$=1+2+3+4+5+6=21$

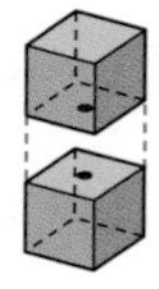

겉면의 눈의 수의 합이 가장 클 때에는 왼쪽 그림과 같이 주사위 2개가 맞닿는 면의 눈의 수가 모두 1이어야 합니다.
⇨ $21\times2-(1+1)=40$

문제해결 Key
① 주사위 한 개의 눈의 수의 합을 구합니다.
② 겉면의 눈의 수의 합이 가장 크게 되는 경우의 합을 구합니다.

5-2

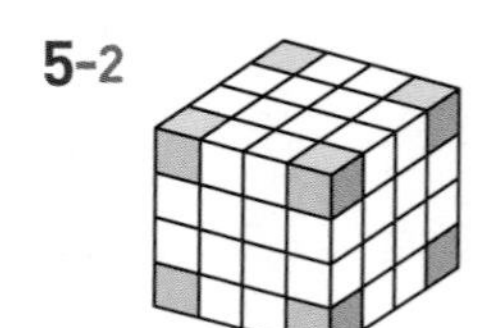

왼쪽 그림과 같이 세 면에만 색칠된 정육면체는 큰 정육면체의 각 꼭짓점을 포함한 정육면체이므로 모두 8개입니다.

참고

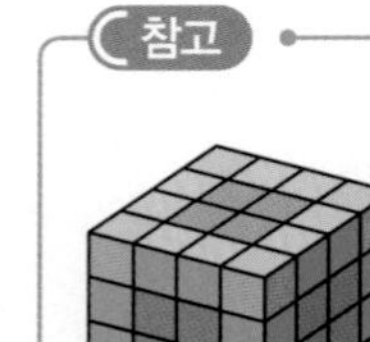

- 한 면에만 색칠된 정육면체
  ⇨ 보라색 정육면체
- 두 면에만 색칠된 정육면체
  ⇨ 초록색 정육면체
- 세 면에만 색칠된 정육면체
  ⇨ 분홍색 정육면체

5-3

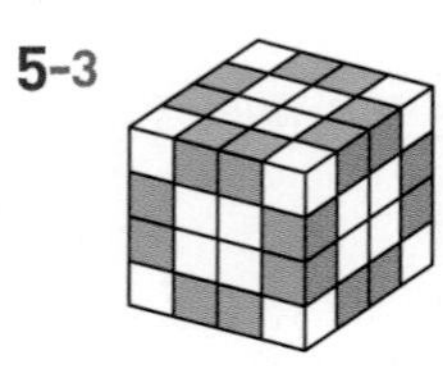

왼쪽 그림과 같이 두 면에만 색칠된 정육면체는 큰 정육면체의 한 모서리에 2개씩 12개의 모서리에 있으므로 모두 $2\times12=24$(개)입니다.

문제해결 Key
① 정육면체를 그려서 두 면에만 색칠된 정육면체의 위치를 알아봅니다.
② 두 면에만 색칠된 정육면체의 개수를 구합니다.

6-2 (선분 ㅎㅍ)=(선분 ㅌㅍ)=(선분 ㅋㅊ)=(선분 ㅊㅈ)
=9 cm
(선분 ㄷㄹ)=(선분 ㅂㅅ)=(선분 ㅍㅊ)=5 cm
→ (선분 ㅎㅈ)$=9+5+9=23$ (cm)
(선분 ㅈㅇ)=(선분 ㄱㄴ)=12 cm
⇨ (사각형 ㅎㅁㅇㅈ의 둘레)
$=23+12+23+12=70$ (cm)

6-3 (선분 ㅍㅌ)=(선분 ㅌㅋ)=(선분 ㅂㅅ)=6 cm이므로 (선분 ㅅㅇ)$=15-6=9$ (cm)
(선분 ㄱㅎ)=(선분 ㅅㅇ)=9 cm이므로
(선분 ㅎㅍ)$=20-9=11$ (cm)

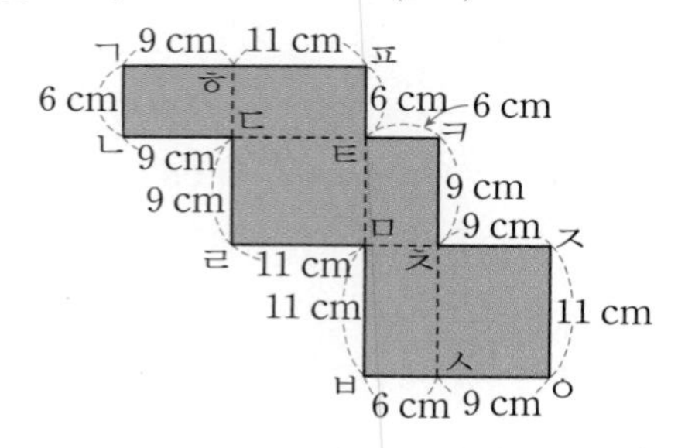

⇨ (전개도의 둘레)$=9\times6+11\times4+6\times4$
$=122$ (cm)

7-2

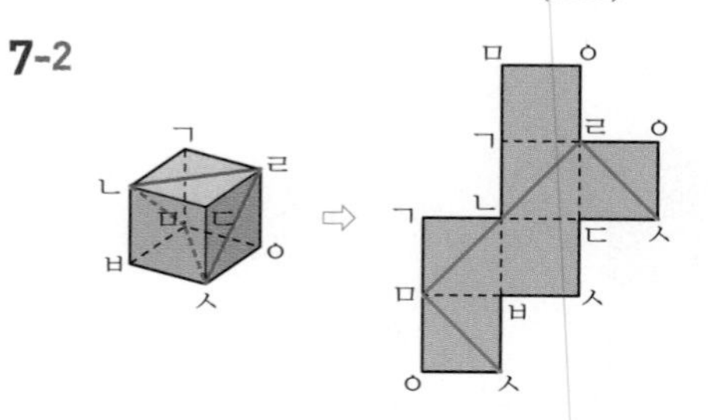

전개도에 각 꼭짓점의 기호를 표시한 후 선분 ㄴㄹ, 선분 ㄹㅅ, 선분 ㅅㅁ, 선분 ㅁㄴ을 그립니다.

문제해결 Key
① 전개도에 각 꼭짓점의 기호를 표시합니다.
② 전개도에 끈이 지나간 자리를 그려 넣습니다.

STEP 3 MASTER 심화 117~121쪽

01 (위쪽부터) 5, 10	**02** ⑪, ①, ⑦, ⑧, ⑤, ⑨
03 24	**04** 46 cm
05 116 cm	**06**
07 6 cm	**08** 432 cm
09 18개	**10** 320 cm
11 보라	**12** 4개
13 27개	**14** 9

01 위와 앞에서 본 모양으로 겨냥도를 그려 알아봅니다.

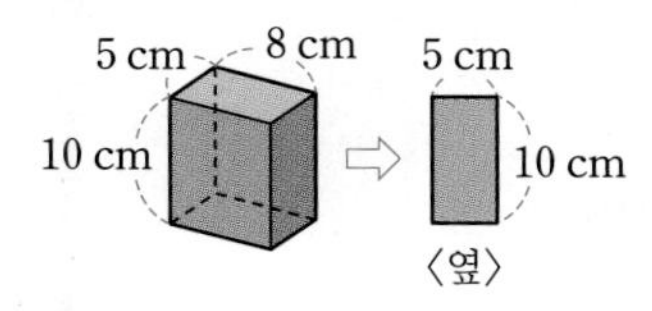

문제해결 Key
① 위와 앞에서 본 모양을 이용하여 직육면체의 겨냥도를 그려 봅니다.
② 옆에서 본 모양의 가로와 세로를 알아봅니다.

02 전개도를 접었을 때를 생각해 봅니다.

주의
겹치는 면에 주의하여 전개도에서 해당되는 면을 찾습니다.

03 서로 마주 보는 면에 적힌 두 수는 2와 8, 6과 4, 14와 1입니다.
$2\times8=16$, $6\times4=24$, $14\times1=14$
⇨ 16, 24, 14 중 24가 가장 큽니다.

문제해결 Key
① 서로 마주 보는 면에 적힌 두 수의 곱을 구합니다.
② ①에서 구한 곱 중 가장 큰 값을 구합니다.

04 사각형 ㄱㄴㄷㄹ의 가로는 선분 ㄴㄷ의 길이와 같고, 세로는 선분 ㄱㄴ의 길이와 같습니다.
(선분 ㄱㄴ)=10 cm,
(선분 ㄴㄷ)=4+5+4=13 (cm)
⇨ (사각형 ㄱㄴㄷㄹ의 둘레)=10+13+10+13
=46 (cm)

05 끈으로 둘러싼 부분은 길이가 9 cm인 부분이 4군데, 7 cm인 부분이 4군데, 13 cm인 부분이 4군데입니다.
⇨ 사용한 끈의 길이는 적어도
$(9\times4)+(7\times4)+(13\times4)$
$=36+28+52=116$ (cm)
입니다.

문제해결 Key
① 끈의 길이가 9 cm, 7 cm, 13 cm인 부분이 각각 몇 군데인지 알아봅니다.
② 사용한 끈의 길이는 적어도 몇 cm인지 구합니다.

06 전개도를 접을 때 어느 선분끼리 겹치게 되는지 먼저 생각합니다. 그 다음 선이 지나간 방향에 주의하여 그립니다.

문제해결 Key
① 직육면체의 겨냥도에서 선이 지나간 면을 찾습니다.
② 선이 지나간 자리를 그려 넣습니다.

07 (직육면체를 만드는 데 사용한 철사의 길이)
$=(8+4+6)\times4=72$ (cm)
만든 정육면체의 한 모서리의 길이를 □cm라고 하면
$□\times12=72$, $□=72\div12=6$
⇨ 만든 정육면체의 한 모서리의 길이는 6 cm입니다.

문제해결 Key
① 직육면체를 만드는 데 사용한 철사의 길이를 구합니다.
② 만든 정육면체의 한 모서리의 길이를 구합니다.

08
그림과 같은 직육면체를 빈틈없이 여러 개 쌓아서 가장 작은 정육면체를 만들었습니다. 만든 정육면체의 모든 모서리의 길이의 합은 몇 cm입니까?

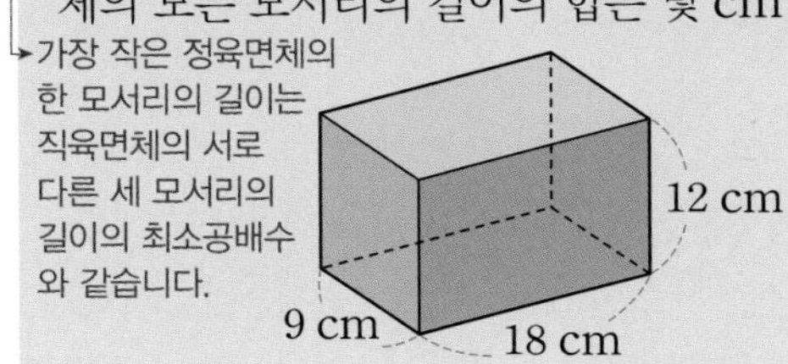

9, 18, 12의 최소공배수가 36이므로 가장 작은 정육면체의 한 모서리의 길이는 36 cm입니다.
⇨ (만든 정육면체의 모든 모서리의 길이의 합)
=(한 모서리의 길이)$\times12=36\times12=432$ (cm)

문제해결 Key
① 만든 가장 작은 정육면체의 한 모서리의 길이를 구합니다.
② 만든 정육면체의 모든 모서리의 길이의 합을 구합니다.

09 (정육면체 4개의 면의 수)$=6\times4=24$(개)
그림에서 맞닿는 면은 3군데에 면이 2개씩 맞닿아 있으므로 $3\times2=6$(개)입니다.
⇨ (겉면의 수)$=24-6=18$(개)

문제해결 Key
① 정육면체 4개의 면은 모두 몇 개인지 구합니다.
② 맞닿는 면은 몇 개인지 구합니다.
③ 겉면의 수를 구합니다.

10 (잘린 한 직육면체의 모든 모서리의 길이의 합)
$=(5+5+10)\times4=80$ (cm)
⇨ (잘린 직육면체 4개의 모든 모서리의 길이의 합)
$=80\times4=320$ (cm)

문제해결 Key
① 잘린 한 직육면체의 모든 모서리의 길이의 합을 구합니다.
② 잘린 직육면체 4개의 모든 모서리의 길이의 합을 구합니다.

다른 풀이
- 가로를 더한 것은 10 cm이고 가로의 합은 10 cm씩 8개 있으므로 $10\times8=80$ (cm)입니다.
- 세로를 더한 것은 10 cm이고 세로의 합은 10 cm씩 8개 있으므로 $10\times8=80$ (cm)입니다.
- 높이는 10 cm씩 각 직육면체에 4개씩 있으므로 $10\times4\times4=160$ (cm)입니다.

⇨ $80+80+160=320$ (cm)

11

첫 번째와 세 번째 그림에서 초록색 면과 수직인 면에 칠해진 색을 찾으면 노랑, 파랑, 빨강, 주황입니다.
⇨ 초록색 면과 보라색 면이 만나지 않으므로 초록색 면과 평행한 면에 칠해진 색은 보라색입니다.

문제해결 Key
① 초록색 면과 수직인 면에 칠해진 색을 모두 찾습니다.
② 초록색 면과 평행한 면에 칠해진 색을 알아봅니다.

12 전개도에서 색칠한 5개의 면 중 빗금친 면은 서로 평행한 면이 없습니다. ①부터 ⑩까지의 면 중에서 나머지 한 면이 될 수 있는 면은 빗금친 면과 서로 평행한 면입니다.
⇨ 고를 수 있는 면은 ④, ⑤, ⑨, ⑩으로 모두 4개입니다.

문제해결 Key
① 색칠한 5개의 면 중 서로 평행한 면이 없는 면을 찾습니다.
② ①에서 찾은 면과 평행한 면이 될 수 있는 면의 개수를 구합니다.

13 한 면도 색칠되지 않은 정육면체는 2층, 3층, 4층에 오른쪽과 같이 9개씩 있으므로 $9+9+9=27$(개)입니다.

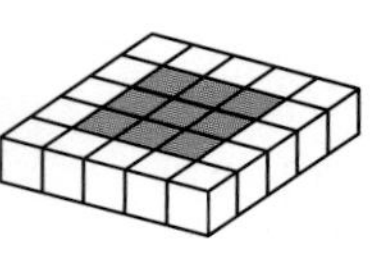

문제해결 Key
① 한 면도 색칠되지 않은 정육면체를 층별로 알아봅니다.
② ①에서 구한 정육면체의 개수를 구합니다.

다른 풀이
한 면도 색칠되지 않은 정육면체는 바깥 부분을 없앤 안쪽에 있는 부분이므로 가로로 $(5-2)$개, 세로로 $(5-2)$개, $(5-2)$층으로 쌓은 모양입니다.
⇨ $3\times3\times3=27$(개)

14
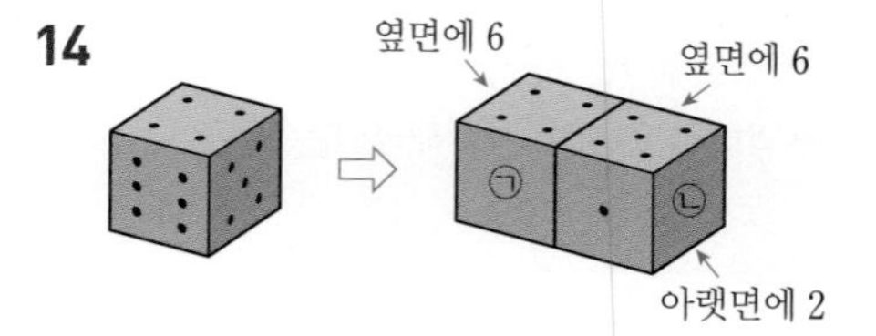

왼쪽 주사위와 비교하면 ㉡의 눈의 수는 4이고, ㉡과 마주 보는 면의 눈의 수는 3이므로 눈의 수가 3인 면과 맞닿는 면의 눈의 수는 1임을 알 수 있습니다.
또, 눈의 수가 1인 면과 마주 보는 면의 눈의 수는 6입니다. 눈의 수가 4, 5, 6인 면은 왼쪽 그림과 같이 한 꼭짓점에서 만나므로 ㉠의 눈의 수는 5입니다.
⇨ ㉠+㉡$=5+4=9$

문제해결 Key
① ㉡에 올 눈의 수를 구합니다.
② ㉠에 올 눈의 수를 구합니다.
③ ㉠과 ㉡에 올 눈의 수의 합을 구합니다.

STEP 4 TOP 최고수준 122~123쪽

01 5　　02 6가지
03 186 cm　　04 ㉠, ㉥
05 26개
06

3	3	3
5	3	7
5	7	7

1층

2	1	4
5	5	4
6	6	7

2층

2	1	1
2	6	4
2	6	4

3층

01 왼쪽으로 4번 굴러가면 처음 주사위와 위치가 같고 아래쪽으로 모두 4번, 오른쪽으로 모두 4번 굴러갔으므로 처음 주사위와 위치가 같습니다.
⇨ 빗금친 자리에서 주사위의 윗면에 오는 눈의 수는 5입니다.

문제해결 Key
① 각각 왼쪽으로 4번, 아래쪽으로 4번, 오른쪽으로 4번 굴러가도 처음 주사위와 위치가 같음을 찾습니다.
② ①에서 찾은 규칙으로 빗금친 자리에서 주사위의 윗면에 오는 눈의 수를 구합니다.

02 꼭짓점 ㉠에서 꼭짓점 ㉡까지 가장 가까운 길은 길이가 다른 3개의 모서리를 한 번씩 지나는 것입니다.
• 꼭짓점 ㉢을 거쳐 가는 경우

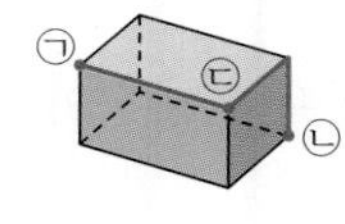

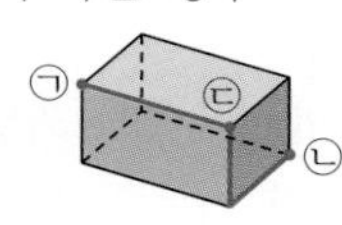

• 꼭짓점 ㉣을 거쳐 가는 경우

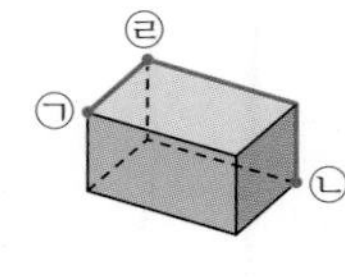

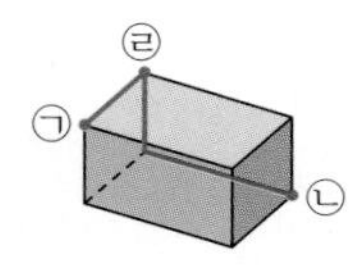

• 꼭짓점 ㉤을 거쳐 가는 경우

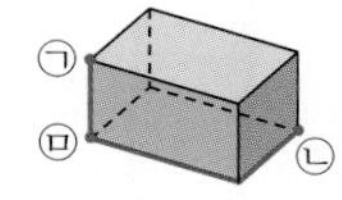

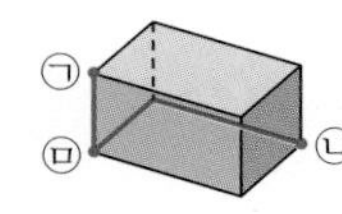

문제해결 Key
① 꼭짓점 ㉢, ㉣, ㉤을 거쳐 가는 경우를 알아봅니다.
② ①에서 구한 모든 경우의 가짓수를 구합니다.

03 ㉣=14 cm
㉠=㉢, ㉡=㉣이므로
㉠+㉡=60÷2=30 (cm),
㉢+㉣=30 (cm)입니다.
㉢=30−14=16 (cm),
㉤=60−(14+14)=32 (cm)
⇨ (보이는 모든 모서리의 길이의 합)
=(14+16+32)×3=186 (cm)

문제해결 Key
① 전개도를 접었을 때 서로 만나는 모서리의 길이가 같음을 이용하여 세 모서리의 길이를 구합니다.
② 보이는 모든 모서리의 길이의 합을 구합니다.

04 • '최'가 쓰여 있는 면의 왼쪽에 붙는 면이 ㉣이므로 겹치는 면은 ㉣과 평행한 면인 ㉠입니다.
• '고'가 쓰여 있는 면의 오른쪽에 붙는 면이 ㉧이므로 겹치는 면은 ㉧과 평행한 면인 ㉥입니다.

문제해결 Key
① '최'가 쓰여 있는 면의 왼쪽에 붙는 면과 평행한 면을 알아봅니다.
② '고'가 쓰여 있는 면의 오른쪽에 붙는 면과 평행한 면을 알아봅니다.

05 구멍이 뚫린 작은 정육면체를 층별로 나누어 색칠해 봅니다.

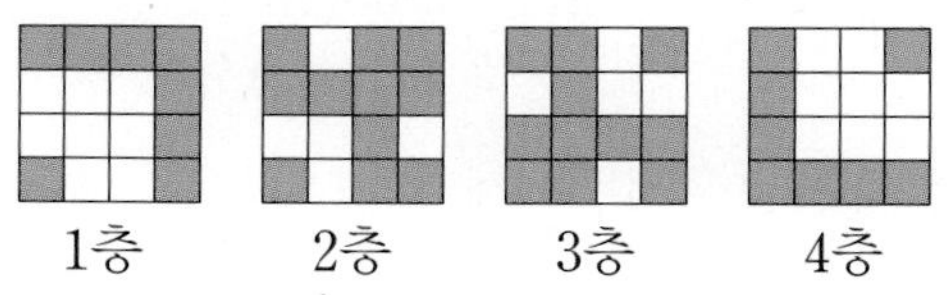

⇨ (구멍이 뚫리지 않은 작은 정육면체의 수)
=8+5+5+8=26(개)

문제해결 Key
① 구멍이 뚫린 작은 정육면체를 층별로 알아봅니다.
② 구멍이 뚫리지 않은 작은 정육면체의 개수를 구합니다.

06 정육면체의 각 면에 적힌 소마큐브 조각 숫자를 보고 다음과 같이 나타낼 수 있습니다.

		3
		7
5	7	7

1층

		4
	5	4
6	6	7

2층

	1	1
		4
2	6	4

3층

그리고 소마큐브 조각 1 → 6 → 2 → 3 → 5의 위치를 생각하여 다음과 같이 나타낼 수 있습니다.

3	3	3
5	3	7
5	7	7

1층

2	1	4
5	5	4
6	6	7

2층

2	1	1
2	6	4
2	6	4

3층

문제해결 Key
① 정육면체의 각 면에 적힌 소마큐브 조각 숫자를 층별로 나타냅니다.
② 소마큐브 조각 위치를 생각하여 빈칸에 소마큐브 조각 숫자를 써넣습니다.

6 평균과 가능성

STEP 1 START 개념 127쪽

1 방법 1 예 12 ;
예 평균을 12로 예상한 후 12, (10, 14), (5, 19)로 수를 짝지어 자료의 값을 고르게 하여 구하면 평균은 12입니다.
방법 2 예 (평균)$=(10+5+19+12+14)\div5$
$=60\div5=12$

2 4500원　　3 38쪽
4 2명　　5 은광이네 모둠
6 21초

2 $(5200+3400+4900)\div3=13500\div3$
$=4500$(원)

3 (6일 동안 읽은 동화책의 전체 쪽수)
$=27\times6=162$(쪽)
(토요일에 읽어야 할 동화책의 쪽수)
$=162-(29+30+16+35+14)$
$=162-124=38$(쪽)

4 (평균)$=(6+10+9+3+7)\div5$
$=35\div5=7$(권)
⇨ 평균인 7권보다 더 많이 가지고 있는 사람은 2명(영준, 다혜)입니다.

5 (현수네 모둠의 단체 줄넘기 기록의 평균)
$=(34+25+13+16)\div4$
$=22$(번)
(은광이네 모둠의 단체 줄넘기 기록의 평균)
$=(28+32+18+14)\div4$
$=23$(번)
⇨ $22<23$이므로 은광이네 모둠의 단체 줄넘기 기록의 평균이 더 많습니다.

6 (남학생 5명의 달리기 기록의 합)$=20\times5=100$(초)
(여학생 5명의 달리기 기록의 합)$=22\times5=110$(초)
(지혜네 모둠의 100 m 달리기 기록의 평균)
$=(100+110)\div(5+5)$
$=210\div10=21$(초)

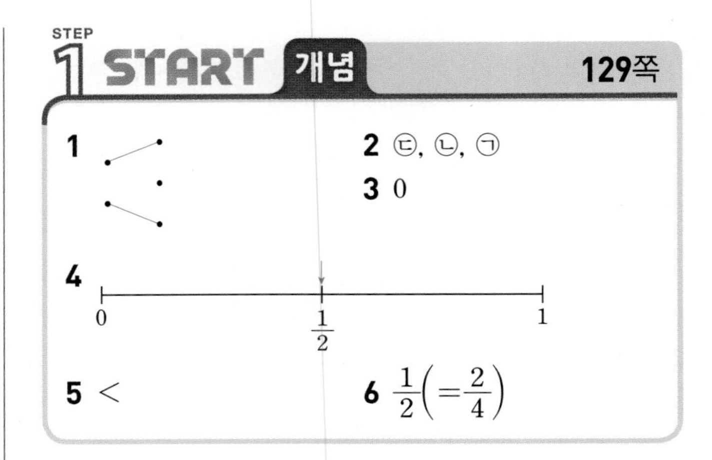

1 2월 다음 달이 3월이므로 확실합니다.
2와 4를 곱하면 8이므로 10이 될 가능성은 불가능합니다.

2 ㉠ 오후 3시에서 1시간 후는 오후 4시이므로 가능성은 불가능합니다.
㉡ 번호표의 번호는 홀수 아니면 짝수이므로 가능성은 반반입니다.
㉢ 주사위에는 1부터 6까지 써 있으므로 가능성은 확실합니다.

3 검은색 공 4개 중에서 1개를 꺼낼 때 꺼낸 공이 검은색이 아닐 가능성은 '불가능하다'입니다. 꺼낸 공이 검은색이 아닐 가능성을 수로 표현하면 0입니다.

4 화살이 노란색에 멈출 가능성은 반반이므로 가능성을 수로 표현하면 $\frac{1}{2}$입니다.

5 일이 일어날 가능성을 0부터 1까지의 수로 표현하면
왼쪽 상자: $\frac{1}{2}\left(=\frac{2}{4}\right)$, 오른쪽 상자: 1
⇨ $\frac{1}{2}<1$

6 2의 배수는 2, 4이므로 꺼낸 카드가 2의 배수일 가능성을 수로 표현하면 $\frac{1}{2}\left(=\frac{2}{4}\right)$입니다.

STEP 2 JUMP 유형 130~136쪽

1-1 ❶ 예 (상자 안에 들어 있는 전체 공의 수)
$=4+4=8$(개)
❷ 예 8개의 공 중 초록색 공이 4개이므로 꺼낸 공이 초록색일 가능성은 반반으로 가능성을 수로 표현하면 $\frac{1}{2}\left(=\frac{4}{8}\right)$입니다.
; $\frac{1}{2}\left(=\frac{4}{8}\right)$

1-2 $\frac{1}{2}\left(=\frac{6}{12}\right)$ **1-3** 0

2-1 ❶ 예 주머니 안에는 흰색 바둑돌 4개, 검은색 바둑돌은 남은 것이 없습니다.
❷ 예 꺼낸 바둑돌이 흰색일 가능성은 1, 검은색일 가능성은 0입니다.
❸ 예 $1>0$이므로 흰색 바둑돌을 꺼낼 가능성이 더 높습니다.
; 흰색 바둑돌

2-2 노란색 쌓기나무

2-3 보라색 구슬

3-1 ❶ 예 $(42+88+56+62)\div4=248\div4$
$=62$(번)
❷ 예 $62\times5=310$(번)
❸ 예 $310-(39+48+79+57)=87$(번)
; 87번

3-2 50개 **3-3** 4명

4-1 ❶ 예 (다섯 명의 몸무게의 합)
$=45.4\times5=227$ (kg)
❷ 예 (창민이와 은성이의 몸무게의 합)
$=227-(46+36+42)=103$ (kg)
❸ 예 5■+●9=103이므로 일의 자리 계산에서 ■+9=13, ■=4이고, 십의 자리 계산에서 1+5+●=10, ●=4
⇨ 창민: 54 kg, 은성: 49 kg
; 54 kg, 49 kg

4-2 75번, 80번

5-1 ❶ 예 $20\times6=120$(장)이어야 합니다.
❷ 예 $26+28+15+19+21=109$(장)
❸ 예 해영이는 딱지를 $120-109=11$(장) 이상 가지고 있어야 합니다.
; 11장 이상

5-2 142명 미만 **5-3** 7권

6-1 ❶ 예 $2575000\times8=20600000$(마리)
❷ 예 2060만$-$(540만$+$330만$+$30만$+$140만$+$320만$+$250만)$=$450만 (마리)
❸ 예 강원도의 닭의 수를 □마리라 하면 경상북도의 닭의 수는 (□+290만) 마리이므로
□+□+290만=450만,
□+□=450만−290만=160만, □=80만
⇨ 경상북도: 80만+290만=370만 (마리),
강원도: 80만 마리
❹
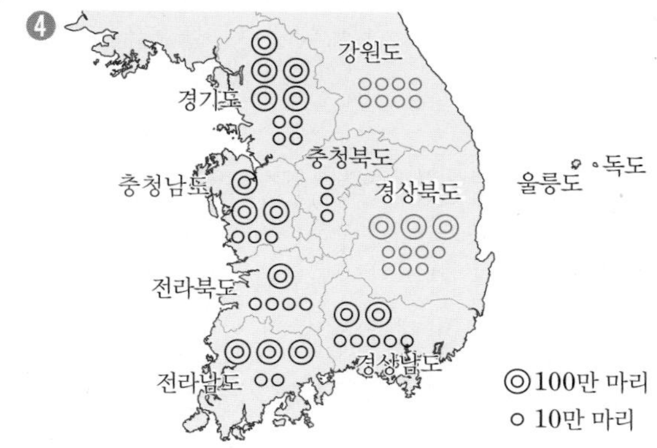

6-2

연도(년)	어휘량
2015	⊡⊡□□□□□□
2016	⊡⊡⊡□□□
2017	⊡⊡⊡⊡
2018	⊡⊡□□□□□□□□

⊡ 10만 톤
□ 1만 톤

7-1 ❶ 예 토요일과 일요일에 35분씩 적게 보았으므로 지난주보다 $35\times2=70$(분)을 적게 본 것입니다.
(이번 주 TV시청 시간의 합)
$=(40\times5)+(180\times2)-70$
$=560-70=490$(분)
❷ 예 (이번 주 TV시청 시간의 평균)
$=490\div7=70$(분) → 1시간 10분
❸ 예 1시간 11분−1시간 10분=1분
; 1분

7-2 2240대

1-2 (상자 안에 들어 있는 전체 공의 수)$=6+6=12$(개)
⇨ 12개의 공 중 흰색 공이 6개이므로 꺼낸 공이 흰색일 가능성은 반반으로 가능성을 수로 표현하면 $\frac{1}{2}\left(=\frac{6}{12}\right)$입니다.

문제해결 Key
① 상자 안에 들어 있는 전체 공의 수를 구합니다.
② 꺼낸 공이 흰색일 가능성을 구합니다.

6 단원

1-3 꺼낸 카드가 10보다 큰 수일 가능성은 불가능하므로 가능성을 수로 표현하면 0입니다.

2-2 성재와 민정이가 쌓기나무를 꺼낸 후 상자 안에는 노란색 쌓기나무 3개가 남았습니다.
일이 일어날 가능성을 0부터 1까지의 수로 표현하면 진욱이가 쌓기나무 한 개를 꺼낼 때 꺼낸 쌓기나무가 노란색일 가능성은 1, 초록색일 가능성은 0입니다.
⇨ $1>0$이므로 노란색 쌓기나무를 꺼낼 가능성이 더 높습니다.

2-3 일훈이와 수호가 구슬을 꺼낸 후 주머니 안에는 파란색 구슬 3개, 초록색 구슬 3개가 남았습니다.
일이 일어날 가능성을 0부터 1까지의 수로 표현하면 민지가 구슬 한 개를 꺼낼 때 꺼낸 구슬이 파란색일 가능성은 $\frac{1}{2}\left(=\frac{3}{6}\right)$, 초록색일 가능성은 $\frac{1}{2}\left(=\frac{3}{6}\right)$, 보라색일 가능성은 0입니다.
⇨ $\frac{1}{2}>0$이므로 보라색 구슬을 꺼낼 가능성이 가장 낮습니다.

문제해결 Key
① 일훈이와 수호가 구슬을 꺼낸 후 남은 구슬 수를 구합니다.
② 민지가 구슬 한 개를 꺼낼 때 꺼낸 구슬이 파란색과 초록색, 보라색일 가능성을 각각 구합니다.
③ ②에서 구한 가능성 중 가장 낮은 가능성을 알아봅니다.

3-2 (창섭이의 제기차기 기록의 평균)
$=(29+33+36+38)\div4$
$=136\div4=34$(개)
(은광이의 제기차기 기록의 합)$=34\times5=170$(개)
⇨ (은광이의 5회의 제기차기 기록)
$=170-(20+32+28+40)=50$(개)

참고
(평균)=(자료의 값의 합)÷(자료의 수)
⇨ (자료의 값의 합)=(평균)×(자료의 수)

3-3 (민혁이네 모둠의 평균)
$=(67+46+50+57+70)\div5=290\div5=58$(분)
(현수네 모둠의 시간의 합)$=58\times4=232$(분)
$\square=232-(55+50+65)=62$(분)
⇨ 자전거를 탄 시간이 1시간 이상인 경우는 62분, 65분, 67분, 70분으로 1시간 이상 탄 학생은 모두 4명입니다.

문제해결 Key
① 민혁이네 모둠의 자전거를 탄 시간의 평균을 구합니다.
② 현수네 모둠의 자전거를 탄 시간의 합을 구합니다.
③ □ 안에 알맞은 수를 구합니다.
④ 자전거를 1시간 이상 탄 학생은 모두 몇 명인지 구합니다.

4-2 (줄넘기 기록의 합)$=72\times5=360$(번)
(3회와 5회의 줄넘기 기록의 합)
$=360-(54+63+88)=155$(번)
⇨ 7▲$+$★0$=155$이므로 일의 자리 계산에서 ▲$+0=5$, ▲$=5$이고, 십의 자리 계산에서 $7+$★$=15$, ★$=8$이므로 3회는 75번, 5회는 80번 넘었습니다.

문제해결 Key
① 줄넘기 기록의 합을 구합니다.
② 3회와 5회의 줄넘기 기록의 합을 구합니다.
③ 3회와 5회의 줄넘기 기록을 각각 구합니다.

5-2 평균이 125명일 때
(일주일 동안의 입장객 수)$=125\times7=875$(명)
(6일 동안의 입장객 수)
$=95+90+102+110+132+204=733$(명)
⇨ 토요일에 입장한 사람은 $875-733=142$(명) 미만이어야 합니다.

5-3 (은이네 모둠이 읽은 책의 수의 평균)
$=(5+9+7+3+6)\div5=6$(권)
승주네 모둠이 읽은 책의 수의 평균은 $6+2=8$(권) 이상이 되어야 하므로 승주네 모둠이 읽은 책의 수의 합은 $8\times5=40$(권) 이상이어야 합니다.
⇨ 재한이는 적어도 $40-(6+9+10+8)=7$(권)을 읽었습니다.

문제해결 Key
① 은이네 모둠이 읽은 책의 수의 평균을 구합니다.
② 승주네 모둠이 읽은 책의 수의 합이 몇 권 이상인지 구합니다.
③ 재한이가 읽은 책이 적어도 몇 권인지 구합니다.

6-2 2015년 어획량: 25만 톤, 2016년 어획량: 33만 톤
(총 어획량)$=31.25$만$\times4=125$만 (톤)
(2017년과 2018년의 어획량의 합)
$=125$만$-(25$만$+33$만$)=67$만 (톤)
⇨ 어획량이 2017년에는 $(67$만$+13$만$)\div2=40$만 (톤)이고 2018년에는 40만-13만$=27$만 (톤)입니다.

문제해결 Key
① 2017년과 2018년의 어휘량의 합을 구합니다.
② 2017년과 2018년의 어휘량을 각각 구합니다.
③ 그림그래프를 완성합니다.

7-2 (5월의 제습기 총 판매량)$=580+270+900+410$
$=2160$(대)
이므로
(6월의 제습기 총 판매량)$=2160+20\times4$
$=2240$(대)
가 되어야 합니다.

문제해결 Key
① 5월의 제습기 총 판매량을 구합니다.
② 6월의 제습기 총 판매량을 구합니다.

다른 풀이
(5월의 제습기 판매량의 평균)
$=(580+270+900+410)\div4=540$(대)
6월의 판매량의 평균은 5월의 판매량의 평균보다 20대 많은 560대이므로
(6월의 제습기 총 판매량)$=560\times4=2240$(대)

STEP 3 MASTER 심화 137~141쪽

01 $\frac{1}{2}\left(=\frac{4}{8}\right)$	**02** 270만 명
03 ㉢, ㉡, ㉠	**04** 3800가마니
05 34번	**06** 69살
07 5 m^2	**08** 42 kg
09 3.94 m	**10** 6 kg
11 93점	**12** 2개월
13 5명	**14** 89점

01 구슬 8개가 들어 있는 주머니에서 1개 이상의 구슬을 꺼낼 때 나올 수 있는 구슬의 개수는 1개, 2개, 3개……, 8개로 8가지 경우가 있습니다. 이 중 꺼낸 구슬의 개수가 홀수인 경우는 1개, 3개, 5개, 7개로 4가지, 짝수인 경우는 2개, 4개, 6개, 8개로 4가지입니다.
⇨ 꺼낸 구슬의 개수가 홀수일 가능성은 반반이므로 가능성을 수로 표현하면 $\frac{1}{2}\left(=\frac{4}{8}\right)$입니다.

문제해결 Key
① 주머니에서 구슬을 꺼낼 때 나올 수 있는 구슬의 개수를 알아봅니다.
② 꺼낸 구슬을 개수가 홀수인 경우, 짝수인 경우를 알아봅니다.
③ 꺼낸 구슬의 개수가 홀수일 가능성을 구합니다.

02 (8개 도의 총 인구)$=348.75$만$\times8=2790$만 (명)
⇨ (경상북도의 인구)
$=2790-(1300+150+220+160+180+330+180)=270$(만 명)

문제해결 Key
① 8개 도의 총 인구를 구합니다.
② 경상북도의 인구를 구합니다.

03 일이 일어날 가능성을 0부터 1까지의 수로 표현하면
㉠ 0 ㉡ $\frac{1}{2}\left(=\frac{2}{4}\right)$ ㉢ 1
⇨ 일이 일어날 가능성이 높은 순서대로 기호를 쓰면 ㉢, ㉡, ㉠입니다.

문제해결 Key
① 일이 일어날 가능성을 각각 수로 표현합니다.
② 일이 일어날 가능성이 높은 순서대로 기호를 씁니다.

04 가: 2400가마니, 나: 4000가마니, 다: 3500가마니
(가, 나, 다 지역의 쌀 소비량의 평균)
$=(2400+4000+3500)\div3=9900\div3$
$=3300$(가마니)
⇨ (라 지역의 쌀 소비량)$=3300+500$
$=3800$(가마니)

문제해결 Key
① 가, 나, 다 지역의 쌀 소비량을 구합니다.
② 가, 나, 다 지역의 쌀 소비량의 평균을 구합니다.
③ 라 지역의 쌀 소비량을 구합니다.

05 (기준이네 모둠의 턱걸이 기록의 평균)
$=(10+14+17+18+21)\div5=80\div5=16$(번)
(지성이네 모둠의 턱걸이 기록의 합)$=16\times4=64$(번)
$\square=64-(16+11+13)=24$(번)
⇨ (가장 많이 한 사람과 가장 적게 한 사람의 기록의 합)
$=24+10=34$(번)

문제해결 Key
① 기준이네 모둠의 턱걸이 기록의 평균을 구합니다.
② □ 안에 알맞은 수를 구합니다.
③ 턱걸이를 가장 많이 한 사람과 가정 적게 한 사람의 기록의 합을 구합니다.

06 어느 동호회에 회원이 58명 있고 평균 나이는 38살입니다. 이번에 신입 회원 4명이 들어와서 회원 전체의 평균 나이가 40살이 되었습니다. 신입 회원 4명의 평균 나이는 몇 살입니까?

→(회원 58명의 나이의 합) $=(38 \times 58)$살

→(신입 회원 4명을 포함한 전체 회원의 나이의 합) $=(40 \times 62)$살

(회원 58명의 나이의 합) $=38 \times 58=2204$(살)

(신입 회원 4명을 포함한 전체 회원의 나이의 합)

$=40 \times 62=2480$(살)

(신입 회원 4명의 나이의 합) $=2480-2204$

$=276$(살)

⇨ (신입 회원 4명의 평균 나이) $=276 \div 4=69$(살)

문제해결 Key

① 회원 58명의 나이의 합을 구합니다.
② 신입 회원 4명을 포함한 전체 회원의 나이의 합을 구합니다.
③ 신입 회원 4명의 나이의 합을 구합니다.
④ 신입 회원 4명의 평균 나이를 구합니다.

07 (고구마를 모두 캐는 데 걸린 시간)

$=$(첫날 일한 시간의 합) $+$ (다음날 일한 시간의 합)

$=6$시간 $\times 4+8$시간 $\times 6$

$=24$시간 $+48$시간 $=72$시간

⇨ 한 사람이 한 시간 동안 $360 \div 72=5$ (m^2)의 밭에서 고구마를 캔 셈입니다.

문제해결 Key

① 첫날 일한 시간의 합을 구합니다.
② 다음날 일한 시간의 합을 구합니다.
③ 고구마를 모두 캐는 데 걸린 시간을 구합니다.
④ 한 사람이 한 시간 동안 일한 고구마 밭의 넓이는 몇 m^2인 셈인지 구합니다.

08 (민주의 몸무게) $+$ (영은이의 몸무게)

$=43 \times 2=86$ (kg),

(영은이의 몸무게) $+$ (지혁이의 몸무게)

$=42.5 \times 2=85$ (kg),

(민주의 몸무게) $+$ (지혁이의 몸무게)

$=40.5 \times 2=81$ (kg)

(민주의 몸무게) $+$ (영은이의 몸무게) $+$ (지혁이의 몸무게)

$=(86+85+81) \div 2=126$ (kg)

⇨ (세 사람의 몸무게의 평균) $=126 \div 3=42$ (kg)

문제해결 Key

① 민주와 영은이의 몸무게의 합을 구합니다.
② 영은이와 지혁이의 몸무게의 합을 구합니다.
③ 민주와 지혁이의 몸무게의 합을 구합니다.
④ 세 사람의 몸무게의 평균을 구합니다.

09 창섭이의 5번째 기록을 $\square$ m라 하면

$52.84 \times 4+\square>53.06 \times 5$, $211.36+\square>265.3$,

$\square>265.3-211.36=53.94$

⇨ 창섭이는 50 m보다 적어도 3.94 m 초과되게 더 멀리 던져야 합니다.

문제해결 Key

① 창섭이의 5번째 기록의 범위를 구합니다.
② 창섭이가 5번째에 던져야 할 거리는 50 m보다 적어도 몇 m 초과되게 더 멀리 던져야 하는지 구합니다.

10 (서연이네 모둠의 몸무게의 합) $=39 \times 6=234$ (kg)

(서연이와 민재의 몸무게의 합)

$=234-(42+40+37+36)=79$ (kg)

■8 $+$ 4▲ $=79$이므로

일의 자리 계산에서 $8+$▲$=9$, ▲$=1$,

십의 자리 계산에서 ■$+4=7$, ■$=3$

→ 서연이의 몸무게: 38 kg, 민재의 몸무게: 41 kg

⇨ 가장 무거운 학생: 선우(42 kg),

가장 가벼운 학생: 지아(36 kg)

(가장 무거운 학생과 가장 가벼운 학생의 몸무게의 차)

$=42-36=6$ (kg)

문제해결 Key

① 서연이네 모둠의 몸무게의 합을 구합니다.
② 서연이와 민재의 몸무게의 합을 구합니다.
③ 서연이와 민재의 몸무게를 각각 구합니다.
④ 가장 무거운 학생과 가장 가벼운 학생의 몸무게의 차를 구합니다.

11 (4회까지의 점수의 평균)

$=(84 \times 3+80) \div 4=332 \div 4=83$(점)이므로

5회까지의 점수의 평균을 2점 높인다고 할 때 5회에 받아야 하는 점수를 $\square$점이라 하면

$(332+\square) \div 5=83+2=85$, $332+\square=85 \times 5$,

$332+\square=425$, $\square=93$

⇨ 5회에서는 최소 93점을 받아야 합니다.

문제해결 Key

① 4회까지의 점수의 평균을 구합니다.
② 5회에서 받아야 하는 최소 점수를 구합니다.

12 봉사활동 기간을 □개월이라 하면
실제 봉사활동을 한 시간의 합: (96×□)시간
잘못 보고 계산한 시간의 합: (84×□)시간
(잘못 보고 계산한 시간의 차)=76−52=24(시간)
96×□−84×□=24, 12×□=24, □=2

문제해결 Key
① 봉사활동 기간을 □개월이라 놓고 실제 봉사활동 시간의 합과 잘못 보고 계산한 봉사활동 시간의 합을 각각 식으로 나타냅니다.
② 잘못 보고 계산한 시간의 차를 구합니다.
③ 민혁이가 봉사활동을 한 기간을 구합니다.

13 가장 높은 점수를 준 심사위원을 제외한 심사위원을 □명이라 하면 전체 심사위원은 (□+1)명입니다.
(전체 점수의 합)=18×(□+1)=18×□+18 … ①
(가장 높은 점수를 제외한 점수의 합)=16×□ … ②
①=②+26이므로 18×□+18=16×□+26,
18×□−16×□=26−18, 2×□=8, □=4
⇨ (전체 심사위원 수)=□+1=4+1=5(명)

문제해결 Key
① 전체 점수의 합을 식으로 나타냅니다.
② 가장 높은 점수를 제외한 점수의 합을 식으로 나타냅니다.
③ 전체 심사위원의 수를 구합니다.

14 첫 번째 조건에서 (5명의 점수의 합)=84×5=420(점)
세 번째와 네 번째 조건에서 은광<성재<창섭<민혁,
(성재)=(현식)−8 → 성재<현식
다섯 번째 조건에서 (현식)×2=(창섭)+(민혁)
→ 창섭<현식<민혁
⇨ 은광<성재<창섭<현식<민혁이므로 은광이의 점수는 72점입니다.
⇨ (은광)+(성재)+(창섭)+(현식)+(민혁)
=72+(현식)−8+(현식)×2+(현식)=420,
⇨ (현식)×4+64=420, (현식)×4=356,
(현식)=89(점)

문제해결 Key
① 5명의 점수의 합을 구합니다.
② 조건에 맞게 점수가 높은 학생을 순서대로 알아봅니다.
③ 현식이의 점수를 구합니다.

STEP 4 TOP 최고수준 142~143쪽

01 33 ℃ **02** 나, 라, 가, 다
03 74점 **04** 84점
05 13명

01 5일은 가장 더운 날로 가장 높은 최고기온이어야 하므로 35℃보다 높아야 합니다.
→ 6일의 35℃가 5일과 7일의 평균이므로 5일의 최고기온은 36℃입니다.
(8월 첫째 주 최고기온의 합)=34×7=238 (℃)
(1일의 최고기온)
=238−(31+34+35+36+35+34)=33 (℃)

문제해결 Key
① 5일의 최고기온을 구합니다.
② 8월 첫째 주 최고기온의 합을 구합니다.
③ 1일의 최고기온을 구합니다.

02 (전체 태울 수 있는 사람 수)=4425×4=17700(명)
다 여객선에 태울 수 있는 사람 수를 □명이라 하면
나 여객선에 태울 수 있는 사람 수는 (□×2)명이므로
4400+(□×2)+□+5200=17700,
9600+□×3=17700, □×3=8100, □=2700
→ 다 여객선에 태울 수 있는 사람 수: 2700명,
나 여객선에 태울 수 있는 사람 수:
2700×2=5400(명)
⇨ 태울 수 있는 사람 수가 많은 여객선부터 차례로 쓰면 나, 라, 가, 다입니다.

문제해결 Key
① 전체 태울 수 있는 사람 수를 구합니다.
② 나와 다 여객선에 태울 수 있는 사람 수를 구합니다.
③ 태울 수 있는 사람 수가 많은 여객선부터 차례로 기호를 씁니다.

03

어떤 시험에 200명이 응시하여 140명이 합격했습니다. 합격한 사람의 점수의 평균과 불합격한 사람의 점수의 평균의 차가 9.5점이고, 200명 전체의 점수의 평균이 71.15점일 때, 합격한 사람의 점수의 평균은 몇 점입니까?
(불합격자: 200−140=60(명))

합격한 사람의 점수의 평균을 □점이라 하면 불합격한 사람의 점수의 평균은 (□−9.5)점입니다.

6 단원

합격한 사람의 점수의 합계는 □×140(점), 불합격한 사람의 점수의 합계는 (□−9.5)×60(점)이고 200명 전체의 점수의 합계는 71.15×200=14230(점)이므로
□×140+(□−9.5)×60=14230,
□×140+□×60−9.5×60=14230,
□×200−570=14230, □×200=14800,
□=14800÷200=74 ⇨ 74점

문제해결 Key
① 합격한 사람의 점수의 평균을 □점이라 놓고 불합격한 사람의 점수의 평균을 식으로 나타냅니다.
② 200명 전체의 점수의 합계를 구합니다.
③ 합격한 사람과 불합격한 사람의 점수의 합계를 이용하여 합격한 사람의 점수의 평균을 구합니다.

04 2단원, 3단원, 4단원, 5단원, 6단원까지의 점수의 평균이 모두 자연수이므로 2단원, 3단원, 4단원, 5단원, 6단원까지의 점수의 합이 각각 2, 3, 4, 5, 6의 배수이어야 합니다. 6단원까지 모두 더하면 6의 배수이므로 5단원까지의 합을 구하고 남는 수가 6단원 점수입니다.
3단원까지의 합이 3의 배수인 것을 알기 위해 각각의 점수를 3으로 나눈 나머지를 구해봅니다.
72=3×24, 79=3×26+1, 84=3×28,
88=3×29+1, 90=3×30, 91=3×30+1
1단원부터 3단원까지의 점수는 72점, 84점, 90점이거나 79점, 88점, 91점이고 순서는 다를 수 있습니다.
① 72점, 84점, 90점인 경우:
4단원 점수는 72+84+90=246과 더하여 4의 배수가 되는 수로 79, 88, 91 중 어떤 수를 더해도 4의 배수가 되지 않습니다.
② 79점, 88점, 91점인 경우:
79+88+91=258에 90을 더하면 4의 배수이고 4단원 점수는 90점입니다.
258+90=348에 72를 더하면 5의 배수이므로 5단원 점수는 72점입니다.
⇨ 6단원 점수는 84점입니다.

문제해결 Key
① 6단원까지의 점수의 합이 6의 배수임을 알아봅니다.
② 1단원부터 3단원까지의 점수가 되는 경우를 알아봅니다.
③ ②의 경우에서 조건에 맞는 수를 구해 4단원과 5단원의 점수를 구합니다.
④ 6단원의 점수를 구합니다.

05 성재네 반 학생 25명이 세 문제짜리 시험을 보고 시험 점수에 따른 학생 수를 나타낸 표입니다. 1번은 2점, 2번은 3점, 3번은 5점이고 성재네 반 점수의 평균은 5.6점이었습니다. 2번을 맞힌 학생이 15명일 때 3번을 맞힌 학생은 몇 명입니까?

시험 점수

점수(점)	0	2	3	5	7	8	10
학생 수(명)		1	1	11	4		2

(5: 1번+2번 또는 3번, 7: 1번+3번, 8: 2번+3번, 10: 1번+2번+3번)

(반 전체 학생의 점수의 합)=5.6×25=140(점)
8점을 받은 학생 수를 □명이라 하면
2×1+3×1+5×11+7×4+8×□+10×2
=140,
108+8×□=140, 8×□=32, □=4
(0점인 학생 수)=25−(1+1+11+4+4+2)
=2(명)
5점을 받은 학생 중에서 1번과 2번을 맞힌 학생 수를 ●명이라 하면 2번을 맞힌 학생이 얻을 수 있는 점수는 3점, 5점, 8점, 10점이므로
(2번을 맞힌 학생 수)=1+●+4+2=15,
●+7=15, ●=8
5점을 받은 학생 중에서 1번과 2번을 맞힌 학생이 8명이므로 3번만 맞힌 학생은 11−8=3(명)입니다.
⇨ (3번을 맞힌 학생 수)=3+4+4+2=13(명)

문제해결 Key
① 반 전체 학생의 점수의 합을 구합니다.
② 8점을 받은 학생 수를 구합니다.
③ 5점을 받은 학생 중에서 2번을 맞힌 학생 수를 구합니다.
④ 5점을 받은 학생 중에서 3번을 맞힌 학생 수를 구합니다.
⑤ 3번을 맞힌 학생 수를 구합니다.

꼼꼼 풀이집

주의 책 모서리에 다칠 수 있으니 주의하시기 바랍니다.
부주의로 인한 사고의 경우 책임지지 않습니다.

초등학교	학년	반	번
이름